A E
& I

Niebla en Tánger

Autores Españoles e Iberoamericanos

Cristina López Barrio

Niebla en Tánger

Finalista Premio Planeta
2017

© Cristina López Barrio, 2017
© Editorial Planeta, S. A., 2017
Diagonal, 662-664, 08034 Barcelona
www.editorial.planeta.es
www.planetadelibros.com

Diseño de la colección: © Compañía

Primera edición: noviembre de 2017
Segunda impresión: diciembre de 2017
Tercera impresión: diciembre de 2017
Cuarta impresión: enero de 2018
Quinta impresión: febrero de 2018
Sexta impresión: febrero de 2018
Séptima impresión: marzo de 2018
Octava impresión: marzo de 2018
Novena impresión: mayo de 2018
Depósito legal: B. 24.719-2017
ISBN: 978-84-08-17895-8
Impresión y encuadernación: Unigraf, S. L.
Printed in Spain - Impreso en España

El papel utilizado para la impresión de este libro es cien por cien libre de cloro y
    está calificado como **papel ecológico**

A mis padres, a los que tanto quiero...

Cuando emprendas tu viaje a Ítaca
pide que el camino sea largo,
lleno de aventuras, lleno de experiencias.
No temas a los lestrigones ni a los cíclopes
ni al colérico Poseidón,
seres tales jamás hallarás en tu camino,
si tu pensar es elevado, si selecta
es la emoción que toca tu espíritu y tu cuerpo...
Ítaca te brindó tan hermoso viaje.
Sin ella no habrías emprendido el camino.
Pero no tiene ya nada que darte.
Aunque la halles pobre, Ítaca no te ha engañado.
Así, sabio como te has vuelto, con tanta experiencia,
entenderás ya qué significan las Ítacas.

CONSTANTINO PETROS CAVAFIS, «Ítaca»

La mayoría de las personas viven vidas de callada desesperación.

HENRY DAVID THOREAU, *Walden*

La Vida sostiene el espejo al Arte.

OSCAR WILDE, *La decadencia de la mentira*

1

El amante

Madrid, 12 de diciembre de 2015

Tiene el aliento de vidrio. Se ha despertado en una habitación de paredes rojas. Aún es de noche. Respira aliviada. Hay una ventana con las cortinas entreabiertas. La luz de un cartel de neón parpadea sobre la cama, sobre su vientre desnudo. No se atreve a moverse. Escucha el ruido de los coches, la madrugada envuelve la Gran Vía en un atasco. Recuerda dónde está. Quién es. Qué ha hecho. Él permanece a su lado, vivo, sumergido en la respiración de los sueños. ¿Qué hora será?, se pregunta. Siente frío. Los pezones helados. Las piernas entumecidas. El vientre azul por el destello del neón. El sexo aún consciente de lo que ha ocurrido. Hay más que indicios de que todo es verdad. Pero he de marcharme. Deben de ser más de las dos. ¿Y si se despierta? Le late el corazón en la garganta. Él duerme bocabajo con el rostro hacia ella. El dibujo del cuerpo sin ropa, de la piel de hombre sobre las sábanas, será también testigo de los hechos. Se levanta, los muslos frágiles, la cabeza embotada, los labios ardiendo.

Por el suelo se extiende un caos de pantalones, zapatos, jerséis, medias... A tientas, busca las prendas que le pertenecen y se viste deprisa, vigilándole. Si se mueve, si suspira, ella se detiene, espera su silencio. Encima de la mesilla encuentra el bolso. En el reloj del teléfono móvil comprueba la hora, ya son las tres y media. Junto al bolso ve un libro, que unas horas antes le fue invisible; enciende la linterna del móvil y lo hojea. Varias páginas marcadas con post-it y anotaciones a lápiz, escritas en francés. Se titula *Niebla en Tánger*; la autora, Bella Nur. Le gusta leer, piensa mientras le observa, ahora está bocarriba, su pubis se anuncia en ráfagas de neón.

Al dejar el libro, ve una cartera. Es bastante vieja. Guarda el teléfono en el bolso, él respira en otro mundo. La abre, le tiemblan las manos: ninguna tarjeta de crédito, ningún carné, ninguna tarjeta de visita, solo la fotografía de un hombre con traje militar que sonríe en blanco y negro. Le oye toser. La cartera se le resbala de entre los dedos, la sujeta de un extremo, algo se escurre de su interior y cae sobre la alfombra. Es un colgante con una forma parecida a la de una cruz. Ella lo aprieta en una mano hasta hacerse daño. «Arriésgate alguna vez, querida», suele decirle su psicoanalista. Guarda el colgante en el bolso. En el bloc de notas con el nombre del hotel que hay en la mesilla, garabatea con un bolígrafo: «Flora la durmiente», y su número de móvil. Él se abraza a la almohada; ella, con su olor en las mejillas, se marcha.

El joven que hace el turno de noche en la recepción mueve con rapidez los pulgares sobre la pantalla de su iPhone nuevo. Durante las semanas previas a Navidad hay mucho movimiento de huéspedes en el hotel, pero hace una hora que por fin está tranquilo. Cuando las puertas del ascensor se abren, el joven aparta un instante la mirada de su teléfono; buenas noches, le dice a la mujer que se dirige con premura a la salida. Flora, furtiva, no le contesta.

Madrid es un lanzallamas. Las luces de la Gran Vía descolgándose de las carteleras de los teatros, los coches noctámbulos, las manadas de jóvenes con gorros de Papá Noel, los vendedores chinos de cerveza y bocadillos de plástico, en tenderetes de cartón. Flora camina hacia el parking de la plaza de España, los tacones que habitualmente no usa resuenan en la acera. Gélido, el viento de diciembre le hiere la piel que tiene levantada alrededor de la boca y la barbilla. Se resguarda en el abrigo y sonríe, a pesar del escozor, de que se ha subido mal las medias y tiene la sensación de que camina a horcajadas sobre las costuras de nailon. Lo ocurrido asoma a su cabeza a fogonazos. El anillo de plata de él, con una piedra gris, acariciándole los pechos; la promesa al oído: te voy a besar por todas partes. Hace muchos años que Flora no se siente como en ese instante: viva. En ese mundo irreal de bocadillos orientales: existe. Existe cuando entra en el parking y recorre el pasadizo iluminado con lámparas de polillas y cigarrillos a su paso. Existe cuando algunos jóvenes, a los que dobla la edad, la miran, cuando huele los efluvios del restaurante de comida asiática, donde se arremolina la juventud que huye del alba. Existe al subirse a su coche, un Volkswagen gris de segunda mano, y cada movimiento trivial, quitarse el abrigo, dejar el bolso sobre el asiento, le parece extraordinario. Existe cuando sale de la ciudad ardiente, toma la carretera y asciende por el puente de los Franceses. Existe cuando le viene a los labios esa palabra, que no es Lowenstein, como en la película que ha visto mil veces, *El príncipe de las mareas*, sino Camelot, el pub donde le ha conocido entre vapores de whisky y risas de cerveza; existe ella, Ginebra, entre el aliento de niebla que se adensa en las cunetas, la oscuridad que se la va tragando mientras en la radio suena una canción de los ochenta, y canta. Existe aunque ha tomado el desvío y su reino se divisa a retazos, emerge entre jirones de frío y la luz de las primeras farolas que anuncian la civilización burguesa, un enjambre de urbanizaciones idénticas con murallas de cemento y fosos de jardines. Flora calla, apaga la radio para que no la descubran, se adentra por la boca del garaje, se hunde por la rampa y aparca en la celdilla que le corresponde: la 223.

Son las cinco menos veinte de la madrugada. En el ascensor, Flora comprueba su móvil, no hay mensajes, ni llamadas. Se quita los zapatos, los coge con una mano y prepara las llaves. El descansillo del cuarto piso la recibe en penumbra. Abre la puerta con la letra C y la cierra tras ella sin hacer ruido. La casa está tomada por una soledad de cementerio. A través de la ventana del salón penetra la lengua oscura que forma la sombra del ciprés más alto del jardín. Flora se deshace del abrigo y los zapatos, busca en el bolso el paquete de cigarrillos y se fuma uno sentada en el sofá. De nuevo los fogonazos la asaltan, flotan en las volutas de humo: él la resucita con un beso en el cuello, la lame, la aspira, la recorre, la busca, la desea, la encuentra. El cigarrillo se acaba, cruje contra el cenicero de cristal. Flora se levanta, ante ella se abre el abismo del pasillo que conduce al dormitorio. Va quitándose las medias, camina por las baldosas de hielo, de puntillas, salta de una baldosa a otra, se detiene, escucha, nada. Ni un soplido de ultratumba. Tuerce hacia el baño, enciende la luz y se mira en el espejo. Los ojos grises se le pierden entre brumas de rímel, los cabellos revueltos por los retozos entre las sábanas. Las lentillas se han convertido en rocas, le saltan de las pupilas y caen en el lavabo. Mañana tendré que ponerme unas nuevas. Al desnudarse, percibe el olor de él, de ellos, lo abriga con el pijama, lo protege, lo sella a su piel. Apaga la luz. La casa está estancada en lo que queda de noche. No hay escapatoria. Una cama grande la espera. Es una tumba en la que yace un hombre, bocarriba, consciente de la mitad del espacio que le pertenece. Duerme. Flora se aproxima a la mitad vacía, se introduce en ella con cuidado de no rozar el otro cuerpo, de no sentir siquiera cerca su calor, su presencia, se arropa con la lápida y sella el sepulcro.

—¿Me despertás a las siete de la mañana para contarme que ayer te acostaste con un pibe del que no recordás ni su nombre? Que tenés una resaca que pareces Drácula cuando le pega el sol. ¿Cuántos años tenés, Flora? ¿Parezco la amiga adolescente, eh? Mirame bien, querida: bolsas bajo los ojos, patas de gallo, la cara hinchada, tengo cincuenta años, y vos cuarenta, y soy tu psicoanalista.

En la pantalla del portátil de Flora, a través de Skype,

Deidé Spinelli se abanica con una revista desde Buenos Aires.

—Ya conectaremos entonces el martes, a las cinco y media mías, una y media tuya, en sesión oficial. Aún me queda una del bono de este mes.

—Ah, no, no te hagas la interesante, no usés conmigo métodos baratos.

Flora sonríe, está sentada frente a la mesa donde trabaja, con un pijama del Principito muy invernal. Tiene los cascos puestos para evitar que su marido pueda oír la voz de Deidé. La puerta de la habitación está cerrada.

—Contá, desde las palabras hasta los gemidos, me lo merezco después de este madrugón. —Se abanica con más brío.

—¿Hace mucho calor tan temprano?

—No es el verano porteño, querida, sino estos sofocos de la reputísima menopausia que me están matando.

—¿Y no puedes tomar hormonas sustitutorias?

—Qué hormonas, que las jodan, la voy a pasar como la pasó mi madre. Y ahora hablá, que me diste solo titulares, desarrolla.

—Tú me has dicho muchas veces que tengo que arriesgarme más, salir de la incómoda comodidad en la que vivo.

—No te justifiques, querida, tenés edad de afrontar tus cosas vos solita. Yo no te empujé a los brazos de nadie. Ya te dije que bajes al castillo, a la mazmorra, que es donde vos estás, bajá por la escalera del corazón, de las tripas. Ese es el camino duro. —Deidé se quita una bata liviana de flores. Tiene el cabello teñido de negro, largo y muy rizado.

—Es posible que él sea un atajo. —Flora aprieta el móvil que sostiene en una mano.

—No hay atajos para lo que debés hacer.

—Hacía tanto tiempo que no me divertía, Deidé.

—¿Qué sabés de él? No tenemos nombre, pero algo más habrá.

—Hablaba con acento francés.

—Será de Francia como poco.

—Apenas hablamos de lo típico, de dónde eres, en qué trabajas...

—¿De metafísica, entonces?

Flora arruga la nariz, es pequeña y con pecas. Comprueba en el móvil que no haya mensajes.

—Me propuso un juego: no ser quienes éramos en realidad, sino quienes nos gustaría ser.

—Juguetón, el pibe, adolescente también, por lo que veo. —Deidé se sirve una taza de café—. Pero contá en orden, de acá podemos sacar una sesión. Esto del jueguito puede ser una puerta directa al inconsciente. ¿Dónde le conociste?

—La cena de Navidad que organizaban ayer las antiguas compañeras del colegio, esa a la que no me apetecía mucho ir, al final me animé.

—No me contaste que lo habías decidido.

—Estabas dormida a esas horas. No fue del todo mal... Después del restaurante entramos en un pub, se llamaba Camelot.

—Qué peligroso el nombrecito para vos, querida, con lo loca que tenés la imaginación. Debería estar prohibido que gente como vos frecuentara sitios así, como los ludópatas los casinos. Y luego te viene el tipo con el jueguito.

—No llevaba una armadura —ríe Flora—, sino un jersey de rayas y pantalones negros. Se me acercó en la barra mientras pedía un *gin-tonic* más.

—¿Iba solo?

—Sí.

—Un tipo solo en un bar... Al menos no era un psicópata asesino, querida, vivita estás. Porque vos te fuiste con él, sin más vueltas, ¿sabiendo qué?

—Ha viajado muchísimo. Me habló sobre lugares fascinantes: las dunas doradas del Sahara, un oasis que hay en Egipto con un lago que tiene conchas petrificadas por la sal, y me contó cuentos de las mujeres del Rif, en Marruecos, que solo se pueden narrar por la noche porque quien lo haga durante el día queda maldito para siempre.

—Un Lawrence de Arabia, un Sherezade, un encantador de serpientes. Te pilló enseguida el punto flaco, querida.

—Y luego bailamos, Deidé. Las pocas amigas que quedaban a esa hora no dejaban de mirarme. Con lo torpe que yo me siento bailando, pero con él resultó distinto. Yo no era yo, Flora, rellenita y con bragas grandes. Jugábamos a que él era un capitán que había luchado en la resistencia francesa para liberar París de los nazis, y yo una escritora y reportera de guerra que acababa de entrevistarle. El pub, un bar de los años cuarenta, donde solo faltaba el humo de los cigarrillos. Y bailamos agarrados, mirándonos a los ojos. Hasta que le propuse que nos marcháramos para no dar más que hablar a mis amigas.

—Ya tenían toda la información, Florita. ¿Y si alguna se lo cuenta a tu marido?

—No veo cómo podrían localizarle.

—Hoy en día no hay nada más fácil con los Facebook, los Instagram y qué sé yo. Han jodido la privacidad del mundo.

—Pues no me importa, que lo sepa. Lo gritaría.

—Querida, vos estás aún bajo los efectos de lo que parece fue un buen polvo.

—Me sentí deseada, Deidé.

—No lo dudo, se lo trabajó muy bien. ¿Vas a volver a verle?

—Le di mi móvil.

—Por eso no lo soltás de la mano.

—Flora —la voz de su marido se oye a través de la puerta—, ¿con quién hablas? Tenemos que ir a la compra.

—Ya cuelgo —responde—. Dame un minuto.

—Luego hay mucha gente en las cajas —insiste la voz delgada de su marido.

—Deidé, te llamo en cuanto pueda.

—Dame un respirito también, querida, es sábado. Y curá la resaca con jugo de tomate.

—Flora, ¿vas a tardar mucho en arreglarte?

—¡No! —grita—. Corto y cierro, Deidé, un beso.

Flora abre la puerta.

—¿Con quién hablabas? —pregunta él.

—Con esta amiga argentina que conocí por Facebook, ahora tenemos una relación muy estrecha.

Lleva dos años en tratamiento con Deidé, pero no quiere que él lo sepa. El dinero que gana en Electrodomestic Language, traduciendo al inglés y al francés instrucciones de batidoras, cafeteras, lavavajillas, secadores de pelo, neveras y demás aparatos eléctricos, no es mucho, por eso buscó sesiones de psicoanálisis por Skype. No podría pagar a una especialista en Madrid, y justificar mes a mes adónde se le va el dinero. Al principio hacían las sesiones cuando él estaba trabajando en el ministerio, pero ahora llama a Deidé siempre que la necesita, y ella no le cobra.

Flora deja que el agua de la ducha borre el olor de la noche pasada. Solo le quedan unas agujetas en las ingles para caminar en el recuerdo; la piel del rostro que una barba de pocos días ha herido con múltiples besos, y un morado en el cuello. Lo tapa con un fular de lana. Se ha vestido con ropa que hace tiempo que no usa, más atrevida, se ha maquillado también de manera distinta, con *eye liner* y sombra gris, que realza el color de sus ojos.

—¿Vamos a alguna parte después del súper? —le pregunta su marido.

—A lavar tu coche, como siempre —responde Flora.

—Ahora tienes mejor cara, sin duda. ¿Bebiste mucho ayer?

—Lo justo.

—¿Te divertiste?

—Fue un bonito reencuentro.

—Me alegro. Lo necesitabas.

Los sábados hacen la compra para toda la semana. Van en el coche de él, el familiar —un Peugeot 508 de color cereza, que a Flora nunca le gustó—, aunque la familia de momento se reduce a ellos.

Su marido conduce. Es un hombre de ojos secos, jersey con cuello a la caja, colonia dócil. Desde la carretera se distingue, a lo lejos, la silueta mastodóntica del supermercado. Es un fósil de lo cotidiano, piensa Flora. Siente vértigo en el estómago. No quiere entrar. Una amenaza se cierne sobre ella, la luz solitaria de los fluorescentes, la megafonía anunciando el mismo pescado fresco de siempre.

—Ya hay mucha gente —dice su marido—, el parking está casi completo. No deberíamos habernos entretenido.

Flora baja la ventanilla buscando una bocanada de aire fresco. Lleva puestas las gafas de sol. La mañana radiante, fría, atraviesa su resaca. Le duele la cabeza, a pesar de que se ha tomado una pastilla. Se fumaría un cigarrillo, dos, la vida en ese instante para que el dolor cediera, el miedo a que nada ocurra.

Una vez dentro del supermercado, siguen la rutina de todos los sábados. Empiezan la compra por la zona de verduras y frutas. A continuación, latas, encurtidos, aceites, panes, dulces, bebidas, charcutería y limpieza; nunca alteran el orden, su marido dice que de esta manera nada se olvida.

—Flora, patatas, ¿qué te parece si nos hacemos una tortilla esta noche? —Él lleva el carro.

Se dividen la tarea, Flora las verduras, él la fruta.

—¿Quedan berenjenas? —pregunta ella.

—Hay que comprar también.

En el bolso de Flora se oye el sonido del móvil. Un clic de cristal anuncia que acaban de enviarle un wasap. Ella lee en la pantalla:

Flora la durmiente, Flora la que esconde un secreto, me desperté y ya no estabas...

—¿Qué pasa? —le pregunta su marido—. Te has puesto roja.

Paul, repite ella en voz baja. Es cierto, se llamaba Paul. Ahora lo recuerdo. Paul, a secas. No pone su apelli-

21

do en el chat. Solo Paul. Soy Paul, me dijo en la barra del Camelot.

—¡Flora, coge los calabacines! Te espero donde las latas, yo he terminado aquí. Date prisa.

Flora de pelo rojo... Lo quiero otra vez sobre mí... Dónde estás...

Paul, ella se acaricia un instante el cabello recogido en una coleta, mete calabacines en una bolsa, los pesa, sus ojos grises se pierden en un horizonte de hortalizas. A su lado, una embarazada espera su turno para pesar naranjas. Flora mira de reojo la barriga prominente. Cada sábado, siente que una horda de mujeres embarazadas la persigue por el supermercado mostrándole en su carne inflada lo que ella desea y no consigue.

Flora huye, serpentea por los pasillos, el pulso cabalgándole en las sienes, el vientre, hueco, un nido de lágrimas. Respira hondo como le dice Deidé: «Ejércitos de embarazadas persiguiéndote, por qué, Florita, este *walking alive*, tenés atención selectiva»; pero ellas aparecen por la retaguardia, con sus carros satisfechos, rollizos, amenazándola con pañales felices, para los niños que ya tienen, para los que vendrán. Este sábado es diferente, Flora le cede la báscula con amabilidad a la mujer de las naranjas y mira su móvil:

Flora la durmiente que está por despertar..., toda mi habitación eres tú...

Su marido regresa a buscarla.

—Mira, caballa en aceite, que tanto te gusta. —Le muestra un pack de tres latas.

Flora guarda el móvil en el bolsillo del abrigo y sonríe. Piensa qué puede responderle a Paul, mientras sigue a su marido de un pasillo a otro del supermercado. Quiere mostrarse seductora, interesante. Aún oye el sonido de los wasaps que recibe.

—Vamos a cambiar de marca de detergente, hay uno mucho más barato —le propone él.

—Me parece bien. —Ella saca el teléfono a hurtadillas. *¿Volveré a verte?...*

Me encantaría, teclea sin pensarlo más.

—Esta noche podríamos ir al cine. Un compañero del ministerio me ha recomendado una peli romántica —le dice su marido.

—Claro, si te apetece. Voy a por yogures.

Dime dónde estás... Fletaré un zepelín para ir a buscarte...

—Te espero en las cajas —responde él.

Flora huye. Aprieta el teléfono en la mano. Le quema el pecho.

Paul, responde riéndose, *Paul..., me gusta tu nombre... Veo el zepelín, se acerca...*

Voy a echar una escalera para que subas por ella ☺

La tengo... Ahí estás..., en lo alto... Veo las torres de Notre-Dame...

París es libre... ☺

Nosotros también...

Te sonrío, ven a mis brazos, aprisa... Te beso...

Después del supermercado, Flora y su marido han lavado el Peugeot cereza en una gasolinera cercana a su urbanización y han regresado a casa para almorzar.

Ella reboza pescadilla en la cocina. Hunde las manos

en la harina profunda, cierra los ojos, tiene la piel de su amante entre los dedos. Toma un trozo de pescado y lo sumerge en un plato con huevo batido. Lo acaricia, lo envuelve, lo gira, lo siente húmedo en las yemas. Todo es Paul. Cada ingrediente que toca, que lava, que seca. El cabello lacio que a veces le cae sobre una de las cejas, sus ojos que la observan fijos, me llamo Paul, le dijo. Silencio. Sus ojos que creyó oscuros, y a la luz los descubrió de un azul marino que no había visto jamás.

Almuerzan en el *office* de la cocina, frente al televisor. Ven el telediario. Un moscardón que zumba entre ellos y los mantiene anestesiados en las desgracias del día por las que se puede hacer poco o nada. Tras comerse el pescado, él se queja de su jefe del ministerio. Flora asiente, no hay derecho, responde, lo que tienes que aguantar. No toma postre, fuma con la ventana entreabierta y el rostro de fastidio de su marido. La luz invernal penetra como una espada. Tose en las últimas caladas.

—Deberías dejarlo. Ya sabes que tus pulmones no lo toleran.

Ella lo sabe, estuvo enferma durante la infancia.

—Voy a acostarme un rato. Necesito dormir la siesta —le dice mientras aplasta la colilla en un cenicero.

—Resaca, ¿eh?

Regresa a la cama grande, menos hostil cuando solo está ella, y se tumba. Coloca el móvil en la mesilla de noche, el altar de su intimidad, de lo que fue, de lo que quiere ser. Hay libros, muchos. Los libros han sido desde la niñez su pasión y su refugio del mundo. Libros en los que vive a veces más que en la realidad del tedio, de los días que son lustros, precipicios hacia la soledad. ¿Quién es Flora? Flora Gascón. Adora las novelas de misterio, las de detectives que la han salvado tantas noches del insomnio feroz de la tristeza. De las lágrimas junto a un hombre que solo duerme. «Florita, la vida no es una fábula ni una historia de detectives —le reprende Deidé—. Acá, mientras se está vivo, solo se delinque contra la muerte.»

Junto a los libros, reposa la fotografía de una mujer, su abuela: Flora Linardi. Solo la vio una vez, a los ocho años, en el sur de Italia, donde vivía, donde dicen que murió de amor a los sesenta. De ella ha heredado, además del nombre, el cabello rojo y la barbilla partida. Recuerda una mujer como la de la fotografía: con el cuello empedrado de collares, la melena de ondas antiguas, y un vestido con encaje blanco por el que se le escapaban los pechos. Recuerda el fuerte olor cuando la apretaba contra ellos, en un abrazo sísmico, Flora, la niña de mis cabellos, le decía, un olor que se le antojaba a golondrinas. Recuerda lo que le cuenta su madre de ella: que abandonó a su único hijo para entregarse a la lujuria de la poesía y el adulterio con el pintor de acuarelas que la llevó a la tumba; lo que le cuenta su padre, el hijo abandonado: que era una mujer viva, en la época equivocada. Detrás de su abuela, en la fotografía, se vislumbra el mar, libre, casi se le oye, sueña Flora.

La tarde de diciembre, conforme cae el sol, se está tornando de hielo. Flora se acurruca bajo el edredón, permanece alerta a cualquier sonido de su teléfono, aunque hace unas horas que no recibe mensajes de Paul. Ha sacado del bolso el colgante que se escurrió de la cartera. Por un momento, pensó que podría utilizarlo de excusa para volver a encontrarse. Lo vi en el suelo cuando iba al baño, luego salí con prisa y se me olvidó devolverlo. Pero la treta no le va a hacer falta. Además, si él no se hubiera puesto en contacto con ella, no habría podido utilizarla. Paul no le dio su móvil. Flora custodia el colgante en una mano. Enciende la luz de la lamparita de la mesilla y siente una punzada de vergüenza por habérselo llevado que cede enseguida al placer de acariciar lo que le pertenece a él. Su tacto percibe algo rugoso en el dorso. Le da la vuelta. Hay unas letras grabadas. Flora acerca el colgante más a la luz, parece un nombre de mujer: Alisha.

2

El viento

Madrid está tomada por el viento. Azota los edificios, silba en las ventanas, desmiga cornisas, doblega las ramas de los árboles con una fuerza bíblica. Vuela los abrigos de los transeúntes, los sumerge en remolinos de hojas secas, papeles y polvo; les vuela los cabellos, se los enreda, los hace flotar. Entre todos los cabellos volantes de la ciudad, hay unos de color rojo que avanzan por la plaza del Ángel. Flora acude a una cita. Camina con dificultad, aprieta el bolso en el regazo, se abraza a sí misma. De dónde habrá salido este viento del demonio, y justo un día como hoy, piensa, se muerde el labio de abajo, se arrepiente, acaba de comerse el carmín a juego con su pelo. A pocos metros, vislumbra el café Central, donde va a reunirse con su amante. Llega quince minutos antes de la hora acordada, y con su propio vendaval en las entrañas.

Flora abre la puerta del café no como Flora Gascón, que esa misma mañana ha traducido al inglés los entresijos del manejo de una batidora, sino como la mujer que después del trabajo se ha ido de tiendas y se ha comprado un sujetador y unas bragas de encaje color violeta.

Tarda varios minutos en elegir una mesa. Otea entre las que quedan libres cuál puede ser la más íntima, la que se ajusta mejor al reencuentro que ella ha imaginado. Por fin se decide por una junto a la pared, lejos de las cristaleras de la entrada para protegerse del sonido del viento. Pide una cerveza al camarero; son las siete menos cuarto de la tarde y aún le parece pronto para una bebida más fuerte. Se retoca los labios. La cerveza viene acompañada de un plato de frutos secos que ella no prueba, aunque apenas ha comido desde el sábado por la noche, y ya es domingo. Caldo desgrasado y lonchas de pavo, esos han sido los manjares de su dieta, pero ha conseguido perder medio kilo. Tiene el móvil encima de la mesa. Aún quedan doce minutos para las siete, la hora de la cita. Esta vez le ha dicho a su marido que iba a dormir en casa de una de las compañeras de colegio de la cena del viernes. Éramos muy amigas en la infancia y nos quedamos con ganas de seguir hablando, pero a solas. Una noche en vela es perfecta para ponerse al día. Su marido sonríe y asiente. «Muchas explicaciones pueden levantar sospechas», le dice Flora después a Deidé. «A qué jugás, Florita.» «Creo que me vio el morado del cuello, y eso que he intentado ponerme siempre algo para taparlo.» «Preguntate, querida, si en verdad vos no querías que te lo viera.»

En el café Central reina una luz suave. Un halo de refugio envuelve el local. No hay actuación de jazz hasta unas horas más tarde. Huele a café tostado, a vapores de leche. Flora abre el chat de Paul:

Flora la durmiente, duerme conmigo esta noche en el hotel..., despertemos juntos...

No le ha dicho que está casada, él no se lo ha preguntado, Flora cree que lo sospecha, ¿o quizá no?

Flora, ¿podrás escaparte hoy para estar juntos?

¿Escapar? Da un sorbo a la cerveza, dos. De los nueve años de matrimonio hace tres que se quitó la alianza, su marido nunca le preguntó por qué. Ella tenía la respuesta preparada: no la llevaré hasta que la sienta de nuevo; la respuesta se le pudrió dentro. Se fumaría un cigarrillo, pero cómo abandonar ahora la mesa y adentrarse en el vendaval, solo encenderlo sería un acto heroico.

Las siete menos diez, cierra los ojos, respira hondo. No le gusta salir de casa sin el libro que está leyendo, se siente huérfana, pero el bolso que ha elegido para su conjunto sexi de falda y jersey ancho es demasiado pequeño. Tampoco podría leer ahora, se consuela.

Las siete menos siete minutos, se retuerce las manos. Otro sorbo de cerveza que apenas le cabe en el estómago. ¿Será puntual? Cuando la puerta del café se abre y deja entrar un soplido, Flora tarda unos segundos en comprobar si es él. Mira de reojo. Juega a abstraerse en su cerveza.

Las siete menos cinco. Hormigueo en los pies, en las palmas de las manos. Le viene a la mente la imagen de su marido viendo la televisión la tarde entera del sábado. «La televisión es una teta grande —le dice Deidé cuando se queja—, tragamos, tragamos lo que nos echa, nos alimenta y ya no necesitamos más.»

Las siete menos cuatro minutos. Empieza a sudar. Ha llevado el colgante de Paul, duda si devolvérselo. Es poco probable que crea que lo tiene ella. Pensará que lo ha perdido. Pero ¿quién será Alisha? ¿Y si él también está casado?, se pregunta. Solo llevaba un anillo de plata con una piedra gris. ¿Qué sabe de Paul? ¿A qué se dedica?

Las siete menos dos minutos. Cerveza. Más cerveza. Dorada. Flora sueña. Se bebe las dunas del Sahara de las que le habló Paul. Se imagina junto a él montada en la grupa de un camello, envuelta en velos de Salomé, y él, como le dice Deidé, Lawrence de Arabia, con los tormentos azules que son sus ojos asomándose por un pañuelo. Flora sonríe. Se imagina en un oasis de dátiles y hojas tiernas bajo el peso de Paul, bajo el olor marino que inexplicablemente desprendía su pecho. Luego regresa al hotel de la Gran Vía, a las paredes rojas donde hace dos días se agotaban a besos.

Las siete en punto. Se oye un mandoble del viento contra la cristalera del café, las luces de la calle y las del interior del local se apagan. Nadie se mueve. Solo un murmullo interrumpe la oscuridad que lo anega todo. Un camarero enciende una vela en la barra, la puerta se abre de golpe acompañada por otro bramido del viento, nadie entra. Se extiende por el café un perfume húmedo. Un cliente se levanta y cierra la puerta con dificultad. La piel de Flora se desbarata en un escalofrío.

Las siete y cuarto, las luces de las farolas de la calle y del local han vuelto a encenderse. Flora se ha pedido otra cerveza. Ni rastro aún de Paul. Comprueba si hay mensajes en el móvil, duda si llamarle por teléfono, aún es pronto, quizá solo es impuntual, se dice mientras come el primer puñado de frutos secos, al que le siguen otros tantos, hasta que a las siete y media se ha terminado el plato y ve entrar a una mujer embarazada. Flora entorna los párpados, el pulso se le dispara, no te queda tiempo, Flora, para ser madre. La cerveza es un reloj de arena. Las burbujas, los granos que marcan el ritmo de su desgracia. Se mira el vientre, abultado por las bacanales de dulces a las que sucumbe a menudo cuando se desespera. Está vacío, como el de *Yerma*, piensa, hueco por esperar la vida del hombre equivocado. Se le agolpan las lágrimas en los ojos, se le despeñan sobre la mesa y bebe para ocultar la pena. El camarero le sirve otro plato de frutos secos, ella lo agradece metiéndose en la boca un puñado de avellanas amargas.

A las ocho, llama a Paul por teléfono. Apagado o fuera de cobertura. Revisa el último wasap que él le ha enviado a las seis y media:

Estoy a merced del viento, Flora, mi querida durmiente, pero voy en tu busca...

Pide la cuenta, aunque tarda en pagarla más de veinte minutos. Mientras, espera y espera, atenta a cada persona que busca refugio. A las ocho y media, se marcha. Madrid la recibe con mano de huracán, o es su pecho que le sopla tristeza. Camina por las calles, fumando, en busca de un rumbo. Le parece que los pocos coches que las surcan tiemblan como ella, que los árboles silban las preguntas que se amontonan en su cabeza. Llama a Paul de nuevo, no obtiene respuesta. «Otro boludo más, querida, te encendió y te dejó tirada. Volvé a tu casa y olvidate de él.» Puede escuchar las palabras de Deidé, pero no tiene ánimo para intentar conectar con ella. Se detiene en un semáforo. De una fachada sobresale el cartel de un pub con letras azules que se encienden y se apagan. Recuerda el neón del hotel de la Gran Vía, el despertar del asalto amoroso, y se encamina hacia allá.

—Buenas noches. —La voz de Flora suena entrecortada.

El vestíbulo del hotel está desierto y solo el recepcionista la observa: el carmín corrido en los labios, los ojos enrojecidos.

—¿Tiene habitación aquí?

—Vengo a preguntar por un huésped. Se llama Paul.

—¿Paul qué más, señora?

—No lo sé. —Flora se retuerce las manos.

—¿Número de habitación, al menos? —El hombre la mira con desconfianza.

Silencio. Flora lucha por encontrarlo en su memoria.

—Era uno de tres cifras en la puerta, dorado. —Se siente ridícula al instante.

—Como en muchos hoteles, señora. ¿No tiene más información sobre el huésped?

—Ojos azules, alto, pelo oscuro... —Titubea—. Solo quiero saber si sigue aquí alojado.

—No puedo ayudarla.

—El viernes por la noche..., ¿no me recuerda? Vine con él. —Se le quiebra la voz, retiene el llanto.

Él la mira con desdén.

—Depende de la hora, mi turno termina a las once. La habrá visto mi compañero, si acaso, el otro recepcionista.

—Así que usted no estaba aquí.

—Si llegó más tarde de las once, no.

—Le preguntaré a él, entonces.

—Como guste, pero si no tiene más datos...

—Dice que entra a las once.

—Eso es —asiente el hombre mientras comprueba su reloj y enarca las cejas.

—Volveré luego.

Flora se aleja del mostrador, la cabeza le da vueltas. Sale a la calle a respirar el viento. Fuma, pero se marea más. Camina por la Gran Vía hacia la plaza de Callao mientras piensa que los carteles luminosos parecen fantasmas. Comprueba de nuevo su teléfono: ni rastro de Paul. Comprueba el WhatsApp: no está conectado. Le llama, la voz mecánica del contestador. Se pasa una mano por el cabello y rebusca en sus recuerdos. El número de habitación no puede verlo. Solo ve el rostro de Paul, su abrigo negro, sus dedos acariciándole el cuello mientras abría la puerta. Pasa junto a una cafetería y decide tomar algo caliente hasta las once de la noche. Si tuviera mi libro en el bolso me sentiría mucho mejor, piensa. La imagen del libro que Paul dejó en la mesilla del hotel la asalta. *Niebla en Tánger*, brota de sus labios. ¿Autor? Era una mujer, no había oído su nombre. Nur, Bella Nur. Flora cambia de dirección, deja atrás la cafetería y se dirige a la librería de unos grandes almacenes que aún permanecen abiertos.

—Es una novedad del mes pasado —le informa la dependienta tras teclear el título en el ordenador—. Voy a traérselo.

Cuando Flora regresa a la calle Gran Vía con el libro de Paul en una bolsa, siente que el viento que revolvía Madrid ha comenzado a amainar. El cielo parece de cristal. Suena su teléfono móvil y el corazón le salta en el pecho. Es su madre. Enciende un cigarrillo y contesta la llamada.

—¿Dónde estás, Flora? Oigo mucho ruido.

—En la Gran Vía.

—Con la noche que hace, te va a llevar el viento.

—No te preocupes, mamá, soy un peso pesado.

—Qué cosas dices.

Flora da una calada larga y echa el humo.

—¿Estás fumando?

—No, mamá.

—Me habías dicho que lo habías dejado. Tú verás lo que haces, lo primero son tus pulmones, que no lo soportan, vas a enfermar.

Flora siente ganas de toser, pero se aguanta.

—Y es malísimo para la fertilidad, hija. Así no vamos a conseguir nada. Ya sabes que solo te tengo a ti para que me hagas abuela.

—Lo sé, mamá. —Se separa el teléfono y da otra calada.

Flora es hija única desde los tres años, cuando murió su hermana mayor de meningitis. Apenas la recuerda. Se parecía a su madre, con los cabellos castaño claro y los ojos marrones, y llevaba su nombre de primogénita. Lo sabe bien porque ha crecido entre las fotos de la niña muerta. Siempre había más que de la niña viva. La niña de los cabellos malditos. Los culpables de todas sus travesuras, de todos sus descarríos, que han sido pocos. Su hermana nunca hubiera cometido ninguno de ellos.

—¿Y la prueba esa para saber el día de la ovulación?

—Me toca mañana, mamá.

—Pues no fumes al menos mientras tanto. ¿Y qué haces en Madrid con el tiempo que hace?

—Tengo que dejarte, mamá, me meto en un restaurante.

Cuelga.

Son casi las nueve y media. Aún le queda tiempo para

regresar al hotel. No quiere acercarse mientras esté ese recepcionista que la ha tomado por una loca.

Busca cobijo en la cafetería cercana a los grandes almacenes. Lo primero que hace es acariciar la cubierta del libro, abrirlo con reverencia, olerlo; así les da la bienvenida a su vida, los incorpora a ella. ¿Por qué se lo ha comprado? ¿Qué va a conseguir leyendo lo mismo que leía Paul? ¿No es una forma absurda de sentirse de nuevo cerca de él?, se pregunta. Necesita conocerle, necesita una respuesta que debe buscar si él no está para dársela. No puede soportar la idea de volver a casa, a su vida de siempre y olvidarlo todo. Necesita saber por qué no ha acudido a la cita. Pide una crema de verduras y comienza a leer.

Flora se dirige al hotel con el libro apretado contra el pecho, como un escudo. Tiene la mirada absorta.

El recepcionista de la noche vuelve a estar con los pulgares sobre su iPhone nuevo. Cuando ve que Flora se le acerca, lo deja en el interior del mostrador.

—¿Desea habitación?

—¿Usted trabajó el viernes por la noche a partir de las once?

—Así es, señora.

—¿Me recuerda? Vine con un hombre, un huésped del hotel, sobre la una de la madrugada, y luego me marché sola sobre las tres y media.

El joven observa a Flora. Las mejillas están ruborizadas. Los ojos, suplicantes.

—No la recuerdo. ¿Pasaron por recepción?

—Él tenía la llave de la habitación.

—¿Ha perdido usted la llave?

—Me gustaría saber si sigue alojado aquí.

El joven comienza a interesarse en Flora.

—Dígame el número.

—El número... —repite ella en voz baja—, los números dorados...

—¿Cómo dice?

—No recuerdo el número.

El joven la ve morderse el labio inferior.

—¿Está a nombre de su amigo o al suyo?

—De él.

—Dígame el apellido.

Flora siente vértigo en las entrañas. El pulso se le desboca, el latido en todo su cuerpo. Solo voy a probar, se dice, qué tengo que perder. Abre el libro por la página señalada, relee en voz baja unas líneas.

—Dingle —responde con la voz entrecortada—. Paul Dingle.

—Déjeme ver. —El joven teclea con destreza.

Flora pasea de un lado a otro del mostrador, no cesa de morderse el labio.

—Aquí está. Dingle, Paul. Habitación 116. Pero la ha dejado esta misma tarde. Ya no está en el hotel.

Flora tiene la mirada ausente. Una niebla helada acaba de instalarse en su pecho.

3

Niebla en Tánger
Capítulo I

24 de diciembre de 1967

Hoy es el aniversario de la desaparición de mi amante. Cada 24 de diciembre, desde hace dieciséis años, regreso al puerto de Tánger, donde le vi por última vez. Mis pies se acercan al borde del muelle, quieren saltar como esa noche que le perdí. Hundo la mirada en el horizonte, en el espejo inmenso que forman las aguas del estrecho de Gibraltar, y así permanezco durante horas, recordando, en una letanía de la memoria, cuanto nos sucedió.

Aquella noche aciaga de 1951, un viento terrible se había apoderado de la ciudad y del mar desde primeras horas de la tarde. Con la llegada del crepúsculo, se intensificó su poder y trajo consigo una niebla densa, amarga, que parecía tragarse a su paso todo aquello que existía sobre la tierra. Vi a mi amante adentrarse en ella, su silueta arrastrada por el vendaval hasta perderse en el abismo.

Dos años antes, en ese mismo muelle, llegó hasta mí a través de un hombre de mi confianza, Matías Sotelo. Yo regentaba un pequeño hotel en la Medina, famoso por sus noches de fiesta, pero también tenía negocios de contrabando de tabaco. Alto, de huesos largos, cabello oscuro y lacio con un mechón sobre la frente y unos ojos de un azul indescifrable, acababa de desembarcar de un carguero procedente de Malasia. Olía al sudor del mar, a la brea del barco. Extendió una mano tostada, en uno de sus dedos destacaba un anillo de plata con una piedra gris, y me dijo su nombre:

—Paul, Paul Dingle.

Tenía acento francés, aunque hablaba español de forma fluida, tal y como me había comentado Matías. Vestía con la simplicidad que exige la vida en el océano, pero su presencia y sus modales elegantes mostraban indicios del origen que no tardé en descubrir.

Me hubiera arrojado al Estrecho tras su pérdida; sin embargo, los acontecimientos de mi vida, y sobre todo una promesa que me hice en la infancia, me lo impidieron. Esta es mi historia.

Me llamo Marina Ivannova. Mis padres tuvieron un amor proscrito. Gracias a él vivimos en una casa afrancesada, a las afueras de Tánger, con las fachadas grisáceas, un porche de piedra y un jardín donde las buganvillas crecían como yo, en libertad. Este destierro se lo había impuesto a mi madre su familia: una de las condiciones que tuvo que aceptar si quería seguir perteneciendo a ella. Se había hecho bautizar para contraer matrimonio con mi padre, un ruso católico ortodoxo que había llegado a la ciudad en 1905, con la intención de pasar una corta estancia. Jamás imaginó que moriría allí. Inquieto por los disturbios revolucionarios acaecidos en su patria durante ese año, había aprovechado para viajar y expandir su negocio de comercio de sedas y objetos de arte. Procedía de una familia de la alta burguesía de Moscú, emparentada con la nobleza por la rama paterna. Tampoco ellos aceptaron de buen grado que se casara con la judía sefardí de ojos lentos que era mi madre, por mucho que se hubiera convertido.

Instalarse en esa casa fue su primera prueba de amor hacia ella: poco acostumbrado a obedecer órdenes, mi padre padecía, como bromeaba mi madre, el orgullo de la estepa; la segunda y definitiva tuvo lugar cuando la perdió. Se negó a darle sepultura, ni judía ni católica. Encargó un sarcófago de cristal y allí la mantuvo, en el salón, rodeada de narcisos y rosas. Había enloquecido hasta el extremo de creer que si rogaba lo bastante a su Dios, este libraría a su mujer de la podredumbre de la muerte. La velábamos día y noche en unos reclinatorios de raso rojo, donde yo, a mis cinco años, lloraba en silencio. Mis padres hablaban entre ellos en francés, pero mi madre rezaba en español, la lengua de leche que me enseñó y en la que aprendí el mundo. Aunque habían acordado iniciarme en la fe de mi padre, ella, a escondidas, me instruía en el judaísmo. Además tenía una niñera del Rif, Ankara, que me dormía arrullándome con suras del Corán. De esta manera pude preguntarles a todos los dioses que conocía cómo era posible que unas semanas atrás hubiera caminado cálida y segura de la mano de mi madre por la Medina; de esa mano, ahora helada y rígida, que se precipitaba con el calor de mayo hacia la descomposición. Cómo era posible que no escuchara su voz, aquella que alegraba las tertulias con sus amigas judías, a las que me gustaba tanto acompañarla. Se reunían en la trastienda de una sombrerera andaluza, bebían chocolate y charlaban mientras yo me enredaba en las cintas, me disfrazaba con los tules y las flores de seda de sus sombreros nuevos, y mi madre reía. Había encargado una pamela de paja con un lazo de raso para su disfraz de pastora. Estábamos en el año 1913 y se inauguraba el gran teatro Cervantes con un baile de máscaras. Me dejó observarla mientras se vestía para la fiesta. Llevaba un traje blanco hasta media pierna, con una cinturilla rosa, un cayado de madera y una oca viva que le había traído mi padre por sorpresa y que la seguía a todas partes. En ese mismo vestido blanco comenzó su desdicha. Regresó a casa con una mancha de sangre en la pechera, anuncio de la tuberculosis feroz que se la llevaría a la tumba.

La familia de mi madre vino a reclamar su cuerpo, amenazaron a mi padre con encerrarlo en un manicomio si persistía en aquel sacrilegio, y con quitarle mi custodia. Él les pidió un día para entregársela. A las pocas horas llegó a casa un hombre que se puso a pintar el cadáver florido de mi madre. Después, mi padre la veló a solas durante toda la noche. Al alba, ella desapareció de nuestras vidas para siempre. Ankara, con lágrimas en los ojos, hizo mis maletas, cerró la casa convirtiéndola en un fantasma de sábanas y emprendimos el viaje hacia Moscú. Al cabo de un mes, ya instalados en un caserón triste que pertenecía a su familia, llegó una caja con forma de ataúd que un tal monsieur Conrad enviaba desde París. Era mi madre, esculpida en cera por un maestro artesano. Mi padre la colocó en su dormitorio, sobre un lecho adamascado, y se entregó de nuevo al delirio de velarla sin descanso. Me prohibió entrar en la habitación o acercarme a ella, y me dejó en manos de una niñera gris, que murmuraba entre dientes la palabra *judía* mientras me bañaba o me vestía.

Permanecí en Rusia hasta el año 1917. Moscú se convirtió en un caos sangriento con la revolución. La familia de mi padre estaba amenazada, así que tuvimos que huir.

Le rogué a mi padre que regresáramos a Tánger, la ciudad donde habíamos nacido mi madre y yo, donde habíamos sido dichosos, a la casa afrancesada que me quedó en herencia. Unos días antes del viaje, unos hombres vinieron a hacerse cargo del cadáver de cera de mi madre. Nunca supe de qué manera lo dispuso, en aquellos tiempos convulsos, para que llegara a Tánger unos días después que nosotros. A partir de ese instante, mi padre preparó nuestra partida con entusiasmo; no huía de la muerte a manos de los revolucionarios, sino que emprendía el viaje de reencuentro con su amada.

Abandonamos Moscú un mediodía de finales de noviembre. Había nevado toda la noche y la campiña formaba un manto blanco. Mi padre conducía el trineo, golpeando el lomo de los perros, cuando vi en la lejanía, a un lado del camino, una mancha que hería la perfección de la nieve virgen.

—Detente, padre, por favor —le supliqué.

—No es momento para sensiblerías, Marina.

—Solo será un instante.

Me miró de mala gana y accedió. Descendí del trineo, cubierta por una capa de pieles con capucha que ocultaba parte de mi rostro, y me acerqué al bulto que había llamado mi atención. Era un muchacho, tendido bocabajo, tendría unos doce o trece años, solo unos cuantos más que yo. Creí que estaba muerto, pero cuando mis pasos hicieron crujir la nieve, volvió lentamente la cabeza hacia mí. Me observó con unos ojos verdes estupefactos por su destino truncado. Le sonreí. La soledad manaba a borbotones de sus labios de sangre. Me agaché a su lado, abrí mi capa para abrigarle, mientras oía los pasos de mi padre ordenándome que regresara. El muchacho quiso incorporarse, sujetaba en la mano derecha una pequeña hoz, no tuvo fuerzas, se derrumbó, pero antes me escupió, ensuciando la pechera de mi vestido con aquella mancha infame que encendió los recuerdos más dolorosos de mi padre. Le dio patadas hasta que le sintió inerte, e hizo rodar su cuerpo vacío camino abajo. Yo corrí tras él, envuelta en lágrimas.

—Padre, padre, iba a salvarlo, es un niño como yo.

—Es una amenaza —respondió él y se dirigió hacia el trineo—. ¡Vámonos! —exclamó—. Puede haber más por los alrededores.

Llegué hasta el muchacho. Sus ojos abiertos apuntaban al cielo. Los brazos en cruz formaban un cristo sobre la nieve. Permanecí junto a él durante un rato, escuchando su silencio, como había escuchado años atrás el de mi madre. Luego, sin dejar de mirarle, recé una oración de cada una de las religiones que conocía. Y allí, ante aquel dibujo de la muerte, juré que jamás quitaría una vida, ni siquiera la mía, porque la vida era lo más sagrado que existía y nada justificaba su aniquilación.

Regresé junto a mi padre. Y al montarme en el trineo, le dije:

—Asesino.

Él me devolvió una bofetada, cuyo dolor aún puedo sentir mientras lo recuerdo, y me llamó *ignorante*. No volvimos a hablar jamás de lo sucedido.

Nunca he olvidado la imagen de aquel muchacho. La transformación de sus ojos, su gesto de desamparo e ira. Soñé con él todas las noches durante varios meses, una vez instalados en Tánger, en nuestra casa, donde habían vuelto a florecer las buganvillas con nuestra llegada. Luego el tiempo lo fue difuminando y solo volvía a mí como un presagio, como un ángel que venía a avisarme de que me cuidara de alguna amenaza, de algún mal que me podía suceder.

El juramento que había hecho fue tomando forma según maduraba, y la creencia de que ninguna ideología, religión o deseo debía justificar el asesinato de otro ser se fue instalando en mí con fuerza. Lo que me ayudó a comprender a Paul años más tarde, a quererlo tal y como era.

El cadáver de cera de mi madre llegó en un contenedor de barco. Mi padre y yo fuimos a recogerlo al puerto, vestidos con el luto que lucíamos cada aniversario de su marcha.

—Ya estás aquí otra vez, querida, en la tierra que tanto amabas —murmuraba él, embutido en su traje negro, con un rictus de melancolía que lo alejaba de mí.

Compramos flores, rosas y narcisos de nuevo, para darle la bienvenida a su casa. Él la instaló en una de las habitaciones acristaladas que daban al porche de piedra, donde habían crecido en nuestra ausencia unos macizos de violetas salvajes, en los que —mi padre se empeñó— residía el alma de mi madre. No la veló con la obstinación con que lo había hecho hasta entonces; la pérdida de sus propiedades en Rusia le exigía dedicarse una vez más a los negocios que había abandonado durante sus velorios interminables. No podíamos regresar, así que, poco a poco, se fue acostumbrando a la idea de permanecer en aquella ciudad tan distinta a la suya. El sol de Tánger había vuelto a templar mi niñez oscura; el cielo azul, las casas blancas suspendidas en el espejismo del mar me devolvieron la alegría. Sobre todo cuando retornó a casa mi niñera rifeña, Ankara. Creo que una mujer que no hubiera conocido la historia de mis padres no habría podido soportar vivir bajo el mismo techo que aquella estatua de cera expuesta sin descanso al mundo. Ankara se ocupaba de ella con el mismo amor con que había tratado a mi madre en vida. Le limpiaba el polvo con un plumero de plumas de avestruz, y aunque mi madre estaba tratada para no deshacerse en el verano tangerino, Ankara le colocaba barras de hielo a su alrededor en los ardores del mediodía, y por las noches, cuando llegaba la brisa del mar, fregaba los charcos del suelo de la habitación acristalada para que no pareciera que llovía en aquel lugar sagrado.

Siempre me esperaba a la salida de clase, cuando retomé mis estudios en el Liceo Francés. Era una mujer oronda y hermosa, de ojos maquillados por la naturaleza y cabellos castaños, donde ya se enredaban las canas. Salía a la calle con el traje recio de niñera de niña rica que le había impuesto mi padre, con su rectitud norteña, pero en la cabeza llevaba su corazón, un sombrero de paja con borlones de colores como las mujeres del Rif. Sin él, Ankara no encontraba el camino entre las calles laberínticas de la Medina, donde en la parte más pobre vivía su familia. Mi padre, muy ocupado desde nuestra llegada con sus negocios, nunca supo que ella, tras mis insistentes ruegos, me llevaba a visitarla. Me sentía feliz en las casas con suelo de arena, me deshacía de los estrictos zapatos del colegio y caminaba descalza. Las primas y las hermanas de Ankara me pintaban los pies y el vientre con henna, las partes donde era más difícil que mi padre nos descubriera; me hacían dibujos para ahuyentar el mal de ojo, y así, como si fuera una de ellas, me contaban sus cuentos, solo para mujeres y niños varones durante la infancia; debían esperar a la caída del sol, pues llevaría una maldición a quien se precipitase a contarlos antes. Era un universo femenino, ese donde se aprenden las primeras frases de la existencia y su verdadero significado. Les fascinaba peinar el cabello rubio que había heredado de mi padre, junto con los ojos azules y la piel de nieve de las mujeres de su familia. Ankara y yo les llevábamos dulces de *chubarquía*, un hojaldre frito con miel que vendían en los puestos del Zoco Grande. Ellas comían algunos, y otros los guardaban para vendérselos a sus vecinas. De camino a casa pasábamos por la puerta de los baños públicos. Un aroma tierno a cal se escapaba por las rendijas.

—Ankara, ¿es cierto que en los baños te limpias de todas las cosas malas que te hayan sucedido?

—Solo te limpias si tú lo deseas.

—¿Me llevarás un día contigo?

—Tu padre me azotaría si se enterase.

—Entonces no le diremos nada.

—Cuando cumplas los diez, aún eres muy pequeña.

De la mano de Ankara reviví la alegría del Tánger de la época de mi madre. La primera vez que me llevó al Zoco Grande, un domingo de mercado después de mi regreso, me enamoré de la ciudad de nuevo. Percibí en la piel, en el estómago, que había nacido allí, que le pertenecía. Me había sentido extranjera en Moscú, en las lluviosas tardes de samovar, entre las niñas de manos frías y cabellos transparentes como el mío, pero en aquella tierra de luz cegadora me sentía en casa. Ankara hablaba con las mujeres ataviadas con sombreros de paja como el suyo y polainas de colores. El olor de las especias se mezclaba con el de los perfumes, el hedor de los mendigos, de los encantamientos que se hacían en la plaza, y supe que allí se recogía el olor del mundo, toda su belleza, toda su fealdad, toda la fantasía necesaria para soportarlo.

A nuestro regreso a Tánger mi padre retomó las escasas relaciones que habían existido entre la familia de mi madre y nosotros desde mi nacimiento, muy dañadas, además, tras nuestra marcha precipitada a Moscú y la disputa por el enterramiento. Creo que mi padre ya intuía su muerte cuando accedió a llevarme a visitar a mis abuelos maternos dos veces al mes. Le daba instrucciones a Ankara para que me arreglase con vestidos de organdí y me colgara una cruz ortodoxa de oro, que lucía sobre mi pecho, tan grande que parecía que me iban a someter a un exorcismo. La casa de mis abuelos estaba en la parte alta de la Medina, en la Kasbah. Por fuera era semejante a una pequeña fortaleza, pero por dentro se abría en espaciosas galerías en torno a un patio fresco, que ascendían hasta una azotea con vistas al Estrecho.

Se trataba de una de las familias judías sefardíes más antiguas de Tánger. Eran joyeros, y tenían varias tiendas y talleres en unas callejuelas próximas al Zoco Chico.

Mi abuela y yo tomábamos chocolate caliente, como mi madre con sus amigas de las tertulias; los hombres, licor. Creo que ella buscaba en mí algún vestigio de su hija perdida, no dejaba de mirarme fijamente; sin embargo, todo lo que había heredado de mi madre se hallaba en mi interior.

No me gustaba ir a su casa. Las visitas eran siempre en un tono muy serio, y prefería estar con Ankara y su familia, libre por los zocos y la Medina. Me extrañó que mi padre insistiera en que continuáramos visitándolos. No tardé en averiguar qué sucedía. El primer síntoma de su enfermedad fue el abandono paulatino de su negocio para encerrarse con mi madre. Sus últimos días le veía, desde el porche, a través de la cristalera. Ankara le había preparado una cama junto a ella y agonizaba acariciándola.

La noche que murió, puso su mano en la mejilla que me abofeteó aquel mediodía en la huida de Moscú; esa fue su despedida.

Tras su fallecimiento, le dije a Ankara que teníamos que esconder a mi madre antes de que mis abuelos vinieran a buscarme. Aprisa, deshicimos el lecho de flores y entre las dos la bajamos al sótano y la guardamos en la misma caja en la que había llegado desde Moscú. Allí permaneció olvidada durante muchos años.

Fue al poco tiempo de la desaparición de Paul cuando recordé su existencia. Vino a mí una mañana al despertar. Quizá porque pensaba mucho en mi padre, y en la pena que le condujo a la locura de llevarse la figura de su mujer muerta de una casa a otra, de un continente a otro. O solo el hecho de haberla mandado esculpir.

Mi madre permanecía incólume. El maestro parisino había realizado muy bien su trabajo. Nada más verla, supe que no quería hacer con el recuerdo de Paul lo mismo que mi padre. Me basta con volver al puerto y esperarlo. A lo largo de estos dieciséis años de preguntar por él, de buscarlo aunque fuera solo en mi memoria, no han sido pocos los amigos, conocidos y huéspedes de mi hotel, grandes viajeros muchos de ellos, que me han asegurado haber visto a Paul Dingle. Singapur, Melbourne, Panamá, París, Túnez... En las ciudades más dispares, todos coinciden en las ropas que llevaba cuando desapareció: «Vi a Paul Dingle, con su jersey de rayas marineras, con sus ojos de un azul distinto». No ha envejecido. Permanece como mi madre, pero en carne y hueso. Como la leyenda cristiana del Judío Errante, Ashavero, condenado a vagar eternamente sobre la Tierra, hasta la parusía, por haberle negado a Cristo un poco de agua camino del calvario.

¿Qué pecado cometió Paul para sufrir semejante destino?

4

El viaje

—Flora, no me jodás, ahora te acostaste con el personaje de una novela. —Deidé Spinelli hace aspavientos con las manos—. Se te derritió el seso como a don Quijote de tanto leer libros. Viste gigantes donde solo había molinos.

—He buscado a la autora en Google. Si Sherlock Holmes o Hércules Poirot hubieran vivido en la era de Google, de Wikipedia, las historias de detectives habrían sido otras.

—¿Te escuchaste, querida? ¿Te escuchaste?

—Bella Nur. La autora es la primera pieza del puzle. ¿No crees?

—No creo nada de esta trama quijotesca que te has montado en la cabeza de repente, porque un tipo te dejó tirada.

—Bella Nur. Escritora marroquí. Nacida en Tánger. —Flora lee las notas que ha escrito en una libreta—. Tánger, Deidé.

—¿Qué pasa con Tánger? Una escritora que escribe una novela situada en su ciudad. ¿Qué tiene de extraordinario?

—Fecha de nacimiento: 24 de diciembre de 1933.

—Y juega con la fecha de su cumpleaños. Los escritores hacen estas cosas narcisistas o sentimentales de poner en sus libros la fecha en que se les murió el perro, o se casaron con el amor de su vida. Vos querés ser escritora, debés saberlo.

—No hay fecha de defunción.

—La tipa está viva, es vieja, pero está viva. Se habrá conservado bien, qué sé yo.

—Vive en Tánger, Deidé.

—Como si vive en la Cochinchina. ¿Qué más te da a vos? Te gusta su libro y punto. Como otros muchos que te han gustado.

Flora mira fijamente a Deidé en la pantalla de su portátil y le sonríe.

—Ah, no, vos no estarás pensando la locura que creo que estás pensando.

—Ella debe de saber quién es Paul y cómo encontrarlo.

—Escribió la novela, querida, Paul es quien ella quiso. Es su personaje. ¿No dicen que juegan a ser Dios los escritores?

—¿Y el hombre con el que me acosté?

—¿Te acostaste con algún tipo en verdad?

—¿Y mi Paul?

—¿Tu Paul? —Deidé juega a anudarse el cabello negro en un moño.

—Sí, mi Paul.

—¿Te refieres al tipo que no se presentó a la cita?

—¿Y si es el mismo hombre? —Flora enciende un cigarrillo.

—Otra vez con eso de que te acostaste con el personaje de una novela.

—Si el personaje es real.

—No puedo hablar más ahora. Tengo una sesión con otra menopáusica como yo que me está llamando, histérica, por la otra línea. Recapacita, querida, recapacita, pensá en vos. Besos.

Deidé corta la comunicación.

En la libreta, Flora garabatea el nombre de su amante. Ha pasado la noche en la habitación 116. La habitación de paredes rojas donde despertó a su lado. Se levanta de la silla, tiene que entregar con urgencia la traducción de las instrucciones de una aspiradora, pero se dirige al cuarto de baño y busca en el espejo el morado de su cuello. Ha desaparecido. Parece borrarse todo rastro de él. Regresa al cuarto donde trabaja. Es la una del mediodía. Su marido está trabajando en el ministerio.

«Bella Nur imágenes», teclea en Google. En la pantalla aparecen varias fotografías. Pincha sobre una de ellas, la imagen de una anciana muy flaca con las manos adornadas con dibujos de henna. Lleva un turbante que le da un aspecto sofisticado y un vestido negro con varios collares de piedras de colores y plata alrededor de un cuello que parece quebrarse. Ojos negros muy expresivos.

Teclea: «Marina Ivannova». Hay varios perfiles de Facebook y de Twitter con ese nombre. La mayoría, chicas jóvenes cuyos datos no coinciden con los de la protagonista de la novela.

Flora enciende otro cigarrillo. Teclea: «Paul Dingle». Encuentra un violinista, un hombre de negocios, un estudiante de la Universidad de Berkeley. Ninguna foto que coincida con la descripción física de él. Comprueba en el móvil que no tiene ningún mensaje. Prueba a llamarle otra vez: apagado o fuera de cobertura. Flora suspira, entorna los párpados. Teclea: «vuelos baratos a Tánger». En una de las páginas que ofrecen viajes *low cost*, encuentra vuelos a muy buen precio. Teclea la fecha de salida: el jueves de esa semana. Fecha de regreso, duda. Escucha las palabras de Deidé en su cabeza: «Pensá en vos». Cierra la página. En el bolsillo del jersey con el que suele trabajar en casa tiene la prueba de ovulación que se ha hecho esa misma mañana: positivo. Está ovulando. Llama por teléfono a su marido al ministerio y charlan de temas triviales, él vuelve a quejarse de su jefe. Flora traga saliva, hace el esfuerzo para que su voz suene divertida y seductora.

—Hoy come bien, ponte fuerte y ven pronto a casa —se despide.

Él ya sabe lo que significa. Flora cuelga. Sonríe. Decide inventarse a sí misma. Pone música en el portátil, la banda sonora de *Amélie*; le fascinan los colores de esa película. El sol de diciembre entra por la ventana y es lo bastante fuerte como para darle el empujón que le falta. Hasta las seis de la tarde que llega su marido no va a pensar en Paul Dingle, se lo ha impuesto, y menos después. Sube la música y revolotea por las habitaciones de la casa. Quiere estar contenta. Esta vez todo será distinto, saldrá bien, se dice. Se asoma a la ventana y ve el jardín con el ciprés que se pierde en el cielo. No va a llorar más en la cama, mientras él duerme. Harán el amor y tendrán un hijo. Por qué no. Sube la música, quiere estar aún más alegre. Revolotea hasta el dormitorio, abre el armario y rebusca qué ponerse para cuando su marido llegue a casa. Por un momento se le pasa por la cabeza el conjunto de lencería violeta, pero enseguida desecha la idea.

Elige un camisón largo, de una tela que imita al raso, como si fuera un vestido lencero, y un jersey encima. Tararea el vals de *Amélie*, baila, se echa en la cama, toma la foto de su abuela y la besa. Por nuestro pelo rojo, dice, pero la deja enseguida en la mesilla y mira hacia otro lado, siente en el vientre que ella no aprueba lo que está haciendo. Sigue como un moscardón por la casa. Va a la cocina, piensa en el plato favorito de su marido: tortilla de patata. Coge el cuchillo y se dispone a pelar a ritmo de vals. Una hora después, está frente a la mesa de trabajo haciendo la traducción de la aspiradora.

Su marido llega a las ocho en vez de a las seis. Nada más verla contrae el rostro como si le doliera algo.

—Estoy roto —es el saludo.

Ella sonríe. No pierde la esperanza, a pesar de que empieza a sentirse ridícula con el camisón.

—Eres estupenda, tortilla de patata.

Cenan frente al televisor. Ella apenas puede hablar. No sabe si esa noche es la misma que hace un año o que dos, todas le parecen iguales.

Después de la cena, él sigue viendo la televisión. Ella ya no puede más.

—¿Vamos? —le pregunta.

—Estoy cansado, Flora, he tenido un día horrible con mi jefe.

—Pero no te gusto. ¿He engordado demasiado? —Se le sonrojan las mejillas, le queman—. ¿No quieres tener un hijo?

—Qué tonterías dices, claro que me gustas. Si te ha dado positivo hoy, también puede ser mañana. No te preocupes, lo conseguiremos. —Le da un abrazo.

Flora está rígida. De pronto, se ha convertido en plomo, en hielo. Paciente, espera a que su marido se lave los dientes, y le sonríe cuando se cruza con él en el pasillo. Él le devuelve la sonrisa. Lleva un pijama de rayas. A Flora se le ocurre que quizá tenga una amante. En vez de dolerle, al contrario, siente alivio, así podría comprenderle. Entra en el dormitorio y le ve en la cama. Ha traspasado ligeramente la frontera del sepulcro hacia su lado. Flora se inquieta. Se acerca con paso lento, tiene en el pecho una caracola gigante que la oprime. Levanta la lápida de algodón con flores, se mete dentro. Él la abraza de nuevo, un instante, la besa con ligereza en los labios. Te quiero, susurra. Flora tiene una hoguera en las entrañas. Va a explotar. Es una supernova, un *big bang* que crea otra galaxia. Él vuelve a su espacio, retoma la distancia. Ella no puede moverse. Permanece en la misma postura, más despierta que nunca, alerta a la respiración de su marido. En su interior hay una actividad frenética. Siente volar cometas con colas estrelladas a la velocidad de la luz, lluvia de asteroides, choque de planetas. Por fin, escucha el ronquido leve que él emite algunas noches cuando está a punto de constiparse. Se levanta sigilosa, le dirige una mirada cómplice a la foto de su abuela en la mesilla, se acaricia los cabellos malditos.

Camina de puntillas, imagina que su marido es un soldado nazi y ella una reportera que trabaja para la resistencia francesa; si se despierta puede dispararle, tiene que escapar. El frío de las baldosas la reconforta, hace que se sienta más viva. A hurtadillas entra en su habitación de trabajo, cierra la puerta con sigilo, enciende el ordenador. Teclea de nuevo: «vuelos baratos a Tánger», salida el jueves, regreso, de nuevo duda. Abre la página del banco donde tiene su cuenta bancaria y comprueba el dinero del que dispone sin tocar la cuenta familiar; no es mucho. Busca hoteles, encuentra la oferta de un *riad* en el corazón de la Medina, en la Kasbah, donde vivían los abuelos de Marina Ivannova. Calcula que puede vivir en él durante al menos una semana. Rebusca en el bolso, colgado de la silla, su cartera, la tarjeta de crédito, hace la reserva y compra el billete.

Desde la ventanilla del avión, Flora ve el estrecho de Gibraltar. Hace quince minutos que ha iniciado el descenso hacia el aeropuerto. Siempre le ha dado miedo volar. Es la primera vez que va sola en un avión y no tiene a quien darle la mano para el aterrizaje. ¿Y si se estrellan? Abre el bolso, en uno de los compartimentos lleva la foto de su abuela. Cierra los ojos, quiere regresar a aquellos ocho años, en el sur de Italia, cuando se refugió en el pecho de golondrinas y su abuela la llamó la niña de mis cabellos. Le sonaban los collares al andar, llevaba un cascabel de su existencia. Todos sabían dónde estaba, quién era Flora Linardi. Ella también. Escribía versos que Flora nunca ha leído, abandonó a su marido por el pintor de acuarelas, luego el pintor a ella, por una más joven, dice su madre: «Merecido se lo tenía»; los collares dejaron de sonar y se murió de pena. Las golondrinas se fueron a anidar a otra parte, a otra primavera. Pero su abuela está sonriente en la foto, a pesar del precio que pagó. Ahora es la nieta de pelo rojo la que toma el relevo. Flora no lleva golondrinas en el pecho, sino gaviotas. Las ha visto a lo lejos planear sobre el espejo en que se ha convertido el mar esa mañana tomada por la luz del sur.

Desciende del avión por la escalerilla. Quién es ella. Qué hace en Tánger. No ha ido por negocios, ni a reunirse con ninguna amiga. Una brisa salada le refresca el rostro. Tiene una semana para encontrar a una escritora, para encontrar a su amante, verlo una vez más. Después ha de volver a casa porque se queda sin presupuesto y además es Navidad.

Durante el vuelo ha repasado las notas de la libreta, debe tener un orden en su investigación. Para empezar ha reunido todos los datos que relacionan a Paul con Marruecos y con la ciudad de Tánger: los cuentos del Rif, una zona montañosa cercana a Tánger, que le contó en el Camelot; Ankara, la niñera de Marina, también era de allí; tendría que hacer otra lista con los datos que relacionan la novela con la vida de Paul, en otro color, se dice Flora, no sé si voy a ser ordenada para esta labor: los datos de Paul con Tánger en azul, los otros en negro, los que se cruzan llevarán un punto rojo. Paul leía el libro de Bella Nur, lástima que no tuve tiempo de curiosear alguna de sus anotaciones en los márgenes. ¿Utiliza Paul el nombre del personaje de la novela, como un usurpador, o es la escritora la que ha usurpado su identidad? Paul Dingle llegó a Tánger en un carguero procedente de Malasia, y en Tánger desapareció. Este es el lugar adecuado, si no para encontrarlo, sí para averiguar cómo hacerlo y qué ocurrió con él.

El aeropuerto es pequeño, Flora va caminando desde la pista de aterrizaje hasta una terminal, donde hay varias filas para el control de pasaportes.

—Si ya compraste el boleto es como si le hubieras puesto la montura a *Rocinante* —le había dicho Deidé—, ya te vas en busca de tu Dulcinea. Recuerda que esta no era lo que parecía. No era una princesa, Florita, sino una zafia aldeana de pechos grandes.

—Te mantendré informada, Deidé. Te envío por wasap el nombre del hotel.

—A mí no me contés ya más. —Deidé se ajusta con fuerza el cinturón de su bata—. Esto vos lo hiciste por tu cuenta. No me llamés hasta que estés menos loca.

—No lo dirás en serio, Deidé.

—Bajá al moro, como dicen ustedes, pero también a tu castillo, querida. Esto es lo último que te recomiendo como terapeuta. —Se abanica con un periódico—. Corto y cierro.

Flora coge un taxi para ir al hotel. Por la ventanilla observa las casas de las afueras de la ciudad: torres de edificios destartalados, campos de fútbol, apartamentos modernos, tiendas de ultramarinos con las letras en árabe. Ha bajado un poco la ventana y el aire le refresca las mejillas. El taxista le pregunta si ha ido a Tánger por turismo.

—He venido a buscar a una escritora que vive aquí, se llama Bella Nur, ¿la conoce?

El taxista levanta los hombros y hace un gesto con la boca, no ha oído hablar nunca de ella.

Poco a poco, Flora descubre una ciudad de avenidas grandes que convergen en la arteria paralela al mar.

—No podré dejarla en la misma puerta del hotel —le dice el taxista en francés—, la calle es demasiado estrecha, pero le daré las indicaciones para que no se pierda.

Y aun así, las indicaciones no le sirven de nada a Flora, que con su maleta de ruedas se hunde en el laberinto de callejuelas blancas. El olor a sal le encrespa el cabello, que toma vida propia y se expande como una aureola de fuego. Aunque es diciembre, Flora suda bajo el abrigo. No hay nubes en el cielo. Las ruedas de la maleta suenan en el pavimento de piedra como si quisieran anunciar su llegada a la ciudad. Ha debido de tomar la calleja equivocada y ya no hay forma de volver al punto de partida para rectificar. Al doblar un recodo, ve a un hombre, con aspecto de occidental, que también arrastra una maleta. Flora camina un poco más aprisa hasta alcanzarle y le pregunta si conoce el hotel.

—Yo también voy hacia allí. No está lejos, es una de estas calles.

—Gracias —responde Flora.

Lo ha tomado como una invitación a seguirle. El hombre resopla, tiene encendido el rostro. Mira continuamente hacia un lado y otro. Intenta reconocer lo que ya no recuerda. Buscar alguna referencia en la memoria.

—Era por aquí —le dice a Flora fatigado—, sígame.

Las ruedas de las maletas quiebran el silencio de la Medina. Hay gatos en las calles. Hay gatos por todas partes; asomándose en las azoteas, apostados en las puertas azules, en las puertas tachonadas de oro; gatos que se cruzan entre las piernas, que maúllan hambrientos; gatos que miran a Flora con sus ojos de pantera. Ella procura esquivarlos, camina pegada a la pared y utiliza la maleta de escudo, no se separa de su guía; aun así no logra librarse de ellos.

—Preguntemos —le dice él en español, hasta entonces habían hablado en francés—. Nací aquí, pero hace tantos años de eso...

Flora le mira. El hombre tiene el cabello canoso, abundante, y unos ojos que a Flora le recuerdan a los de los gatos. Calcula que debe de tener unos cincuenta y siete o cincuenta y ocho años. Parece desolado. Le pregunta la dirección a un adolescente con una gorra de rapero; este los guía hasta el *riad* a cambio de unos dírhams.

—Sabía que estaba cerca.

El *riad* donde van a alojarse parece muy estrecho por fuera. Sobre su fachada blanca se desvanecen los rayos del mediodía. El hombre le indica a Flora que se registre primero. La ha recibido el clamor de una fuente de azulejos, en el centro de un patio donde se arremolinan naranjos y jazmines, que trepan por las celosías de hierro. Del patio arranca una escalera que da acceso a cuatro pisos con galerías donde se distribuyen las habitaciones. La casa es amplia, aunque esto solo se aprecia en su interior. Es un mundo hacia adentro, las ventanas que dan a la calle son escasas. La luz se despeña por el patio abierto al cielo, protegido de la lluvia y el viento por una enorme claraboya de cristal. Algunas de las ventanas, bastante estrechas la mayoría, son vidrieras. La habitación de Flora está en la tercera planta. Sube la maleta sin mucho esfuerzo, la ilusión la impulsa escalera arriba, fijándose en cada detalle de la casa. Cada cuadro que la decora, cada espejo donde ella se mira al pasar, sin reconocerse.

No solo el erizo rojo que emerge de su cabeza, sino también la determinación con la que ha llegado hasta allí.

La estancia es un poco pequeña, aunque Flora se siente a gusto nada más entrar. Tiene una ventana ojival y en la lejanía se ve el mar. El baño parece esculpido en adobe, con el lavabo de porcelana con arabescos verdes y un espejo de estaño. Deshace la maleta. Prepara el bolso: el libro de Bella Nur, la libreta de notas, el colgante de Paul, el móvil, imprescindibles. Se ha hecho una lista de los lugares que debe visitar, todos aquellos que aparecen en la novela.

Flora sale a una plaza amplia, adoquinada, en lo alto de la Kasbah, y se aventura por una de las calles que se precipitan al ovillo que no podrá desenredar sin ayuda. Serpentea por el placer de serpentear, de sentirse libre entre los vericuetos de la Medina.

En varias de las tiendas con las que se encuentra venden joyas de plata y piedras semipreciosas. Turquesas, corales, ámbar. También colgantes parecidos al de Paul Dingle. Sin duda se trata de artesanía de la zona. Flora entra en una de ellas, se interesa por varios collares. Son joyas bereberes, le informa un hombre de unos cuarenta años, con un bigote negro. Viste chilaba y babuchas de cuero.

—Me regalaron este colgante hace unos años. —Flora le muestra el de Paul.

—Es una cruz del sur, señora. Un amuleto bereber. Las cuatro puntas señalan los cuatro puntos cardinales, la que sobresale en el centro apunta al cielo, al firmamento. Tiene los beneficios del número cinco, muy importante en nuestra tradición. Esta es muy antigua, por lo menos de finales del siglo XIX. Es una auténtica joya.

Una pieza única, por la forma en que está labrada y la disposición de las puntas, dobladas hacia arriba.

—¿Un amuleto contra qué?

—La mala fortuna, el mal de ojo. Para que quien lo lleve encuentre su destino.

—¿Y esta palabra?

—Es un nombre de mujer.

—¿Esta joya la llevan los hombres?

—Las mujeres recibían las joyas como dote. ¿Le interesa comprar algo?

Flora pregunta por el precio de un collar. Con él se parecería a su abuela, y también a Bella Nur.

—Mañana regreso —le dice al hombre del bigote—. Ahora voy con prisa.

Se pierde de nuevo en las calles de la Medina. Busca un sitio donde almorzar. Tánger es una caracola que se cierne sobre sí misma.

5

Niebla en Tánger
Capítulo II

El carguero que trajo a Paul Dingle desde Malasia nunca debió
atracar en el puerto de Tánger. Con bandera holandesa, el *Ventur*
tenía prevista su llegada a Casablanca unas horas más tarde. Un
fuerte viento de levante lo obligó a refugiarse en Tánger por riesgo de naufragio. Paul Dingle nunca debió bajar al muelle aquel
9 de marzo de 1949, nunca debió encontrarse con mi hombre de
confianza, Matías Sotelo, ni conmigo, que decidí acompañarle a
última hora porque estaba tan borracho que no me fiaba de que
pudiera concluir el negocio de contrabando de tabaco que nos
traíamos entre manos. Pero así sucedió.

¿Necesitamos salvar a otros para calmar nuestra conciencia, para encontrar el camino que nos permita vivir en
paz? Había contratado a Matías Sotelo después de que lo
despidieran de su trabajo como gestor de las mercancías que
entraban en el puerto. Tenía talento con los números y un
don para detectar el engaño y engañar. La bebida, la copla y
el dolor por su España republicana fueron su destrucción.

¿Habría sido mi vida diferente si mi padre me hubiese
permitido salvar a aquel niño tendido en el manto de nieve?
¿Debía bastarme la salvación de mí misma?

Mamá Ada y papá Arón, así me indicaron mis abuelos
que debía llamarlos una vez que me instalé en su pequeña

fortaleza de la Kasbah, tras la muerte de mi padre; fue la señal que marcaría el comienzo de mi educación como una niña judía sefardí. Una mañana, a los pocos días de mi llegada, mamá Ada me desabrochó la cadena con la cruz ortodoxa y la guardó en un joyero, donde se relegó al recuerdo. Lejos quedaban los días blancos de Moscú. Las cúpulas de cebolla de las iglesias. El invierno interminable que convertía los huesos en un esqueleto de hielo. Mi madre había sido su única hija, así que yo ocupé su sitio como responsable de perpetuar la historia de la familia; son las mujeres judías las que alumbran niños judíos.

Mamá Ada era una mujer silenciosa que llevaba unos moños en forma de espiral, adornados con alfileres de perlas. Mi madre había heredado de ella sus ojos tranquilos, miraba despacio; la vida se presentaba tan solo como un discurrir marcado por el nacimiento. Muy pronto iniciamos, a mi regreso del colegio, las jornadas de bordado de mi ajuar. Aunque en esa época las muchachas judías solían empezarlo a los trece o catorce años, y yo aún tenía diez, no había dado una puntada jamás, así que era necesario coger ventaja. Después de los estragos que el amor le había causado a mi padre, pensar en el matrimonio me procuraba un malestar que mamá Ada calmaba con chocolate caliente. Comenzamos por bordar un cojincito de seda en cuyo seno guardaría mi futuro camisón de novia, que debía colocar sobre el lecho conyugal, pulcro e infinito cada mañana.

—Te distraes —me decía mamá Ada cuando mis ojos se apartaban del bordado de rosas, hacia la ventana, ansiosos del bullicio de las calles, del sombrero colorido de Ankara.

La habitación de costura se hallaba en la pequeña torre circular que le proporcionaba a la casa el aspecto de fortaleza.

—Te pinchas los dedos.

Los tuve heridos por los colmillos de la aguja durante

años, aunque mamá Ada me regaló un dedal de plata antigua y coronado con una piedra de jade, que me fueron agrandando a medida que crecía y los bordados, en principio tediosos, se convertían en una pasión que templó mi vida y aún me acompaña. Desde la desaparición de Paul, hace dieciséis años, bordo una colcha con guacamayos, orquídeas y bromelias silvestres, una selva de nuestra historia, que me he prometido terminar solo cuando le encuentre o sepa qué le ocurrió. Este empeño de mi educación clásica me somete, como a aquella Penélope de la no tan lejana Ítaca, a jornadas sin fin de hebras de seda y brocados, a avanzar en mi labor y a deshacerla al hilo de mi memoria, que me trae a Paul, desnudo, con la cabeza apoyada en el cojincito del ajuar, narrándome los relatos de los mares que cruzó hasta llegar a Tánger, huyendo, siempre huyendo; que me trae, en esta habitación donde bordaba con mamá Ada, y donde ahora bordo la colcha, la voz de Paul, rota, embaucadora.

La noche del 9 de marzo de 1949 soñé con el muchacho ruso tendido en la nieve. Hacía mucho tiempo que no se presentaba ante mí, con sus ojos verdes, serenos ya en la otra vida, y sus labios limpios de cualquier rastro de sangre. No blandía en su mano la pequeña hoz, la acercaba a mi rostro, extendida, como si se adelantara a los acontecimientos que estaban por venir y quisiera consolarme con una caricia. ¿Era Paul Dingle la amenaza de la que el muchacho quería advertirme?, me pregunté al despertar.

Intentaría salvar a aquel muchacho ruso muchas veces a lo largo de los años. Recién llegada a la casa de la Kasbah, recogía a los gatos más famélicos que encontraba en la Medina, los abrigaba con mis ropas y los llevaba a la cocina para alimentarlos y darles refugio al calor de los hornos. Revolucioné a las cocineras, que los echaron a escobazos profiriendo maldiciones en tarifit, su lengua del Rif, la lengua de Ankara, y propagué una infección de pulgas que dejó mi piel y la de mamá Ada llena de ronchas.

—Esta es la caridad piojosa que te han enseñado —me decía ella mientras se rascaba malhumorada y me ponía compresas frías para aliviarme los picores del cuerpo, que me ardía.

Yo rechazaba sus cuidados.

—Hay que arriesgarse y sufrir para salvar a otros —promulgaba entre sollozos.

—¡Una mártir! —exclamaba mamá Ada llevándose las manos a la cabeza—, ¡nos han traído una mártir! Ya sé yo de dónde te viene todo esto, ahora solo nos falta que quieras ser santa.

Lloré varios días por el fracaso de la salvación de los gatos. No tenía junto a mí a Ankara para que me consolase, no sabía quién era sin ella, mi única referencia en un mundo que cambiaba de religión, de costumbres, de hogar. Echaba de menos la libertad de la que gozaba viviendo con mi padre, incluso añoraba la imagen de cera de mi madre, tras la cristalera del jardín, y el permanente olor a rosas y narcisos frescos que embargaba la casa afrancesada.

Mamá Ada se negó en principio a que Ankara siguiera siendo mi niñera. Quería que ocupase su lugar una *nanny* inglesa, encorsetada en un traje sombrío, que me recordaba a mi niñera de Moscú y me hacía temblar cada vez que aparecía por la casa con su inglés estricto y su aliento de té. Me negué a comer si no regresaba Ankara, pero mi abuela no se ablandó, decía que el carácter se curte en el ayuno y la oración, que acabaría comiendo cuando el dolor de tripas fuera tan grande que no pudiera soportarlo; decidí entonces colgarme de nuevo la cruz de mi padre y no respetar el *sabbat*, el día de descanso sagrado para los judíos. Estudiaba las lecciones del colegio, arreglaba mi dormitorio, encendía velas y rezaba las oraciones de mi antigua fe a voz en grito. Papá Arón solía ausentarse de la vida doméstica. Pasaba la mayor parte del tiempo en una de las joyerías de la familia, donde tenía también su taller, y cuando volvía a casa se enfrascaba en una obra magna que estaba escribiendo sobre el rey David y los salmos que le honraban. Cuando me oyó rezar lo tomó como una chiquillada, pero decidió que abandonara el Liceo Francés y me inscribió en la Escuela de la Alianza Israelita, donde asistiría a clases de religión y aprendería hebreo. Yo había fracasado en otra misión, Ankara seguía sin regresar a mi lado. Ya casi perdida la esperanza, se me ocurrió espiar una tarde a mamá Ada en las reuniones que organizaba en la torre de bordar, a puerta cerrada, con un grupo de amigas tanto judías como cristianas. En principio jugaban al bridge y merendaban chocolate y unos bollos de bizcocho y nata de la pastelería Pilo que llamaban *tetas de vaca*. Escondida detrás de uno de los sofás grandes que decoraban la estancia, pude ver cómo, tras la merienda, mamá Ada sacaba de un secreter cerrado con llave una tabla de madera con una especie de punta de flecha, donde todas ponían las manos e invocaban a no sé qué espíritus que parecían conocer muy bien. Acababa de descubrir la pasión secreta de mamá Ada: el espiritismo con la tabla de la güija; la pasión que nos uniría en el silencio cómplice ante papá Arón, y lo más importante, la que me trajo de vuelta a Ankara.

—Voy a contarle a papá Arón lo que haces con tus amigas si no vuelve a cuidarme quien tú ya sabes —le dije cuando vino a darme las buenas noches.

No llegaba a entender del todo en qué consistía esa práctica, pero la manera en la que ellas se conducían y el cuidado de mamá Ada en organizar las reuniones cuando papá Arón no estaba en casa me hicieron intuir que se trataba de algo que pretendía ocultar. Decidí arriesgarme y jugar mi carta.

—Al menos me consuela saber que ya no vas a ser santa —me respondió mamá Ada, y me negó esa noche el beso en la frente que solía darme.

Con Ankara volví a ser feliz. Me arrullaba los sueños como siempre, con las suras del Corán; al abrigo de la oscuridad me relataba los cuentos del Rif y me llevaba al Zoco Grande los días de mercado, en su cabeza el sombrero de paja y borlas de colores, para oler y degustar el Tánger que me hacía soñar. Uno de esos días, vi por primera vez al niño tuerto. Un párpado reposaba sobre la cuenca vacía. Calculé que tendría mi misma edad. Cojeaba de una pierna e iba descalzo, unos bombachos miserables y una camisa rota cubrían un cuerpo enclenque. La fealdad asusta y atrae. A partir de entonces, siempre que íbamos al zoco le buscaba entre el gentío, le observaba, tratando de no acercarme demasiado. Él vociferaba en francés: «¡Huevos, huevos milagrosos!», paseándose entre el bullicio de especias, los odres de piel de los aguadores que le golpeaban en el rostro para apartarlo de su negocio, el tañido de sus esquilas de reclamo y los encantadores de serpientes, con los reptiles alrededor del cuello, a la caza de los turistas.

A veces se aproximaba a él uno de los mendigos que piden limosna tocando la pandera y entonando canciones. Lo zarandeaba, gritándole, le registraba los bolsillos de los bombachos, incluso en una ocasión vi cómo le pegaba. Supuse que era su padre. Un hombre de rostro feroz que dulcificaba maquiavélicamente al tocar su instrumento y cantar. Me producía terror.

Estuve espiando al niño tuerto durante más de un mes; siempre guardando distancia, sin que él se diera cuenta, o al menos eso pensaba. Hasta que un domingo, Ankara quiso

68

comprar *chubarquía*, los dulces con miel, en un puesto cercano a donde él vendía sus huevos. Era mayo. Un sol polvoriento ardía sobre el caos del mercado. Tiré de la mano de mi niñera para alejarnos, pero ella, sin comprender, insistió en su empeño. Le rozó un brazo al aproximarse al puesto y él nos miró, primero a Ankara, luego a mí. Su otro ojo era de un intenso color verde, como el de los ojos del niño de Moscú. Lo mantuvo fijo en los míos, unos segundos, y lo apartó para mirar al suelo. Compramos los dulces y continuamos nuestro camino. Ankara me ofreció uno, lo rechacé; el estómago se me había cerrado.

Durante los días que transcurrieron hasta el domingo siguiente, su figura, su rostro, su voz venían a mí, sobre todo a la hora de dormir. Había dejado de ser el niño tuerto y tullido para convertirse en el niño del ojo verde. Lo imaginaba solo por las calles, a esas horas de la noche, hambriento, sin tener a quién vender su mercancía milagrosa. Lo imaginaba en una casa semejante a la de la familia de Ankara, tendido sobre el suelo de tierra, con el ojo insomne, que me descubría espiándole; cerraba los míos al instante y me tapaba la cabeza con la sábana.

Mamá Ada me había dado unas monedas para que las guardase y aprendiera lo que era el ahorro. Yo tenía otros planes.

Encontré al niño junto a uno de los puestos de quesos. En una mano mostraba dos pequeños huevos rojizos, que anunciaba como elixires «curalotodo».

—Dale esta limosna al niño del ojo verde —le rogué a Ankara, entregándole mis monedas.

—¿A qué niño? —me preguntó.

Lo señalé.

—¿Al tuerto? ¿Por qué no se la das tú misma?

Me encogí de hombros.

—Mejor tú —insistí.

Quería salvarle de la miseria, de las ropas harapientas que solía usar, del mendigo cruel. Quería que fuera feliz, porque apenas sonreía. Bajo la protección de mi niñera me acerqué a él. El corazón me golpeaba el pecho. Ankara le habló en tarifit y le entregó las monedas. Me sonrió. Noté que me ardían las mejillas; me habría tapado la cabeza con la sábana si hubiese podido. Bajé la mirada a mis zapatos de lazo y la desvié hacia los camellos apostados cerca de nosotros.

Luego nos dirigimos a un puesto de especias, donde Ankara se encontró con sus primas. Me alejé un poco de ella, quería ver qué hacía el niño con las monedas.

—Un huevo de astrogodón te pertenece —oí de pronto a mi lado.

Di un respingo. Sonrió de nuevo. El niño tenía los labios gruesos y agrietados.

—¿Qué es un astrogodón? —La voz salía débil de mi garganta.

—Un pájaro invisible que nada más se deja ver cuando pone los huevos. Coge uno. Yo te recomiendo este —dijo señalándome el de menor tamaño—. Si lo empollas durante tres días y pides un deseo, se te cumple. Y lo cura todo.

—Pero yo no soy una gallina. —Me puse colorada.

—Lo metes entre trapos y lo pones al sol. Si quieres te puedes sentar encima; ahora, si se rompe, no se te cumple el deseo.

Lo cogí, permanecimos un rato uno frente a otro, sin decir palabra, rehuyendo mirarnos, hasta que vimos acercarse al mendigo que pegaba al niño de vez en cuando. Vestía una chilaba andrajosa, babuchas amarillas. Dejaba una estela de licor y kif, y levantaba la pandera de modo amenazante. Con la rapidez de quien está acostumbrado a huir, él se metió el otro huevo en el bolsillo de los bombachos, me agarró de la mano y echó a correr tirando de mí. Era veloz, a pesar de la cojera en la pierna: la levantaba en el aire y daba un pequeño salto, a ratos tenía la sensación de que volaba. Me costaba llevar su ritmo. El mendigo nos seguía y gritaba en rifeño:

—¡Parad a ese ladrón!

Sorteamos a curanderos, a tullidos que nos amenazaban con los muñones si los zarandeábamos al pasar. Me zafé de su mano y me di la vuelta en busca de Ankara, pero me encontré de frente con aquel hombre terrible y eché a correr de nuevo tras el niño.

Me condujo por una callejuela hasta una colina de basura, que debía de estar por la parte de atrás del Zoco Grande. Me faltaba el aliento.

—Ese que nos seguía es mi tío —me explicó él, jadeante, cuando nos detuvimos.

—¿Y por qué te acusa de ladrón?

—Es un avaro que me mata de hambre. Quiere hacérmelas pagar... y me quita todo lo que saco de vender los huevos.

—¿Y tus padres?

—Mi padre se murió, luego a mi madre la mató mi tío porque no se quería casar con él, prefería ser viuda. ¿Has visto la pandera que llevaba?

Afirmé con la cabeza. Aún sentía su amenaza sobre nosotros.

—Se la hizo nueva con la piel de mi madre. Por eso suena tan bien, es la pandera más bonita de los mendigos cantores. ¿Sabes que a veces es la piel la que canta en vez de él?; y mi tío se esconde para que no le delate y se lo lleven a la cárcel. Dice: «Tú me mataste, mal hombre, una noche que a los baños iba,

71

tú me mataste porque a ti no te quería, y ahora es mi piel la que canta en la pandera bonita». Cuando paso por delante de un policía, digo muy bajito, «canta, mamá», a ver si le encierran y me deja en paz.

Me quedé silenciosa tras su historia, y pensé en mi madre, esculpida en cera también por un amor loco.

—Me llamo Samir. Soy pobre, rifeño y musulmán, voy a cambiar lo primero; lo segundo y lo tercero ya no puedo.

—Marina —dije.

—¿Cristiana? ¿De las basuras buenas? Son mejores que las musulmanas, más sabrosas.

—También soy judía.

Se quedó pensativo. Tenía el cabello negro, con abundantes y espesas ondas, que contrastaba con su ojo verde.

—Los infieles sois raros —dijo alzando los hombros—, serás de una o de otra.

—Por ahora de las dos.

—¿Y eso se puede?

—Dicen que no. Pero a mí me da lo mismo.

Me di cuenta de que el huevo de astrogodón había estallado con la carrera, y tenía una mancha rojiza en la falda.

—¿Ya no se va a cumplir mi deseo? —le pregunté.

Se rascó la cabellera negra y negó con la cabeza. Se me humedecieron los ojos.

—Te doy el que me queda.

Me lo puse entre las manos y luego las rodeó con las suyas; aquella vez lo sentí vivo, como si dentro del huevo palpitara un corazón. Retrocedí, él no me soltaba.

—Vamos a pedir un deseo los dos. Lo estamos empollando en este nido de manos —me dijo.

Cerró su ojo. Me quedé observándole. Pedí que dejara de ser pobre, que a su tío le metieran en la cárcel, que la pandera de su madre descansara en paz.

—¿Cuidarás de nuestros deseos? Que no se te rompa el huevo o no se cumplirán —me advirtió, entregándomelo.

Se sentó sobre la basura y me ofreció un hueco a su lado. Vi una cucaracha rondarnos, retuve un grito, apreté los dientes. Olía agrio y me costaba respirar. La salvación es dolorosa, me dije. Había otros niños subidos en la basura, rebuscando entre ella. Al verme, con mi pelo transparente y el vestido de judía rica, avanzaron hacia mí, acechándome como escarabajos gigantes a una presa. Temblé.

—Está conmigo —dijo él con voz autoritaria.

—Y a nosotros qué, tuerto. Hay para todos. —Dibujaban sus rostros una sonrisa maléfica.

—Me estará buscando Ankara.

Los niños se apresuraron a descender de la basura. Nos disponíamos a huir de nuevo cuando vimos llegar a su tío.

—¡Malnacido, aquí estás en tu escondite de rata —chillaba—, te voy a matar por sisarme lo que es mío!

Los niños se replegaron a sus guaridas, se tornaron invisibles.

El mendigo se dirigió hacia Samir.

—Está borracho, vete —me advirtió mientras esquivaba los golpes.

En un descuido, el mendigo le agarró de la camisa y le dio un par de bofetadas. No sé de dónde saqué el valor para acercarme a ese hombre que me aterrorizaba y darle un empujón. Me sonrió con sus dientes negruzcos y se abalanzó sobre mí, alzando la pandera de la muerta. Cerré los ojos y me pareció oír su canto.

La piel era suave, pero el armazón que la tensaba me dejó un chichón que mamá Ada curó con hielo y compresas frías. Dos días después, Samir apareció con la pierna coja apoyada en la fachada de casa, nos había seguido. Se sacaba la porquería de las uñas con un palo y miraba alrededor, a cada tanto, por si tenía que salir corriendo. Creo que era más veloz que cualquier otro chico con dos piernas sanas. Ankara le espantó como si fuera un perro callejero: otro adulto que se entrometía en mis planes de salvación. Samir corrió unos metros y, cuando se detuvo para mirarme, avancé hacia él y dirigí mis ojos suplicantes a Ankara. Hablaron en tarifit. Samir le hizo un gesto de burla y ella le regañó. Yo estaba decidida a llevarle a la cocina para alimentarle, me pareció más hambriento y desvalido que nunca. Le conduje a la puerta de servicio y le dije que me esperase allí. Convencí a una de las cocineras, rifeña también, y de un pueblo cercano al de Samir, para que me diera un paquete con algo de comida y se lo ofrecí.

—No he venido a por limosna —me respondió él algo ofendido—, solo a ver si te encontrabas mejor.

Le llevé la mano al chichón y él se rio.

—Es como el huevo de astrogodón. ¿Te duele?

—Solo un poco.

Durante el mes de mayo vino a casa cada viernes, y yo le entregaba las sobras de la semana. La basura judía también era buena. Llamaba a la puerta de servicio y charlábamos en el zaguán durante unos minutos, bajo los ojos vigilantes de Ankara.

—¿Cómo está el huevo? —me preguntaba siempre—. ¿Cuidas bien de nuestros deseos?

Lo había guardado en mi habitación, en un cajoncito que tenía mi escritorio y al que solo yo accedía con una llave custodiada bajo una madera suelta del suelo. El huevo estaba envuelto en un nido de trapos. Después de que Samir se marchara, abría el cajón y lo sentía latir.

A cambio del paquete de comida, Samir me traía regalos: puñaditos de especias olorosas que ponía en la palma de mi mano, los soplábamos juntos y los granos flotaban en el aire, en la luz del ventanuco, y se nos metían por la nariz haciéndonos reír.

—Te vas a ensuciar el vestido —me advertía Ankara desde el quicio de la puerta de la cocina donde nos espiaba.

Lo que más me gustaba era cuando Samir exhibía con orgullo los huevos o las partes de animales que vendía en el zoco como elixires «curalotodo». Un rabo de salamanquesa secado al sol y acicalado con restos de tintura que encontraba en las calles, él lo convertía en un pedazo de la cola de una serpiente alada, maravillosa. Los turistas que llegaban hasta Tánger buscaban la magia que se les ofrecía, aunque fuera falsa, también lo esperaban. Era el espectáculo de su venta lo que les merecía la pena. La vivencia del instante que creyeron que podía ser verdad.

Samir vendía magia. Y yo se la compré. ¿Quién ayudó a quién?

Un viernes Samir no se presentó. Le esperé, sentada en el zaguán, hasta que Ankara me obligó a subir a mi habitación, debía prepararme para el *sabbat*. El domingo acallé mi terror a aparecer por el Zoco Grande, después de la aventura del mendigo, y convencí a mi niñera para que me llevara. Lo recorrí sin soltarme de su mano. No hallamos ni rastro de él, ni de su tío.

—Solo es un granuja, niña mía —me decía Ankara—. Se malogrará en cuanto que se haga un poco más mayor, si no lo ha hecho ya. Aunque si tanto te preocupa, preguntaré por él.

A los pocos días me trajo noticias. Mi niñera conocía a muchos rifeños que vivían en las zonas más pobres de Tánger. El tío le había sorprendido vendiendo comida y quedándose con el dinero, así que el cuerpecito de Samir soportó otra paliza más. Temía que le hubiera matado. Me torturaba la imagen de mi padre dando patadas en la nieve a aquel muchacho. Se despertaba en mí una ira, una impotencia que se me enroscaba en el pecho. Me había prometido respetar siempre la vida, pero ¿se merecía vivir el tío de Samir? No era fácil entender el mundo, pensaba mientras se me caían las lágrimas y Ankara me consolaba.

—Casi le matan por mi culpa —le decía entre sollozos—. Fui egoísta y me empeñé en salvarle, le di comida, no quería que fuera pobre y eso le ha traído la ruina.

—Es un pillo, niña mía, burlar a su tío y sisarle dinero es lo que le ha traído la desgracia.

—¿Por qué hay pobres, Ankara?

—Porque así lo dispuso Allah. —Me acariciaba la cabeza—. Unos vienen a sufrir más que otros a este mundo.

—Si no hubiera ricos, ¿crees que habría pobres?

—Eso no lo dispuso Allah.

—Pero ¿sería posible?

—¿O todos ricos o todos pobres? Yo creo que eso nunca ha sido así.

—Cuando éramos hombres primitivos, Ankara.

—¿Casi como los monos, niña mía?

—Eso. Ser más listos y educados hizo que hubiera ricos y pobres.

—Así lo dispuso Allah, entonces. —Me arropó con la sábana de hilo que le traían a mamá Ada de Holanda. Adoraba su ligera rigidez y su suavidad; sin embargo, aquella noche no dejaba de pensar en Samir, malherido y solo.

Como estaba muy triste por lo que le había sucedido a Samir, Ankara decidió darme una sorpresa y me llevó al *hammam*. Además, ya tenía once años y me había prometido que me llevaría al cumplir los diez. Salí de casa vestida como una niña judía. En cuanto nos internamos por las callejas de la

Medina, Ankara me puso sobre el vestido un caftán y ocultó mi cabello rubio con un pañuelo.

El interior del *hammam* exhalaba un aliento a cal. Lo envolvía una niebla fina de vapor que me hizo sentir entre las nubes. Allí el mundo era femenino, sutil.

Nos esperaban las primas de Ankara. Fue la primera vez que vi a Amina, la hechicera bereber. Su cabello era muy negro y largo, le llegaba hasta más allá de la cintura. La piel tostada, un cuerpo elástico. Unos ojos vivos, negros también, que desnudaban el alma. Me escondí detrás de Ankara, huyendo de ellos.

—No la temas. Acaba de venir a la ciudad de una aldea del desierto. Su abuela era la hechicera, luego lo fue su madre y ahora, que se ha quedado huérfana, lo es ella. Atesora gran sabiduría a pesar de su juventud. Sus poderes se transmiten en la sangre y se activan con la muerte de la predecesora.

La joven me sonrió, retuvo una de mis manos entre las suyas, escudriñándome con aquellos ojos que formaban un ser aparte del que los contenía. Luego acercó mi mano a su vientre, al seno materno donde habría de concebir a su heredera, y la mantuvo allí hasta que un calor de arena me asustó y la aparté.

Nada me dijo ese día sobre lo sucedido. Ankara tampoco. Tuve que esperar años para conocer la respuesta y comprenderla.

Amina se acomodó en un escalón de mármol, abrió las piernas y me invitó a sentarme entre ellas. Acarició mi cabello, metiendo sus dedos finos por las hebras, trenzándolo, al tiempo que murmuraba palabras en una lengua tan bella como indescifrable para mí. Si me estaba hechizando, no me importaba. La placidez residía en el ángulo que formaban sus muslos.

—Serás una mujer valiente y cuidarás bien de ella —me dijo de pronto en español.

—¿De quién? —le pregunté.

Solo sonrió.

Samir se presentó en casa un par de viernes después, aún maltrecho, con un corte en el pómulo y un brazo colgándole de un pañuelo sucio. Tosía al hablar y se tocaba el costado; su tío le había roto una costilla y respiraba con dificultad. Aunque no se podía quitar la vida a otro ser, ¿sería aceptable rezar para que se muriera?, me pregunté, ¿o ha de tenerse misericordia con aquellos que hacen el mal? Misericordia o castigo. La religión se presentaba, a mi corta edad, como una lucha contra nuestra naturaleza humana. Quería darle patadas al tío de Samir. El deseo de hacerle daño, la rabia, me dolía en la garganta. El deseo de que su Allah se lo llevara para siempre. Sin embargo, fue Samir quien se marchó de Tánger. Había venido a despedirse. Una tía de su madre se iba a hacer cargo de él antes de que su tío le matara de otra paliza y ya no hubiera más esperanza para él que su cielo musulmán. Ella vivía en Chauen, y allí se lo llevaba.

Traía consigo la pandera del mendigo.

—Vengo a pedirte que cuides de mi madre —me rogó.

Solo vislumbrar aquel objeto que me había causado un chichón me producía escalofríos. Otra reliquia de la locura que produce el amor llegaba hasta mí. Me daba miedo tocarla, siquiera, rehuía su tacto de mortaja.

—Solo puedo confiar en ti, Marina. Mi tío jamás sospechará que la guardas tú.

La imagen de aquel hombre de dientes negruzcos y aliento alcohólico me hacía temblar. Quizá esta era la oportunidad para el castigo que la vida me brindaba. Tendría que hacerse con otro instrumento para seguir pidiendo limosna y ninguno sonaría con una voz tan bella.

Le pedí a la cocinera del Rif que le preparase un paquete de comida para el viaje. En la basura, vi unos zapatos que papá Arón había tirado porque le quedaban estrechos; aunque estaban un poco viejos, eran fuertes, y no tenían ningún agujero en la suela. Los limpié con un trapo y se los entregué a Samir, junto con el paquete.

—Me quedan grandes, pero creceré —me dijo—. Gracias.

Sus pies bailaban en aquellas barcas de cuero negro. Reí.

—La próxima vez que nos veamos, los llevaré puestos y me quedarán bien. Cuida de mi madre y de nuestro huevo. Volveré también para que se cumplan nuestros deseos.

Le vi alejarse por la calleja, al atardecer. El muecín acentuó su aire desolado. Andaba arrastrando los zapatos, luchando por no perderlos, por no dejar la huella de mi caridad fácil en el camino. Se lo tragó la Medina, la tarde, la pobreza, la maldad que separa a veces a los hombres. Adiós, Samir.

El lugar más apropiado para guardar la pandera era el sótano de la casa afrancesada que desde la muerte de mis padres me pertenecía. Se hallaba aún en el mismo estado fantasmal en que la dejamos Ankara y yo. A papá Arón y a mamá Ada no les gustaba ir, les recordaba a la boda maldita de mi madre, a su conversión y su fallecimiento prematuro de tuberculosis. Tampoco me cabía la pandera en el cajoncito de mi escritorio, así que decidí pedirle a Ankara que se hiciese cargo de ella hasta que tuviéramos la oportunidad de guardarla en el sótano, donde reposarían las reliquias de aquellas mujeres a las que no dejaron descansar en paz.

6

La escritora

Atardece sobre la Medina. Suena el canto rojo del muecín y Flora recuerda la fascinación que le produjo escucharlo por primera vez. Se sintió transportada al mundo de *Las mil y una noches*. Por entonces tenía veinte años y viajó a Tánger con una amiga con la que ya no mantiene contacto, lo perdieron después de que ella tuviese varios hijos y se fuera a vivir al norte. Estudiaba el segundo año de carrera, Traducción e Interpretación, y ya quería ser escritora. Traduciría obras literarias y escribiría las propias. Si le hubieran preguntado cómo se veía dentro de otros veinte años, jamás habría tenido la visión de ella en ese instante. Sola. Con una libreta en el bolso donde anota las pistas para hallar al amante de una noche. Y un marido al que ha mentido, y al que no le ha importado, o al menos no ha dado muestras de ello.

—Me voy a Tánger a sustituir a una compañera de la empresa en un congreso de traductores. Me sentará bien el viaje y me apetece mucho hacerlo. ¿Qué te parece?

—Últimamente te noto un poco deprimida. Creo que un cambio de aires será bueno para que repongas fuerzas. —Le acaricia el cabello, le sonríe, cambia de canal. En el telediario dan los deportes.

Si al menos le hubiese puesto alguna pega; si se hubiera sorprendido, si le hubiera dicho «me mientes, ¿qué te ocurre, por qué quieres marcharte?». Porque voy a buscar a mi amante, le habría gustado responder a Flora, porque me muero en esta casa con sombra de ciprés que aletea sobre nuestro matrimonio, día y noche, como si solo nos quedase esperar dos paladas de tierra. Pero él siempre calla, comprende, y Flora no quiere que comprenda, quiere que luche por ella, que le demuestre que le importa, o lo quería, ya no lo sabe. El hijo deseado se desvanece. El hijo o los hijos que imaginaba tendría a sus años. En su vientre, el reloj que marca las horas de la maternidad se va paralizando de tristeza. ¿Deseo un hijo de mi marido o tan solo ser madre?, se pregunta. Avanza por las callejas: «Bajá al castillo», oye a Deidé. Imagina una puerta que se le abre en el pecho y una escalera de caracol que desciende y desciende por su corazón, hasta una mazmorra donde llora la joven que escuchó al muecín por primera vez.

Tánger se oscurece. Entre las azoteas se vislumbra un cuarto de luna. Flora se propone volver sobre sus pasos para regresar al hotel, las lágrimas se le empiezan a escurrir por el rostro, camina cada vez más aprisa, ya no puede ver las tiendas, los carteles, ninguna señal que la ayude a orientarse, se hunde en los callejones donde algunos hombres cosen chilabas en unos telares artesanos: señora, señora, ¿está perdida?, le dice un chico al pasar; señora, dígame adónde quiere ir, ¿restaurante bueno, bonito, barato?; le habla en español, yo guía de la Medina, la llevo a cualquier parte; Flora se limpia el llanto con un puño, esquiva la mirada directa del chico, señora triste, yo alegro, ella niega con la cabeza, respira hondo, el relente de la noche se le cuela por la puerta del corazón; el olor de la Medina, orines de gato, vapores de especias; tiembla, en unos escalones tropieza, se escurre con el verdín que forma un zigzag de agua turbia, cae al suelo, el bolso por un lado, ella por otro, señora, señora, se lastimó; Flora intenta ponerse en pie, siente un portazo en el pecho, varias personas se arremolinan a su alrededor, le duelen las tibias, el labio, unos brazos fuertes tiran de ella, levanta el rostro, tiene sangre en la boca. El hombre que la ha socorrido es el mismo al que preguntó por la mañana la dirección del hotel.

—¿Puede andar?

Flora asiente con la cabeza.

—Apóyese en mí.

Obedece. Le toma de un brazo. Él saca un pañuelo del bolsillo y le limpia la sangre que le brota de los labios. Flora emite un quejido, le escuece.

—Lo útil que es un pañuelo para atender cualquier emergencia. Los jóvenes de hoy ya no los usan. —Sonríe—. Se ha hecho una buena herida.

A Flora le vienen de pronto a la memoria las palabras que Rhett Butler le dice a Escarlata O'Hara en *Lo que el viento se llevó*: «Jamás, en ninguna crisis de tu vida, he visto un pañuelo en tus manos». Las lágrimas se le agolpan en los ojos, toma el pañuelo del hombre y se suena como Escarlata. Avergonzada, se lo guarda en el bolsillo de los vaqueros.

—Se lo lavo —susurra.

—Se lo puede quedar. —Tiene una voz amable, suave—. Pero póngaselo de nuevo en el labio porque aún le sangra.

—Mi bolso.

—Lo tengo yo, no se preocupe. —Se lo devuelve.

Ella se lo cuelga del hombro.

—¿Quiere que busquemos un centro médico? Yo sabía la dirección de uno muy bueno, aunque es muy posible que ahora sea una tienda de alfombras.

—Gracias —murmura Flora—, estoy bien.

—¿Quiere que la acompañe al hotel?

—Por favor, pero no me gustaría molestarle. Si usted llevaba otro rumbo, o tenía planes...

—Iba a cenar allí.

Caminan despacio, Flora cojea. La oscuridad va inundando lentamente los últimos recovecos de la Medina.

—Le va a salir un buen moratón en la espinilla.

—Hoy me ha salvado dos veces. Se lo agradezco mucho.

Él sonríe de nuevo.

—No crea, la primera vez nos salvaron a los dos. Estoy tan perdido como usted en esta ciudad —suspira—, y eso que soy tangerino. Apenas reconozco algún lugar.

—¿Le entristece?

—Es el paso del tiempo. Mi Tánger se ha esfumado, solo queda en mis recuerdos, como mi juventud.

—No diga eso. Me ha levantado del suelo usted solo.

—A veces uno se sorprende sacando fuerzas de donde las creía acabadas.

—Qué razón tiene.

—Armand Cohen. —La mira a los ojos y a Flora le vuelven a recordar los de un gato. Rasgados, color ámbar.

—Flora Linardi. —Le sorprende haber dicho ese nombre.

—Qué le parece si nos tuteamos. Me sentiré menos mayor.

—Yo también.

—Flora, tengo que decirte que aunque quiero ser un buen guía, la noche me desorienta aún más que los años y no sé dónde estamos.

Armand pregunta la dirección del hotel a un joven que pasa por su lado y que le da unas indicaciones en francés.

El labio de Flora ha dejado de sangrar. Se siente a gusto caminando del brazo de ese hombre, de nuevo de un desconocido.

—¿Eres tangerino, entonces?

—Sí, nací cuando Tánger aún era la ciudad internacional. Mi familia la abandonó pocos años después de que se anexionara a Marruecos, como hicieron muchas otras familias judías.

—¿Eres judío sefardí? Por eso hablas tan bien español. —Flora se emociona.

—Es mi lengua materna.

—Leo y releo una novela que sucede aquí, la protagonista es judía sefardí. Se titula *Niebla en Tánger*, de una autora también tangerina, Bella Nur. ¿Te suena su nombre?

—No he oído hablar de ella, me desconecté demasiado de este país.

Flora busca el libro en el bolso y se lo muestra a Armand. Está lleno de anotaciones y páginas señaladas con post-it.

—Parece que te ha gustado bastante.

—Se ha convertido en mi libro de cabecera. He venido a Tánger para encontrarme con Bella Nur. Voy a empezar a escribir un blog literario y me gustaría hacerle una entrevista. Su historia me parece fascinante. —A Flora se le encienden las mejillas.

—¿Ya te has puesto en contacto con ella?

—No sé aún cómo localizarla. Había pensado preguntar en las librerías, quizá haya hecho alguna presentación y puedan darme algún dato que me ayude.

—Precisamente el gerente de la librería Des Colonnes es el hijo de un viejo compañero del colegio que emigró a Marsella, como yo. Cuando se enteró de que venía a Tánger me pidió que me acercase por allí a saludarle. Tengo que citarme con él. Podría preguntarle por Bella Nur; si ella es tangerina, probablemente la conozca. El mundo literario de Tánger debe de ser pequeño.

—Te lo agradecería tanto. Ves como al final vas a acabar salvándome por tercera vez... —Le sonríe, cada vez cojea menos.

—Des Colonnes es toda una institución en la ciudad, está en pie desde finales de los años cuarenta. —Disfruta sintiéndose útil—. De hecho, en la época en que Paul Bowles vivía en Tánger, cuando algún otro escritor o un periodista quería ponerse en contacto con él lo hacía a través de la librería, que actuaba de intermediaria. Si al americano le interesaba, arreglaban una cita.

Al escuchar el nombre de Paul, Flora se estremece. Sigue sin tener noticias suyas y ahora, cuando le llama por teléfono, una operadora le dice que ese número no corresponde a ningún abonado. ¿Llama a un fantasma?

Han llegado al hotel.

—Déjame ver el labio. —Armand le levanta con cuidado la barbilla—. Está mucho mejor, aunque la herida va a durar unos cuantos días.

Es alto, sus manos son grandes.

—¿Te apetecería cenar conmigo en el restaurante del hotel? —Armand baja la mirada.

—Creo que prefiero acostarme. Me duele todo el cuerpo y no tengo hambre. Ha sido un día intenso y estoy cansada del viaje. ¿Qué te parece que desayunemos?

—Llamaré al hijo de mi amigo a primera hora y a lo mejor puedo decirte algo. Que descanses.

Flora sube a su habitación. Se desnuda y se da una ducha caliente. Apenas puede pensar en lo que ha ocurrido. El labio se le está hinchando, como si acabase de librar un combate de boxeo. Ha probado la Medina en sus huesos. Suena el móvil, es su madre. Ahora no tengo fuerzas para darle más explicaciones de lo que hago en Tánger. Lo apaga y se acuesta en la cama, en el centro, es de matrimonio. Abre las piernas y los brazos, la ocupa por entero. Se siente sola, pero está sola, y eso la hace sonreír. Es terrible sentirse solo cuando se tiene cerca a alguien. Llorar mientras el otro duerme.

El muecín llama de nuevo a la oración. Flora se acurruca entre las sábanas y piensa en Marina Ivannova, de niña, arrullada por las suras del Corán de Ankara hasta que se dormía.

—Buenas noches, Marina —dice en alto. Y cierra los ojos.

La librería Des Colonnes está situada en la zona moderna de Tánger, el bulevar Pasteur. Un local acogedor donde se vende literatura en distintos idiomas: francés, árabe, español, inglés.

Flora ha desayunado con Armand en la azotea del *riad*. ¿Qué le ha ocurrido para que de un día para otro esté sentada con ese hombre, frente a una bonita mesa de hierro con una vista de azoteas blancas y el mar al fondo? La cocina de su casa, en una urbanización a las afueras de Madrid, le parece lejana, irreal. Ha sucedido hace mucho tiempo o no ha sucedido nunca.

—Tengo una sorpresa para ti —le ha dicho él mientras untaba la mantequilla en una tostada.

—¿El hijo de tu amigo puede ayudarme a localizar a Bella Nur?

—Tiene su novela en la librería. No se ha publicado en Marruecos, pero él la ha traído de España.

—¿Conoce a la escritora personalmente?

—Es muy probable que pueda darte su contacto. Al menos le hablará de ti para ver si accede a concederte una entrevista. Veo que tienes mejor el labio —le dice mientras se lo examina, tomándola otra vez con suavidad de la barbilla—. ¿Y la pierna?

—Me duele menos y dejé de cojear.

¿Por qué se siente más real junto a Armand, en el mundo que ha construido en un solo día con un par de mentiras, que en el suyo? Si la escuchara Deidé, la llamaría de nuevo *don Quijote*, «y vos sabés, querida, cómo termina la novela, se le va la locura a la mierda, de nada le sirvió tanta fantasía. Se muere cuerdo porque eso le hace humano». Flora no cree que sea así. La fantasía le sirvió para vivir, Deidé, para morirse cuerdo y en paz.

Han ido paseando hasta la librería. Cielo azul, graznidos de gaviotas. Esta vez Armand lleva un plano, está empeñado en volver a orientarse en su ciudad. Hace de guía de Flora y le va indicando lo que es cada sitio por el que pasan. En ocasiones permanece unos minutos callado, con la mirada ida, como si le asaltara un recuerdo que hace años se le borró de la memoria. Ella aún no sabe por qué Armand ha regresado a Tánger, quizá es solo un viaje nostálgico, una vuelta al pasado para afrontar el presente.

—¿Sabes dónde podríamos comprar *chubarquía*? Aparece en la novela, me pregunto si aún existirá —dice Flora.

Él encuentra un puesto en uno de los laterales de la plaza 9 de Abril de 1947. A ella le recuerdan a los pestiños. Es masa frita con miel, le indica el vendedor, pruebe, pruebe, señora. Se los ha puesto en un cucurucho de papel, le ofrece uno a Armand.

—Nunca me gustó —responde—, ni de niño. Esta plaza, antaño, era el Zoco Grande.

¿Dónde están los encantadores de serpientes, el bullicio de perfumes y especias?, se pregunta Flora mordiendo el dulce. Marina y Samir perseguidos por el mendigo terrible. Los camellos que llevaban las mercancías, los vendedores de todo lo que se podía vender, los huevos de astrogodón, que se empollan y conceden deseos.

Ahora es una plaza amplia, con abundante tráfico. Hay un pequeño parque circular donde la gente se sienta en los bancos. Armand le muestra a Flora el edificio de la filmoteca de Tánger, que antes era el cine Rif, y el palacio del Mendub. En sus jardines hay un ficus que ronda los ocho siglos. El tronco se retuerce y muestra sus raíces gruesas, pulidas, le indica él, para abarcarlo en su totalidad harían falta al menos tres hombres.

—Aquí me traía mi padre cuando era niño. Este árbol

me fascinaba. Creía que así era el baobab de *El Principito*. Venía a comprobar que no crecía más. Me daba miedo que un día se hiciera tan grande que invadiera la ciudad y todo Tánger se convirtiera en un ficus gigante. —Sonríe—. Mi padre murió hace unos meses.

—Lo siento. —Flora observa su rostro, permanece impenetrable—. ¿Cómo ves la vida, Armand, como un sombrero o como una boa que se ha comido un elefante?

—Como un sombrero... Tánger me está haciendo pensar de nuevo en la posibilidad de la boa. —Mantiene la sonrisa en el rostro.

Ascienden en silencio por la calle Libertad y al doblar una esquina hacia el bulevar Pasteur aparece el Gran Café de París. Se sientan a tomar un té a la menta. Es un mundo masculino: una serpiente de mesas pobladas por hombres, sin más mujeres que las turistas, las occidentales. Flora está inquieta por llegar a la librería, por encontrarse con Bella Nur, pero Armand le ha propuesto la parada y le parece descortés rechazarla. Esa mañana ha repasado su libreta de notas, sigue convencida de que la escritora la conducirá hasta Paul, es la primera pieza, la clave de todas ellas. Se ha colgado del cuello, con un cordón de cuero, el amuleto bereber. Para que encuentre su destino, le dijo el hombre de la tienda. Flora lo siente en la garganta, aquella noche, en el hotel de la Gran Vía, ocurrió.

La librería Des Colonnes ocupa el bajo de un edificio que llaman *el Acordeón*.

—Dicen que aquí tuvo su cuartel general Lucky Luciano, el mafioso italoamericano, con negocios de contrabando —le cuenta Armand.

Flora piensa en Marina, en su negocio de contrabando de tabaco. Ve la ciudad a través de ella, fantasea con que puede encontrársela al doblar una esquina, con su cabello ruso, tan rubio, y sus ojos azules que velaron a la madre muerta.

El gerente de la librería es un hombre de unos treinta y pocos años que también habla español. Después de charlar un rato con Armand sobre su padre, le muestra a Flora más novelas de Bella Nur y un par de libros de cuentos. La mayoría en francés y un par de ellas en árabe.

—*Niebla en Tánger* no se publicará en Marruecos —la informa—, aunque ella es una autora muy reputada en el país, como ves. Hace un par de años era muy activa, sobre todo por los derechos del pueblo bereber, porque ella pertenece a esa etnia. Hasta hace poco estaba prohibido en Marruecos poner a los niños nombres bereberes. Esa fue la última campaña en la que ella participó de forma más comprometida, ahora está muy enferma y no interviene en actividades culturales. Siento decirte que no concede entrevistas.

—Vaya —dice Flora.

—No te desanimes, como eres amiga de Armand voy a darte una información que te ruego no desveles a otros compañeros periodistas. A la señora Nur le gusta ir a merendar a Villa Joséphine. Tiene una mesa reservada todos los días a la misma hora, las cinco de la tarde. Es una mujer un tanto peculiar, de carácter. Quizá tengas suerte y acceda a hablar contigo.

Flora asciende en un taxi por la montaña que llaman *el Monte Viejo*. A ambos lados de la carretera surgen tapias de piedra rebosantes de madreselvas y plátanos centenarios, tras las que se adivinan casas magníficas, casas de una época que pertenece ya a la nostalgia. Armand y el gerente de la librería han insistido en que almorzara con ellos, pero Flora ha preferido regresar al hotel y prepararse para un posible encuentro con Bella Nur. Tiene un nuevo dato que queda registrado en su libreta: la escritora es bereber, igual que la joya que se escurrió de la cartera de Paul y luce en su garganta.

«Menudo descubrimiento, querida —le ha dicho Deidé después de regañarla por no contactar con ella en varios días—; los escritores, al final, por mucho que lo adornen, escriben sobre su vida, sobre los temas que los torturan, que los obsesionan.» «Deidé, el amuleto no aparece en la novela, lo llevaba mi Paul.» «¿Y no es él uno de los personajes? No se te ocurra volver a dejarme preocupada por vos, dame noticias con regularidad.» Flora ha cortado la comunicación feliz; aunque a veces no está de acuerdo con ella, Deidé es su brújula desde hace tiempo, su apoyo, su amiga.

Su madre ha vuelto a llamarla, no ha contestado. Sabe que esa tarde tiene que telefonearla sin falta y a su marido también, pero ahora solo quiere pensar en Villa Joséphine. El taxi se adentra en el camino de tierra de una propiedad que permanece con la verja abierta. A lo lejos se atisba, entre la vegetación, el tejado rojizo. Es una mansión de color blanco que se eleva sobre unas escalinatas de sabor colonial, y tiene una terraza con una balaustrada de piedra. Flora se asoma y admira la vista de la bahía, es un día transparente y divisa España. Se estremece. ¿Es Flora Gascón o Flora Linardi? Por dentro de la casa domina el gusto inglés, sobre todo en la biblioteca, la zona destinada a las meriendas, al bar. Madera y cuero, alfombras en rojo, morado, clásicas. Varias mesas frente a sofás rollizos, teteras de plata, platitos y tazas de porcelana azul con dulces primorosos, algún whisky en vaso labrado. Huele a melancolía en cada rincón perfecto, Tánger aún les pertenece.

Un camarero almidonado le indica a Flora un lugar para sentarse. Ella le da las gracias, se atusa el pelo rojo, indomable, toma la carta del menú con manos temblorosas, mira a su alrededor; dónde está Bella Nur, quizá no haya ido esa tarde, quizá esté enferma. El amuleto le palpita en el hueco de la garganta.

—Té, con tarta de manzana.

—*Oui, madame.*

Flora coloca *Niebla en Tánger* sobre el veladorcito de cerezo donde el camarero le sirve la merienda. Es un reclamo, por si la escritora pasa por delante de ella o alcanza a verlo desde alguna mesa. El sol queda mitigado por las pesadas cortinas de damasco, nada debe perturbar la paz de antaño.

—*Toilette?* —le pregunta Flora al camarero.

—*À droite, madame.*

Necesita una excusa para caminar por la biblioteca y buscarla. Ha repasado una y otra vez lo que va a decirle si ella le da la oportunidad, cómo de las preguntas sobre la novela en general irá desviando la conversación hacia el personaje de Paul. ¿Tomó usted la identidad del personaje de alguien real? ¿Quién es esa persona? ¿Es conocido suyo? ¿Dónde está Paul Dingle? Demasiado directo.

Más que una bloguera literaria parece un inspector de Scotland Yard o Hércules Poirot cuando ya conoce la identidad del asesino. Ella es una periodista literaria o al menos quiere serlo. Ha pensado hasta el nombre del blog, así sentirá más veraz a su personaje.

Atraviesa la biblioteca en dirección al vestíbulo de entrada donde están los servicios. Junto a uno de los balcones, por el que se filtra la luz delgada del final de la tarde, descubre a una anciana. Flora se desvía del camino del baño para observarla mejor. Los collares la delatan, asedian su cuello frágil y caen sobre una túnica bordada con flores y pájaros exóticos; la vejez se ha abierto paso en un rostro que aún es hermoso. Tiene un pequeño tatuaje en el entrecejo cuyo dibujo Flora no logra distinguir. El cabello oculto en un turbante negro, sofisticado; prendido en él, un broche de plata. Es ella. Flora aparta la mirada, siente la de Bella Nur en la espalda. Vuelve a su mesa, se atusa el pelo indomable a todas horas por el clamor del mar. Coge el libro y el bolso y camina sobre sus latidos hacia la escritora.

Carraspea.

—Disculpe que la moleste —habla en francés—, ¿es usted Bella Nur?

La anciana asiente con desgana y mira a Flora de reojo. Se concentra en dar un sorbo de su taza de chocolate caliente.

—He leído su novela, *Niebla en Tánger*. Estoy fascinada, sus personajes me han cautivado.

Bella Nur abre una bolsa de *patchwork*, que reposa en una butaca junto a su silla, y busca un bolígrafo. Detrás de sus ojos oscuros se intuye otra vida que no es la que transcurre en esa biblioteca. Le brillan con un resplandor impropio de su edad, sin rastro del halo turbio que acompaña a la vejez. Va a firmar el libro como si fuera un acto rutinario. Flora tose, la escritora la mira de frente por primera vez. Tiene los labios muy finos.

—No sabe lo que significa para mí encontrarla. —Flora se ha puesto nerviosa y le ha hablado en español.

—¿De dónde eres? —le pregunta Bella Nur en este idioma.

—De Madrid. ¿Habla español?

—Hablo muchos idiomas, demasiados, a veces se me enredan en la mente. Acércate un poco más para que pueda verte.

Flora se aproxima a ella. Siente sus ojos, fríos, escudriñándola.

—Qué cabello tan magnífico, joven.

—Gracias. Verá, mi pasión son los libros, por eso voy a empezar a escribir un blog literario. —Flora no puede detener la presentación del personaje que ha preparado—. Siempre estoy leyendo, aunque esta última semana vivo en su novela, no hago más que releerla.

Los ojos de Bella Nur descienden por su rostro, por su cuello, hasta el amuleto.

—¿Quieres merendar conmigo? —La escritora deja el bolígrafo sobre la mesa, un temblor aqueja sus manos, se le han sonrojado las mejillas.

—Nada me gustaría más. Traeré aquí mi té.

—No hace falta. Mohamed se hará cargo.

Bella Nur llama al camarero de almidón y le da las indicaciones para que acerque a su mesa la merienda de Flora.

—Yo tomo chocolate caliente a todas horas —le dice—.

El té es muy inglés para mí. Y aquí tienes que probar las magdalenas, vengo cada día a Villa Joséphine por ellas. —Le muestra la que hay, aún intacta, en el platito primoroso—. Huele, huele. —Se la acerca a la nariz—. Dime a qué te recuerda.

Flora está demasiado nerviosa para olisquear nada, tiene los sentidos puestos en la anciana que la escruta, con cada palabra, con cada mirada.

—Me recuerda a las que comía en los desayunos de la infancia —dice por decir, mientras piensa en cómo volver sobre el plan trazado. Está sentada en la butaca donde tenía la escritora su bolsa de *patchwork*, que ahora ha colgado de su silla.

—Es la magdalena de Proust —le cuenta Bella Nur—. La magdalena que saboreas y te lleva a algún lugar donde ya has estado.

Flora tiene la boca seca. Da varios sorbos de té.

—Tuve que leer y traducir a Proust en la universidad. Le odié, piensa, su lentitud me sacaba de quicio.

—¿Y cómo te llamas?

—Flora Linardi.

—Qué hermoso apellido; ¿italiano?

Flora asiente.

—¿Y qué te trae a Tánger, has venido por turismo? —le pregunta Bella Nur mientras se inclina un instante hacia Flora para observar el amuleto más de cerca.

—Vine a visitar los lugares donde transcurre su novela. —Se le quiebra la voz, se le enreda en la garganta—. Y dígame, ¿los personajes existieron?, ¿están basados en personas que conozca?

—Todos los personajes de un escritor existen. Pero yo

conozco la verdad de por qué has venido a buscarme: has encontrado a Paul Dingle, ¿no es así?

Flora no sabe qué responder. Es novata en su labor de detective.

—Toma un trozo de la magdalena de Proust y recupera el color —le sugiere Bella Nur—. ¿Crees que soy estúpida? Llevas colgado su amuleto.

—¿Cómo lo sabe? Es solo una cruz del sur. —Flora la toma entre sus dedos, la siente cálida—. Podría ser mía.

Según acaba de pronunciar esas palabras, recuerda las del vendedor de la Medina: «Es una auténtica joya. Una pieza única, por la forma en que está labrada y la disposición de las puntas, dobladas hacia arriba». Flora debe mejorar en su labor detectivesca, las emociones están nublándole la necesaria mente fría.

—Es su cruz del sur, yo lo sé. Cuéntame cómo la conseguiste. —Su voz suena autoritaria—. ¿Paul te la regaló?

Flora se arrepiente de nuevo de habérsela llevado. Se muerde el labio inferior. Da un sorbo de té. Le sudan las manos, está pensando todo lo deprisa que puede una respuesta. A veces es mejor dar información aunque sea falsa, y comprobar qué tiene que explicar el otro al respecto.

—A Paul se le cayó, la perdió, quiero decir, en un hotel, y me gustaría devolvérsela. Pero llevo días sin noticias suyas.

—¿Desde cuándo le conoces?

—Desde el viernes pasado.

A Flora le parece imposible que haya transcurrido tan poco tiempo entre su encuentro con Paul en el Camelot y cuanto le ha sucedido en Tánger.

—¿Le conociste en Madrid o aquí? —Bella Nur continúa con el interrogatorio.

—En Madrid.

—¿Y cómo has llegado hasta mí apenas una semana después?

—Por su novela. Paul la estaba leyendo.

Bella Nur la mira con curiosidad. Sonríe.

—Así que Paul ha desaparecido una vez más. ¿Te dio su número de teléfono?

—Sí, pero no logro comunicar con él desde el domingo pasado.

—Dime, ¿qué ocurrió ese día?

—Habíamos quedado en vernos en un café de Madrid y no acudió a la cita.

—¿No haría viento en la ciudad?

—Sí, un viento fuerte... —Flora siente calor en el estómago.

—Y él desapareció. Como aquella noche del 24 de diciembre de 1951. Tú has leído la novela y sabes de lo que te hablo.

Flora asiente.

—La noche de 1951 una mujer la llamó y *ella* acudió para llevarse a Paul. Por eso él está maldito. Igual que la llamaste tú la noche de vuestra cita.

—Yo no llamé a nadie esa noche. —Ni siquiera a mi madre, piensa.

—Quizá no conscientemente, porque no la conoces, pero lo hiciste, querías que él desapareciera de alguna forma; y *ella* se lo llevó de nuevo.

—¿Quién se llevó a Paul?

—La Axia Kandisha.

7

Niebla en Tánger
Capítulo III

Varias personas tenían motivos para desear la desaparición de Paul Dingle el 24 de diciembre de 1951, y Samir era una de ellas.

—Te romperá el corazón —me había advertido.

Esa mañana amaneció con sol, nadie pudo predecir el vendaval que arreciaría conforme cayera la tarde. Paul se había levantado más pronto que de costumbre; no amanecía antes de las diez, decía que el silencio del alba le recordaba a la soledad de la guerra. No le oí salir del dormitorio; cuando desperté una hora más tarde, me encontré sola entre las sábanas. La cama estaba fría, como si Paul ya se hubiera marchado para siempre.

Salí al pasillo; el último piso de la casa de mis abuelos, que había convertido en hotel, estaba destinado a las habitaciones privadas. Encontré a Samir en el rellano de la escalera. En esa época llevaba un parche a lo bucanero en el ojo tuerto. Tenía el cabello revuelto y un labio partido con un hilo de sangre. Se había peleado con Paul.

—No te fíes de él —fue todo lo que quiso decirme entonces.

Me miró con la misma expresión de desamparo que en la calle de Siaghine, veinticinco años antes, a su regreso de Chauen. Era agosto de 1926. Lo recuerdo porque estaba conmocionada por la noticia que había leído en los periódicos sobre la muerte inesperada de Rodolfo Valentino. A mis diecisiete años me había convertido en una joven judía: rezaba mis oraciones, respetaba el *sabbat*, celebraba con júbilo el Purim, e iba a la sinagoga de Nahón, donde ocupaba mi lugar, junto a mamá Ada y el resto de las mujeres, en la parte de arriba. Solo en el aniversario de la muerte de mi padre sacaba de su encierro la cruz ortodoxa de oro y la llevaba el día entero colgada de mi cuello, por dentro de la ropa, para no olvidar del todo quién había sido, quién era. Rezaba el padrenuestro en silencio, grababa cada frase de la oración en mi memoria, honrando así la sangre rusa católica de mis antepasados.

Las ansias infantiles de salvación, mamá Ada había sabido dirigirlas en la *tzedaka*, la limosna, y en la obra social que la comunidad judía llevaba a cabo. Me quedaba hacer un buen matrimonio con un muchacho judío y traer mis vástagos al mundo para continuar la rama familiar. Papá Arón estaba interesado en unir lazos con la familia Bensalóm. Banqueros. Tenían un hijo de mi edad a quien había conocido en la fiesta de su Bar Mitzvá. Imberbe aún, con un belfo de caballo y unos ojos solitarios, me asustaba la idea de tener que pasar el resto de mi vida con él y convertirme en una reliquia antes de que me llegara la hora de morirme. Mamá Ada no comprendía que fuera reacia a hablar de matrimonio, ni que no lo esperase con emoción como otras muchachas de mi edad, cuya plenitud se acercaba al tiempo que el momento de su enlace. La pasión que se había despertado en mí por bordar, tuve que ir reprimiéndola conforme me acercaba a la edad casadera. De esta forma retrasaba también completar mi ajuar. Ya había un arcón de caoba repleto de sábanas de la cama matrimonial, toallas, manteles, camisones y cojincitos para guardarlos. Mis iniciales estaban bordadas, tan solo quedaba bordar la letra del apellido de mi futuro marido, cuando supiéramos quién iba a ser.

Había leído la *Odisea* en el colegio, y Penélope me pareció la mujer más inteligente que había dado la mitología. Ella tejía y destejía para evitar elegir un pretendiente que no fuera su esposo, a quien aguardaba con toda la paciencia y el sufrimiento contenido que cabía esperar de una mujer, qué mejor ardid que una labor tan femenina. Yo fingía con mamá Ada un repentino retroceso en mi habilidad de bordar, me equivocaba en los dibujos, los cosía torcidos y era necesario repetirlos. Además, insistía en que la ropa que reposaba en el arcón me resultaba muy poca.

—Quiero el ajuar más rico y abundante de todas las muchachas tangerinas judías —le decía a mamá Ada.

—Lo tendrás —respondía ella—, y te casarás con un buen judío.

Nunca imaginé que la estrategia de Penélope la utilizaría, muchos años después, para consolar la ausencia de Paul Dingle, en esta colcha tropical donde he bordado ya todas las selvas del mundo, o al menos saber qué fue de él, quién se lo llevó de mi lado.

Mamá Ada sospechaba de mi estrategia. Conforme yo crecía, a ella la intranquilizaba que se truncara de nuevo el futuro deseado para la familia, al igual que había ocurrido con su hija. En estos casos solo confiaba en los espíritus. Nadie mejor que ellos para informarla de lo que estaba ocurriendo, y aconsejarla sobre cómo enderezar un destino que podía torcerse. El secreto de su pasión por la tabla de la güija había ayudado a crear entre nosotras unos lazos de complicidad que se vieron reforzados cuando me enseñó el funcionamiento de aquel artilugio, y celebramos juntas algunas sesiones.

—¿Cuál es el destino deseado por mi nieta? —le preguntó al espíritu de una mujer muerta a principios de siglo por el mismo mal que se llevó a mi madre.

La aguja grande de madera, sobre la que manteníamos

las yemas de los dedos mamá Ada y yo, se arrastró, con un lúgubre sonido, por el tablero y señaló las letras: C-I-N-E.

—Ajá, conque cine —me espetó ella enfadada.

Me quedé en silencio. Mamá Ada me miraba de forma acusatoria. Nunca había creído demasiado en los poderes de aquel juego y sospeché que había escuchado una conversación que mantuve con una de mis amigas del colegio la tarde anterior, en la habitación de costura, donde le confesaba mis pocos deseos de casarme y mi ilusión por convertirme en actriz. El cine me fascinaba. Siempre que podía, asistía con mis amigas a ver las películas del cine mudo de Rodolfo Valentino, Gloria Swanson, Charles Chaplin o Vilma Bánky. En ellas había descubierto que el mundo era más extenso e interesante que los límites de mi arcón de caoba, donde estaba encerrado todo mi futuro.

—Así que quieres ser actriz. Pues olvídate. Te casarás con un buen judío y tendrás hijos judíos. No voy a permitir otra desgracia familiar como la de tu madre.

Mamá Ada, poco a poco, se daba cuenta de que el parecido que yo mantenía con su hija no radicaba en mi aspecto físico, sino en mi rebeldía interior. Si ella había elegido a un católico, yo quería sustituir mi vida apacible en Tánger por la magia de interpretar historias.

Me prohibió volver al cine. Las lágrimas se me agolparon en los ojos. Le rogué que me dejara ir a ver *El hijo del caíd*, de Rodolfo Valentino, que echaban en el Kursaal, para despedirme de él, para honrar su memoria y llorarle en la pantalla como se merecía. Aceptó de mala gana por el luto de mi ídolo, pero me hizo prometer que sería la última vez que pisaría una sala de cine hasta que estuviera casada y a salvo, según ella, de la vida licenciosa del artista.

De las cuatro amigas con las que iba al cine, tres eran judías y una cristiana. Entre las judías se hallaba Esther Bensalóm, prima del joven del belfo a quien querían unir mi inicial. Todas de familias ricas y respetables. Rodolfo Valentino era nuestro amor platónico desde que le vimos actuar en *Los cuatro jinetes del Apocalipsis* y *Sangre y arena*. Un ejemplar de hombre latino, un dios griego y, lo más importante, inalcanzable. Rodolfo era hermoso, varonil, pero jamás querría casarse conmigo; jamás querría bordar su inicial junto a la mía en el cojincito del camisón. Podía soñar con él, enamorarme con toda tranquilidad, y más ahora que estaba muerto.

Atravesaba con mis amigas la calle de Siaghine cuando oí mi nombre. No reconocí la voz y me volví para ver de quién se trataba. El ojo tuerto le hacía inconfundible. Ya no era el niño enclenque al que quería salvar, el niño del huevo de astrogodón, que aún reposaba en el cajón del secreter, incólume al paso del tiempo, sino un muchacho alto, atractivo, de labios anchos y cabello espeso con ondas negras. Samir, mirándome con su ojo verde. Detenido en la calle, con un hatillo de tela, los zapatos de papá Arón, ya de su talla, y una chilaba de rayas finas que le daba un aspecto de adulto.

—¿Le conoces? —me preguntó Esther Bensalóm.

El corazón se me salía del pecho.

—De darle limosna hace mucho tiempo —respondí.

—Qué atrevimiento, y llamarte así por tu nombre en mitad de la calle.

—Si vas a darle algo, hazlo ya, que llegamos tarde —me dijo otra de mis amigas judías.

—No, ahora no llevo monedas para limosnas —dije, me di la vuelta y continuamos andando en dirección al cine.

Oí otra vez mi nombre y caminé más aprisa. Samir ha vuelto, me decía, o tal vez solo está de paso. ¿Habrá venido por la pandera de su madre, que descansa ya junto a la mía?

—¿Te encuentras bien, Marina? —me preguntó Esther—. Pareces sofocada.

Un fuego se me había encendido en las entrañas.

—He perdido el monedero, seguid, que ahora os alcanzo.

Eché a correr sin esperar su respuesta. Subí por la calle de Siaghine hasta llegar al sitio exacto donde acababa de verle. Había desaparecido. Tuve ganas de gritar su nombre, de llorar. Esperé unos minutos, por si aparecía de nuevo, pero se lo había tragado la tierra.

En la película, Rodolfo Valentino interpretaba el papel del hijo de un jeque árabe que raptaba a una mujer blanca y se la llevaba a su tienda en el desierto para hacerla suya. Ella acababa enamorándose de él. Me estremecí.

Durante el resto de la semana, mientras bordaba en la torre de costura con mamá Ada, me venían a la cabeza escenas de la película, donde el rostro de Rodolfo había sido suplantado por el de Samir. Le imaginaba ataviado con el turbante, cabalgando por las dunas del desierto con su nueva imagen de hombre dispuesto a encontrarme a toda costa y a llevarme contra mi voluntad.

—Cose, que estás en las nubes —me decía mamá Ada.

Las puntadas me salían torcidas, esta vez sin hacerlo adrede, y la aguja me temblaba en la mano. Sin el dedal de plata y jade me hubiera agujereado los dedos.

Solo Ankara, que aún vivía con nosotros, supo de mis desvelos. De mi niñera había pasado a ser mi carabina. A mamá Ada no le gustaba que anduviera sola por la calle, así que cuando no salía con ella o con mis amigas, Ankara me acompañaba. Había envejecido mal. Solo sus ojos eran testigos de la vitalidad que había lucido a lo largo de sus años de trabajo. Se había perdido en una melancolía por su pueblo del Rif, que no la dejaba vivir en paz. Solo su amor por mí la mantenía en Tánger.

—Niña mía, ya no tienes edad de jugar con chicos pobres. Los mundos tan diferentes que se acercan en la infancia están destinados a separarse cuando crecen.

—Nosotros, no —le dije, sin saber por qué.

Conforme pasaron los días y los meses, mi delirio fue en aumento. Me desvelaba encontrarlo de pronto tanto como no volver a verlo nunca más. Le soñaba antes de dormir con esa nueva voz que parecía tallada en roca y esa apostura oriental que le había convertido, sin yo quererlo, a ratos en un villano, a ratos en un héroe de película.

Al cabo del año, tantos leños había echado al fuego de la imaginación que me consumía de angustia cuando entraba o salía de la casa, pues le vislumbraba con la pierna coja apoyada en la pared, como la primera vez que apareció para llevarme con él. Lo único que me consolaba era la certeza de que Samir no tenía intención de pedir mi mano judía, sino de tomarla al asalto, sin delicadezas de bordados rosa o cojincitos de seda. Mi vida burguesa —que transcurría, tras acabar el colegio, en lecturas reposadas en la torre, antes o después de las jornadas de hilos, visitas a los almacenes Au Grand Paris, a comprar perfumes o medias, partidos de tenis con mis amigas en el Country Club, meriendas en la pastelería Pilo, o visitas secretas a sesiones de cine— iba a verse atravesada por la lanza de la aventura. Era tan improbable que me casara con Samir como con el «descansado» de Rodolfo Valentino. Lo que le proporcionaba al asunto un cariz mucho más grave: cuanto más imposible era para el mundo, más posible lo era para mi imaginación atormentada por el aburrimiento.

El deseo de ser actriz no se me iba de la cabeza. Consumía todos los periódicos o magazines que podía conseguir donde hubiera noticias y fotografías de actores y actrices sobre todo del cine americano. Las recortaba con las tijeras de costura y las atesoraba en el cajoncito del secreter, a salvo de la censura artística de mamá Ada, y junto al huevo de astrogodón, que sacaba de su escondite algunas madrugadas para sentirlo latir en la fiebre de la vigilia. Hollywood era mi meca, mi paraíso bíblico.

En marzo de 1928, aún sin curarme de los desvelos que me causaba Samir, los Bensalóm nos invitaron a celebrar el Purim con una comida que organizaban en un salón del hotel Continental, uno de los más lujosos de la ciudad. Era evidente la intención de formalizar mi matrimonio de una vez con el joven del belfo, o liberarle de todo compromiso conmigo para que pudiera elegir a otra muchacha de buena posición. Íbamos a cumplir los veinte. Aunque son solo los niños los que se disfrazan durante el Purim, se invitaba a la juventud a que lo hiciéramos también como si se tratara de una fiesta de máscaras. Mamá Ada se empeñó en buscarme el disfraz más apropiado para que luciera mi belleza del norte, siempre bajo el manto de la más pura discreción, y yo me empeñé en estar tan fea que el joven no quisiera ni mantenerme la mirada. Finalmente la batalla se inclinó de mi lado. Mamá Ada había elegido un disfraz de pastora con cayado y oca viva. Fue verlo y echarme a llorar. Tuvo que ser Ankara quien le explicase los recuerdos que despertaba en mí aquel disfraz maldito. Los episodios más terribles de mi infancia se me vinieron encima: la mancha en la pechera de mi madre, en la mía, el niño ruso, la muerte. Mamá Ada sufrió un ataque de nervios que no se le calmó ni con un litro de tila, ordenó a una sirvienta que devolviera el disfraz a los almacenes y cocinaran la oca inocente para los pobres, cumpliendo así con el precepto de dar limosna el día antes del Purim. Me negué a ir a la comida, pero a última hora recapacité y vi la oportunidad de librarme para siempre de la amenaza que se cernía sobre mi felicidad desde hacía tiempo. Me disfracé de gaucho argentino. Mamá Ada no se atrevió ni a suspirar cuando me vio descender por la escalera con mis pantalones de cuero, mi chaqueta con flecos, mis botas de espuela, mi sombrero de ala ancha por el que sobresalía una coleta rubia, y el látigo enrollado en una mano, dispuesto a flagelar las esperanzas de cualquier joven que deseara contraer un matrimonio duradero con una muchacha dócil. Papá Arón dio un respingo mientras recitaba los versos de un salmo del rey David.

—¿No habéis encontrado algo más masculino? —preguntó.

Frente a lo que había esperado, el disfraz fue un éxito, sobre todo entre los hombres. Conocía al menos de vista a la mayoría de ellos, solo uno me resultaba desconocido. Era imposible no fijarse en él. Acaparaba la atención, principalmente de las mujeres. Acababa de llegar de Estados Unidos, y era primo segundo de Esther y del joven del belfo. Su familia había emigrado hacía más de treinta años, con un negocio de importación y exportación de productos exóticos con el que habían hecho una gran fortuna. Él había nacido allí. Se llamaba Matthew Levy, pero había cambiado su apellido por Levingstone para darle un aire más anglosajón. Eso me dijo cuando se me acercó durante el aperitivo, con su sonrisa grande y sus dientes lunares. Tuve que reprimir la risa, porque me vino a la cabeza la frasecita ya famosa por entonces sobre el explorador inglés que encontraron en el lago Tanganica ardiendo de malaria: ¿el doctor Livingstone, supongo?

Desde el primer momento intuí que no era el tipo de hombre que se achicara ante una mujer con látigo, todo lo contrario.

—Cuando quiera puede atraparme con él —me dijo ofreciéndome un pinchito de verduras y carne—, yo me dejo. Incluso me puede azotar. —Sonrió de forma pícara.

Hablaba español como si tuviera algo dentro de la boca que no le permitiera vocalizar bien, y usaba palabras en inglés constantemente. Decía: qué maravilla de *lunch*, o siéntate *close to me, darling*. Era rubio, con el cabello liso, de carcajada fácil que le dejaba el rostro escarlata y unos ojos marrones expresivos y brillantes. De cuerpo ancho, fornido y atlético, y una estatura que sobrepasaba una cabeza a todos los invitados, su presencia no podía pasar inadvertida.

Había venido a Tánger a conocer a su prima Esther, ya que las familias tenían la esperanza de que pudiera acordarse un matrimonio entre ellos, pero antes de seguir adelante él había exigido conocerla, y con ese objetivo había cruzado el Atlántico. Esto lo supe durante la fiesta, donde no paró de coquetear conmigo. El rostro de mi amiga se encendía de rabia en el otro extremo de la mesa, porque él había desbaratado el orden impuesto por los intereses matrimoniales para sentarse a mi lado durante el almuerzo. El joven del belfo parecía de cartón si se le comparaba con Matthew. No contraatacó, se quedó sumergido en el silencio, admitiendo una derrota que sospeché que tampoco iba a sentir demasiado. Mamá Ada me miraba con severidad y se atusaba el moño de espiral, ajustándose los alfileres de perlas, con un gesto nervioso.

—Este no es hombre para ti —me susurró en un momento de tregua en que él había ido al cuarto de baño.

Matthew Levingstone no opinaba así, y enseguida se daba una cuenta de que no era hombre que admitiera en su vida algo que él mismo no eligiese. Tenía una conversación muy divertida, distinta de las charlas rancias que yo había mantenido con el joven del belfo o con otros chicos judíos. Se notaba que Matthew tenía treinta y dos años, y esa diferencia de edad junto con su carácter extrovertido y alegre le convertían en un ganador en el terreno que pisaba. Su padre había fallecido hacía poco más de un año, y él llevaba ahora las riendas del negocio familiar. Solo tenía una hermana casada con un americano, que vivía en Nueva York.

—Yo acabo de trasladarme a Los Ángeles —me dijo.

Se me atragantó el pedazo de manzana asada.

—¿Te gusta el cine? —le pregunté cuando recuperé el aplomo.

—Lo adoro, *darling*.

Me quité el sombrero de gaucho, colgué el látigo en la silla, y conversamos sobre los actores y las actrices que más nos gustaban. Hasta ese instante solo había hablado de cine con mis amigas.

Después del almuerzo hubo baile. Una orquesta de swing. Una música nueva que yo no conocía. Había nacido en Estados Unidos, y a Matthew le encantaba. A la familia Bensalóm le había costado una fortuna traerla hasta Tánger, sin reparar en los esfuerzos de encontrarla, en honor al primo americano. Con la primera canción, el joven del belfo me sacó a bailar, Matthew le había dado unas clases antes de la fiesta. Él bailó con Esther. Por unos minutos se produjo la ilusión de que los planes trazados volvían al cauce correcto. Pisé al joven y él a mí en varias ocasiones, y nos sonreímos con rictus de cera. En la segunda canción, Matthew me tomó de una mano y ya no me soltó. No recordaba haberme divertido tanto. Impresionaba verle bailar con aquel cuerpo tan grande. Hubo un momento en que nos quedamos solos con la orquesta que bramaba un ritmo frenético. En un giro, vi a mamá Ada y a papá Arón mirándome como si quisieran asesinarme, y a mi amiga Esther con la boca torcida. Tuve un retortijón de remordimiento. Pero Matthew me atrajo hacia él y me susurró con su voz anglosajona:

—Solo existimos tú y yo.

A la hora de despedirnos, saboreó mi nombre igual que le había visto hacerlo con su whisky con hielo:

—Marina Ivannova. Eres la rusa más hermosa y divertida que he conocido.

Sonreí.

—¿Hablas inglés?

Negué con la cabeza.

—Pues tendrás que aprenderlo.

A Matthew no le gustaba perder el tiempo, cuando quería algo iba a por ello. Se había criado en la certeza de que todo es posible si uno se esfuerza lo suficiente en conseguirlo, así que se enteró de dónde vivía, y se presentó a la tarde siguiente para invitarme al cine. Echaban una de Charles Chaplin. Yo estaba confinada en la torre de costura, castigada por mamá Ada a bordar sin rumbo, porque la posibilidad de emparentar con la rama de la familia Bensalóm que mis abuelos anhelaban se había ido al traste después del Purim. Ankara subió a avisarme. Entreabrió la puerta y me dijo:

—Ha venido el americano. Niña mía, no sabía que podían existir hombres tan grandes. Me da miedo que vaya a comerte.

Bajé la escalera de la torre y escuché la conversación que mantenían en el salón. Estaba hablando con papá Arón sobre el rey David, sobre la problemática y la belleza de sus salmos. Matthew tenía un don para conectar con la gente, para enterarse de sus pasiones. Era un vendedor nato. Veinte minutos después de iniciar la conversación, papá Arón le dio permiso para llevarme al cine. Mamá Ada le miró con gesto adusto y él supo que era a ella a quien tenía que ganarse. Subí a arreglarme. Ir al cine sin tener que ocultarme me hizo feliz. Cuando nos quedamos a solas, aunque mamá Ada había ordenado a Ankara que nos siguiera de cerca, le di las gracias.

—Me gustaría ser actriz —le confesé.

—Conmigo serás lo que desees —me dijo—. Viviremos *very near to Hollywood*. Es tu destino el que me ha traído hasta ti.

Dio por hecho que iba a casarme con él.

—Aún no he dicho que sí —respondí en un ataque de orgullo.

Se rio.

—Pero lo dirás.

—Primero tendrás que pedírmelo.

—No voy a tardar, *darling*, el tiempo *is gold*.

A los dos días, envió a un chico a casa con un mensaje. Nos invitaba a almorzar el domingo en el hotel Continental, donde estaba alojado. Era jueves. Mamá Ada se negó a ir. Papá Arón la hizo recapacitar, después de rogarme que los dejara a solas. Escuché detrás de la puerta:

—Es judío, rico, de buena familia. La rama americana de los Bensalóm. Y a Marina le gusta. No tentemos a la suerte, querida, ya lo hicimos una vez y mira lo que ocurrió, nuestra niña se nos hizo cristiana. Luego la muerte enderezó las cosas, pero podríamos haberlo perdido todo. Marina es soñadora, se parece a su madre.

—Se marchará muy lejos.

—Es la vida, querida, debe seguir su curso. Marina se ha hecho mayor. No puedes mantenerla en la torre, cosiendo para siempre.

Con el revuelo que había traído Matthew a mi existencia en los últimos días, la imagen de Samir se me había borrado de la memoria. El paso del tiempo y unos años habían ayudado a templarme los ensueños, y apenas pensaba en él. El viernes por la mañana me levanté de muy buen humor. Mamá Ada me había dado permiso para acompañar a Ankara a una boda de su familia. Amina, la joven hechicera bereber que conocí en el *hammam*, era la novia y me había invitado. No había vuelto a verla más que un par de veces desde entonces, y siempre me repetía el mismo gesto. Ponía mi mano en su vientre hasta que me quemaba con el calor del desierto. Ella sonreía satisfecha. Nunca quiso decirme ni una palabra. Son cosas de magia, afirmaba Ankara, Amina no te hará daño. Yo tampoco se lo permitiría.

La celebración era en casa del novio, una morada bastante humilde y en un barrio donde vivían en su mayor parte rifeños. Llevaban dos días de boda, según la tradición. El viernes era el último y cuando se reunían los invitados del novio y de la novia para la fiesta. Encontramos a Amina sentada en una *mtarba*, envuelta en una túnica blanca con la cabeza escondida en una capucha roja. Sus manos estaban pintadas de alheña, y un collar de pesadas cuentas amarillas le rodeaba el cuello. El novio, también de blanco, solo dejaba ver sus ojos. Las mujeres formaban un semicírculo alrededor de Amina, tocaban las panderas y cantaban. Solo ante la visión del instrumento musical, sentí que el estómago se me daba la vuelta.

Se bebía té y se comía cuscús, pastelas, dulces de almendras y miel y platitos con dátiles. Sobre una mesa había un cuenco con unos huevos duros naranjas. Los han teñido de alheña, me explicó Ankara, para que le traiga fertilidad a la novia. Nos sentamos junto a las mujeres. Yo llevaba el cabello cubierto con un pañuelo y un vestido de flores ligero y una chaqueta. Al poco de llegar, descubrieron el rostro de Amina para mostrárselo a los invitados; me pareció triste, como si lo único que aún mantuviera con vida fueran sus ojos negros. Sonrió al verme, y me saludó con la mano. El novio en cambio, tenía una expresión de triunfo. Unos músicos comenzaron a tocar la *darbuka*, una especie de tambor, y un instrumento con unos cuernos de vaca, que se unía a una caña. La fiesta se animó. Las mujeres a cada tanto entonaban el *zaghareet*, un sonido que hacían con la garganta.

De repente entró un grupo de hombres, y entre ellos distinguí a un joven que cojeaba. Era Samir. Había imaginado que me lo encontraba en cada rincón de la Medina, del Zoco Grande, pero jamás pensé que le vería allí, de pronto, sin que ni un solo presagio, más que las panderas que había visto al llegar y el cuenco de huevos, me advirtiera de lo que llevaba años temiendo y esperando. Era difícil no reparar en mí. La única mujer vestida de modo occidental. Me atravesó con el ojo verde. Había crecido, parecía más hombre. Vestía chilaba, como la última vez, y unas babuchas en lugar de los zapatos de papá Arón. La música cesó un instante, Samir ocupó el puesto del hombre de la *darbuka* y comenzaron a tocar otra vez. La casa olía a almizcle, a sudor y a especias. La visión y el sonido de las manos de Samir golpeando el instrumento se me clavaron en las sienes. No dejaba de mirarme. Me mareé. Apreté la mano de Ankara. Le he visto, me susurró ella; voy a salir a tomar el aire; voy contigo; no, tú quédate.

La calle de la Medina estaba desierta. Era la una del mediodía y hacía calor para ser marzo. Le sentí detrás de mí. Me daba miedo darme la vuelta. Oí mi nombre, se le había endurecido la voz.

—Aún tengo la pandera de tu madre —le dije antes de girarme y mirarlo.

Tenía una zozobra en el pecho que no me sostenía las piernas.

—Sabía que la guardarías bien.

—Ankara me dijo que la historia que me contaste es un cuento del Rif.

—Un buen cuento para impresionar a una niña rica. —Sonrió.

—¿Y tu tío?

—Le metieron en la cárcel. Mató a otro mendigo, estaba borracho.

—¿Cuándo has vuelto?

—Hace unos meses. Aquella vez que te vi, hace años, estaba solo de paso. Ahora trabajo en el café Fuentes. ¿Y tú? ¿Ya te has casado?

—Aún no.

Salió Ankara y le dijo:

—Has crecido, niño tuerto. —Le sonrió—. Marina, la novia me ha preguntado por ti.

Entramos de nuevo en la casa, donde el calor se había hecho más intenso. Fui hasta Amina y le di la enhorabuena. Ella tomó mis manos entre las suyas y me agradeció que hubiera ido a su boda.

—Recuerda que tu corazón siempre estará en Tánger —dijo y me abrazó.

Nunca más volví a verla. Estoy segura de que ella lo sabía. Aquellas palabras fueron su despedida.

Mi vida se precipitó, resolviéndose en unos pocos días lo que tantos años me había angustiado. En el almuerzo del domingo en el hotel Continental, Matthew asestó su golpe final. Había comprado un anillo en una de las joyerías de papá Arón, con la complicidad de este, y en el postre hincó una rodilla en la alfombra mullida y me pidió que me casara con él delante del resto de los comensales. El anillo era de oro con un brillante del tamaño de una judía pinta.

Al día siguiente me fui al Zoco Chico, esta vez sin Ankara, pues era ya una mujer prometida. Rondé el café Fuentes durante un rato, antes de decidirme a entrar. Pedí una limonada, y como no vi a Samir, pregunté por él a un compañero.

Me dijo que acababa de terminar el turno y se había marchado. Le alcancé subiendo por la calle de Siaghine, burlas del destino, que siempre es circular.

Paseamos en silencio por el laberinto de callejuelas que parten de Siaghine, y le dije que había ido a despedirme porque me casaba. Cogió un mechón de mi cabello y lo retuvo entre los dedos unos instantes, luego nos miramos.

—Conservas también el huevo —me dijo.

Asentí.

—¿Se ha cumplido tu deseo?

—Creo que sí.

—El mío ya no se cumplirá nunca.

Me besó con delicadeza en la boca. Se disculpó.

—Siempre supe que no podría ser —me dijo. Y echó a andar en dirección a la Kasbah.

Muchos años después, a mi regreso a Tánger, supe que ese día se había emborrachado hasta que el cuerpo se le rindió de rabia. Abandonó el café Fuentes y se hizo contrabandista.

Se acordó en un bufete de abogados el contrato matrimonial, aún existía la costumbre de establecer la dote en duros de Castilla. Compramos el traje de novia en Au Grand Paris, y se contrató a diez sirvientas que estuvieron cocinando dulces y todo tipo de manjares durante los días previos al enlace. Con los preparativos de la boda, no hubo tiempo para bordar las iniciales de Matthew en el ajuar, así que guardamos la ropa tal cual estaba con la idea de que yo la terminaría una vez que me instalara en América. Casarme sin bordar el apellido de mi esposo me pareció un signo de felicidad futura que, unido a su apellido, Levingstone, le daba al matrimonio un halo de aventura jamás imaginado, de principio en vez de final. Y viviría en Los Ángeles, cerca de las estrellas de cine.

Recuerdo el día de mi boda con un sabor lejano. La ceremonia en la sinagoga. Matthew en su traje de lino oscuro. El olor antiguo de la Torá. Las lágrimas de Ankara.

Llevaron la orquesta de swing al salón de casa, despejado de muebles, y bailamos y comimos hasta media tarde. De vez en cuando se me cruzaba el rostro de Samir por la memoria, y la idea de que venía a raptarme el día de mi boda me dejaba en la boca un sabor a especias. Le había visto en una de las calles de la Medina cuando pasó el cortejo nupcial. Me había dado un vuelco el corazón y no sabía por qué. Mamá Ada les había preguntado a los espíritus si sería feliz, y ellos le habían dicho que sí.

Solo quedaban las despedidas. Conforme salí de la casa, Ankara se marchó a su pueblo del Rif, tenía la maleta preparada detrás de la puerta. Sin ella no habría sobrevivido en la infancia a tantas desgracias; se nos acumularon los recuerdos y no pudimos decirnos nada. Mamá Ada me regaló en secreto su tabla de la güija por si me sentía sola. Los espíritus, la costura y las amigas la habían mantenido a salvo de los rigores del matrimonio. Papá Arón me dio un libro de salmos, y el primer borrador de su obra magna para que lo leyera durante el viaje a América.

Embarcada en un gran buque, cuya sirena desbarataba el mundo, y convertida en la señora Levingstone, puse rumbo hacia la ciudad del cine. Cuando nos hicimos a la mar, salí a cubierta. El horizonte parecía de ceniza. Vi a Samir entre las nubes: cabalgaba hacia mí con su turbante y su ojo esmeralda.

8

La Axia Kandisha

Paul, mi Paul maldito. Llevado por el viento como una hoja seca, de un lugar a otro, contra tu voluntad... condenado, piensa Flora mientras Armand le sirve un poco de ensalada en su plato. Están cenando en el restaurante del hotel. A su regreso de Villa Joséphine, Flora se lo ha encontrado en una mesa solitaria junto a la ventana. Él la ha llamado con su mirada de gato, agitando una mano cuya simpatía era imposible evitar.

—La Axia Kandisha —repite Armand y sonríe—, claro que he oído hablar de ella. Es muy famosa en el folclore judío de Tánger.

—Lo imaginé, habiéndote criado aquí.

—Emigré con mi familia a Marsella en 1963, pero todo aquel que ha vivido en Tánger, por poco que sea, la conoce. Recuerdo que mi madre nos decía a mi hermano y a mí que en esta ciudad nadie era del todo judío, ni cristiano, ni musulmán, éramos lo que quería el viento. Ella tenía amigas musulmanas que por encontrar novio rezaban a san Antonio; amigas judías que le pedían hijos a la Virgen María y amigas cristianas que para que su hombre se esfumara invocaban a la Axia Kandisha. Ya podéis portaros bien cuando tengáis novia, nos decía mi madre. Yo le tenía un miedo atroz a la Axia Kandisha porque solo se llevaba a los hombres.

—En las noches de viento, ¿verdad? —pregunta Flora. No puede probar la ensalada.

—Eso es. Tiene que pedirlo una mujer. La Axia Kandisha es un ser nocturno, con patas de cabra y torso de mujer. Algunos dicen que es de una belleza nunca vista, con una larga cabellera negra y la tez de miel; otros, por el contrario, aseguran que es temible cuando muestra su verdadero rostro. A veces llama a las puertas de las casas, otras se lleva a los hombres sin más. ¿Serás clemente conmigo? —Armand la contempla sonriendo.

A Flora le sorprende la broma. Se pregunta si él estará casado. Se fija en su mano derecha y ve en ella una alianza. Sin embargo, también le parece que se siente solo. Sus movimientos son melancólicos, su hablar pausado, su mirada distraída salvo cuando la observa fijamente alumbrándola con los ojos amarillos.

—Depende de cómo te portes —responde.

Ahora es Flora Linardi de pelo rojo y barbilla partida, bloguera literaria.

Armand le sirve un poco de vino tinto y ella apura la copa. Tenía pensado poner en orden las notas de su libreta esa noche, relacionar cuanto le ha ocurrido. Decidir los siguientes pasos que dará. Quería tener la cabeza lúcida para reflexionar sobre su encuentro con Bella Nur, desmenuzarlo como una buena detective. Solo beberé esta copa, después del postre pondré alguna excusa y me subiré a la habitación.

—¿Hasta cuándo te quedarás en Tánger? —le pregunta Armand—. Si ya has conseguido encontrar a Bella Nur y entrevistarla.

—Lo cierto es que me gustaría volver a hablar con ella. Se me han quedado preguntas en el tintero. Tengo billete para el día 23.

—Yo para un día después.

—¿Y tú? ¿Qué te ha traído a Tánger?

—Te dije que mi padre había fallecido hacía unos meses, ¿verdad? Él solía venir aquí en verano, primero con mi madre y luego solo, cuando ella murió de un ictus hace unos años, para ver a los últimos judíos que quedan, treinta y dos en total; él los conocía a todos. La mayor es mi tía abuela, que tiene noventa y seis años; mi padre llevaba una macabra cuenta atrás. —Armand interrumpe su explicación, carraspea, da un sorbo de vino—. Tengo que ocuparme del piso donde vivía mi padre, del piso familiar, quiero decir. Yo nací allí. Mi hermano y yo hemos decidido venderlo. Él vive en Canadá, así que me ha tocado a mí venir a arreglar los papeles.

Flora se pregunta qué hace Armand alojado en un hotel si tiene un piso en la ciudad.

—¿Desde cuándo no regresabas a Tánger?

—Desde los dieciséis años.

—Es mucho tiempo.

—Nunca encontré el momento, aunque ahora me parece absurdo al decirlo. De joven hice amigos en Marsella y no quería venir con mi familia, prefería quedarme allí. Luego me casé. Mi mujer no soporta el calor, llegaron los hijos, el trabajo en una compañía de seguros donde aún continúo, las obligaciones..., y la vida pasa sin darse uno cuenta. Este verano mi padre me dijo que le acompañara, sabía que sería el último para él, aun así tenía trabajo y no pude. —Armand baja la mirada—. Si uno resume de esta forma su vida entran escalofríos. Acaso no hice algo más, me pregunto. —Se sirve vino, le ofrece a Flora, pero ella niega con un gesto de la mano.

—¿Cuántos hijos tienes? —Flora siempre ha envidiado esas familias con varios hijos que se ven en los supermercados con sus carros invadidos de cereales y yogures.

—Dos chicos, ya con veintitantos cada uno. Hacen su vida. Los veo poco. ¿Tú tienes hijos?

Flora siente una puñalada en el estómago.

—No. Estoy casada y aún no han llegado los hijos.

Escruta la mirada de Armand, avergonzada de lo que acaba de decir. Él pensará que ella ya es demasiado mayor, pobrecilla, todavía tiene la esperanza de que pueda ocurrir. Se abre un silencio entre ellos.

—Mañana iré a hablar con el abogado de la familia para iniciar los trámites de la venta; cuanto antes mejor.

—Yo intentaré ver de nuevo a Bella Nur. Esta misma noche empezaré a escribir mi artículo. Estoy impaciente.

Después de la cena, sube a la azotea a fumar un cigarrillo y Armand la acompaña. Le ha pedido uno. Hace mucho tiempo que no fuma y se atraganta con el humo. Ríen. La ciudad, desde lo alto de la Kasbah, es una única fortaleza al borde del mar.

Ha encendido una lamparita en su habitación y está sentada sobre la cama, en pijama, con las piernas cruzadas. Sabe que tiene que hacer un par de llamadas, ser Flora Gascón por unas horas.

—Mamá.

—Bendito sea Dios, ¡al fin! Creí que te habían raptado o trata de blancas, en esos países... ¿No había un congreso en otro lugar?

—No, mamá. Yo no los elijo. Estoy muy bien, el congreso muy interesante.

—Tu marido parecía preocupado.

—¿Preocupado? No sé por qué. Además no hace falta que hables con él, yo te tengo informada.

—¿Y comes bien?

—Ya sabes que me encanta la comida árabe.

—Y dime, ¿te fuiste con los deberes hechos? Me refiero a lo del niño, como estabas con la prueba esa... ¿Hay posibilidades?

—Las de todos los meses, a esperar.

—Esperaré con ilusión entonces.

—Te llamaré mañana, mamá, estoy cansada. Dale un beso a papá.

Flora cuelga. Se hace un ovillo en la cama. El óvulo de ese mes se ha convertido en nada. Desaprovechado. Perdido. Un desecho en su vientre. ¿Por qué le miento a mi madre? Flora tiene la sensación de que todavía es una niña asustada. Cuando habla con ella se le enciende un malestar en el pecho que la hace alejarse. Esconderse. Se pasó la infancia compitiendo con una hermana muerta, era agotador. Cada conversación con la madre siente que la decepciona y no lo soporta. Los muertos tiene ventaja, ya no obrarán mal ni bien. Solo queda un recuerdo que el tiempo transforma en lo que hace menos daño, en lo que nos ayuda a vivir. De no haber sido por los libros, los cuentos, por la fantasía donde podía refugiarse, no sabe qué habría sido de ella. «Florita, cómodos o incómodos vivimos dentro de los límites que nos imponemos y nos imponen, más allá de ellos está lo desconocido. Hay que tener valor para traspasarlos.» Las palabras de Deidé irrumpen en su cabeza. Deidé, mi querida Deidé, ¿quién soy?

—Quién vas a ser vos, querida, ¿te me pusiste mística, sufí, por influjo de las tierras moras?

Flora tiene el portátil encima de las piernas, ha llamado a Deidé porque iba a sufrir otra crisis de llanto.

—No me siento una mujer.

—No empecés, Florita.

—Estoy utilizando el nombre de mi abuela. Me gusta jugar a que soy ella, a que poseo su fuerza y soy coherente con mi vida, cueste lo que cueste.

—¿Por qué usurpaste la caracola de otro, Florita, acaso sos vos un cangrejo ermitaño?

Deidé Spinelli lleva un vestido de fiesta y los labios pintados de rojo.

—¿Vas a salir?

—A airear los calores de la menopausia con una cita.

Flora se ríe, luego tose. El aire le falta en los pulmones. Se pone roja.

—Nada de muertes virtuales, querida, no me jodás el plan.

Deidé la mira con preocupación.

—¿Volviste a fumar? No podés ni responder a la pregunta de lo jodida que te encontrás ahora mismo. La fantasía está contraindicada para vos, te la prohíbo, Florita, no te moriste de milagro de niña, a ver si te me vas a morir ahora jugando a los detectives. Nada de meterte más en la caracola de otros, vos sos Flora Gascón, tenés que encontrar tu propia caracola.

Flora intenta sonreír. A los siete años durmió una noche de noviembre en la terraza de su casa esperando a que fuera a buscarla Peter Pan igual que hizo con Wendy. Quería ir al País de Nunca Jamás y Peter se lo había prometido. Le costó una neumonía, tres meses de hospital y una crisis nerviosa de su madre que veía cómo el destino trataba de arrebatarle otra hija.

Flora se ha levantado a por la botella de agua mineral, da un par de sorbos y la tos cede.

—Ya pasó. —Vuelve frente al ordenador.

—¿Sabés lo que decía Freud sobre las adicciones, Florita?

—¿Que son producto de la frustración?

—No, sustitutivos de la masturbación. Termina igual, pero no es lo mismo. Ya ves vos. Lo decía él, que fumaba puros sin parar y murió de cáncer de boca. Así que masturbate, querida, ya lo sabés, y no te matés más. Vos verás entonces si sos o no una mujer. Mirá entre tus piernas. Y sobre todo mirá adentro. Bajá por la escalera del corazón hasta el fondo del castillo.

—Siempre me alegras el día. —Flora sonríe.

—Y ahora dame noticias de tu Paul. Tengo un pibe abajo esperándome en un auto.

—Encontré a la escritora. Gracias a un hombre que he conocido, un judío sefardí.

—Vos no te sentís mujer y últimamente no parás de ligar con hombres. ¿Este al menos no será un personaje de novela? Dime que no, Florita, ten compasión de esta pobre menopaúsica...

—No es nada de lo que piensas. Es mayor y está casado.

—Aunque más que hombres te hacés falta vos, querida.

Flora le cuenta a grandes rasgos su conversación con Bella Nur en Villa Joséphine.

—A Paul se lo llevó la mujer del saco, como diríais en España, Florita. Ya terminaste de investigar entonces.

—Está el colgante, Deidé. Un amuleto bereber. Bella Nur lo reconoció. Sabía que era de Paul y no aparece en la novela, como te dije. Pertenece al Paul real, al Paul que ella conoce y sobre el que escribió el libro, estoy segura. El Paul con el que me acosté. No lo contó todo sobre él, hay más. A eso me llevan mis deducciones.

—Entonces, si como me dijiste desapareció en 1951, tu Paul sería como un Dorian Gray de Wilde, sin envejecer, pero este danzando por el mundo a la conquista de mujeres.

—Tú lo has dicho, Deidé, como Dorian Gray. Está maldito.

Amanece nublado. Tánger se difumina en un baño de vapor. Las nubes son tiras de humo que empañan el cielo. Es uno de esos días en los que Flora está más delicada. La capa invisible que recubre su piel ha desaparecido y cuanto le ocurre o cuanto toca lo percibe con más intensidad que habitualmente, así suele explicárselo ella. Flora, hoy vives entre dos realidades. No se siente del todo en el mundo cotidiano sino a caballo entre este y otro formado por sus sensaciones, por su imaginación. La gente que pasa a su lado, los coches, los escaparates de las tiendas, los gatos de la Medina, los percibe blandos, distantes; ella apenas existe, apenas es corpórea, de carne y hueso, flota, a veces duda incluso de que la puedan ver, de que la escuchen. Sin embargo, el recepcionista del hotel la ha hecho salir de su ensimismamiento al pasar frente al mostrador, después del desayuno.

—Tengo una nota para una huésped: Flora Linardi. Le dije a la mujer que la ha traído que no había ninguna persona alojada con ese nombre en el hotel. Es una señora española, ha insistido ella, por eso se me ha ocurrido preguntarle, aunque usted se llama Flora Gascón.

—Flora Linardi es mi nombre artístico —ha tartamudeado ante los ojos escrutadores del hombre—, soy escritora y utilizo ese apodo en mis artículos —añade con la voz más firme. Acaba de entrar en una nueva caracola.

El recepcionista le ha entregado la nota. Un sobre de color azul pálido, papel satinado.

Querida Flora:
Me gustaría disfrutar de nuevo de tu compañía, que ayer me fue muy grata.
Si puedes acercarte a mi casa a las 16.00, degustaremos un chocolate caliente con magdalenas de Proust.
Bella Nur

En una tarjetita aparte, también de color azul, viene escrita la dirección del domicilio.

A Flora le ha fascinado que la invitación no llegase a ella a través del teléfono o del correo electrónico, sino de un modo epistolar, tan decadente. La despedida de Bella

Nur en Villa Joséphine fue muy cordial. La escritora quiso saber dónde se alojaba, y ella pensó que se trataba de simple curiosidad o cortesía. No le comentó nada entonces de volver a encontrarse.

Flora le ha preguntado al recepcionista si sería posible enviar una nota a una dirección de la ciudad, pero no prestan ese servicio en el hotel, así que ha decidido que se presentará sin más, con la excusa de que no tenía otro modo de aceptar su invitación.

Se ha propuesto recorrer los lugares que aparecen en *Niebla en Tánger*. Ha empezado por el café Fuentes, en el Zoco Chico. Se ha sentado a una mesa de la terraza, etérea, viendo pasar a los tangerinos y a los turistas. La realidad le ha parecido una novela viviente y ella, una lectora que la lee desde dentro. La novela la traspasa y ella cruza el umbral. Ha imaginado que el camarero era tuerto y cojeaba ligeramente, Samir sirviéndole un té a la menta, examinándola con el ojo esmeralda. Se ha fumado un cigarrillo mientras conversaba con él. ¿Dónde puedo encontrar a Paul? ¿Regresan los hombres malditos al lugar del que desaparecieron por primera vez? Samir, tengo algo que le pertenece. Flora se toca el amuleto que lleva también colgado del cuello. «Aún no puedes saberlo, aún es pronto —responde él—. Habla con Bella Nur, ella te indicará cuándo, ella lo sabe todo, ella lo escribió.»

Después del café Fuentes, Flora se ha marchado al hotel Continental, donde, según dicen, en los años previos a la Gran Guerra se reunían los espías ingleses. Flora, sin embargo, deambula por los salones intentando que la novela le cuente dónde fue la fiesta del Purim. Marina y Matthew bailando a ritmo de swing. Los turistas y el personal del hotel no existen para ella. Marina, ¿he de aprender a bordar como tú para esperarle? Aprendí en el colegio con las monjas, aunque ya no recuerdo cómo se daba una puntada. ¿Debo ser una Penélope más?

Ahora se dirige al *hammam*. No sabe cuál de los que hay en la ciudad visitó Marina con Ankara, por eso ha preguntado al recepcionista por el más antiguo. El hombre le ha entregado un plano con las indicaciones. Flora ha pensado en Armand, esa mañana no le ha visto durante el desayuno. Supone que ha salido temprano a encontrarse con el abogado por el tema de la venta de la casa. Parecía no tener prisa por arreglarlo ni quizá demasiado ánimo.

Flora ha de preguntar varias veces para llegar al *hammam* porque en el plano no vienen los nombres de todas las callejuelas; por suerte siempre hay chicos dispuestos a guiarla. Camina con cuidado para no volver a resbalar con el verdín que se acumula con las serpientes de agua. Aún tiene el labio un poco hinchado y le ha salido un cardenal en la espinilla. Al doblar una esquina, tiene la impresión de que alguien la sigue, pero ya no sabe si es en la novela o en la realidad. En el mundo intermedio donde vive esa mañana. Se detiene. Escucha. El maullido de un gato. Un hombre habla en árabe, o quizá en tarifit, con un vecino. Gaviotas. Huele a frío. A la bruma limpia.

Una mujer ataviada con un caftán raído la recibe en la puerta del *hammam*. Flora se adentra tras ella por un pasillo, y enseguida percibe el aroma a cal tibia del que hablaba Marina.

—¿Sabe de qué año es este *hammam*, desde cuándo está abierto? —le pregunta en francés a la mujer.

Ella responde que no lo sabe.

—¿Cree que en 1920 ya estaba en funcionamiento?

Ella le dice que no se lo puede asegurar.

—Una mujer del Rif, oronda, exuberante, con una niña rusa de pelo rubio vinieron por esa época.

La mujer la mira sorprendida y se encoge de hombros mientras le indica la entrada del vestuario y se marcha con prisa hacia la puerta principal.

Flora se desnuda y se envuelve el cuerpo en una toalla. Hay un mueble con una taquilla de madera, antigua, desvencijada, donde guarda sus ropas, el bolso. Se quita el colgante de Paul y lo mete en uno de los compartimentos, junto a la foto de su abuela. Abre una puerta y se adentra en la bruma. Parece una prolongación de la que asola la ciudad. Del día con sabor a mar que se extiende desde el puerto por las calles de la Medina. Hay varias mujeres sentadas en unos bancos de piedra. Miran su pelo, un sol de rayos rojos, y le sonríen. Ella se sienta a cierta distancia. Hay un grifo de agua fría con un cubo para que se lave, después otro con agua caliente. Flora se sumerge en el arrullo del chorro, en la calidez del ambiente. Deja pasar el tiempo mientras se echa agua por los brazos, por las piernas. Hace calor. Unos braseros donde se quema algo parecido a carbón caldean el lugar. Allí permanece, durante más de una hora. Acunada por los murmullos de las mujeres, del agua, por el silencio de siglos que se esconde tras ellos.

Cuando regresa al vestuario está algo mareada. Tiene la tensión baja. Se viste despacio, secándose el vapor de agua que aún le empapa el cuerpo. Abre el bolso, el compartimento donde ha guardado su colgante, y descubre que ha desaparecido.

Flora saca todo lo que hay en él: la foto de la abuela, el paquete de tabaco, el mechero, algunas monedas sueltas. No está. Revisa su cartera. Le faltan las tarjetas de crédito y débito, el carné de identidad español, el pasaporte, se le había olvidado dejarlo en el hotel, y los dírhams que ha cambiado al llegar. Se sienta en una banqueta, desolada. Su mano es una araña que recorre el bolso. Lo vacía por completo. No está. El amuleto de Paul se ha esfumado junto con su posibilidad de permanecer en Tánger. No tiene dinero, ni documentación. Quién puede haberla robado, se pregunta. Las mujeres que había en la sala cuando ha llegado aún permanecían en ella hace unos momentos. No ha entrado nadie más. ¿Qué debe hacer? Suda. Tiene la sensación de que va a desmayarse. Le han quitado lo que le quedaba de Paul, la prueba de su existencia en el hotel de la Gran Vía, la prueba de su existencia más allá de las páginas. Además de las tarjetas. Tiene que anularlas antes de que las usen. Toma aire, respira profundamente. Se levanta y se dirige a la puerta de salida. Allí está la mujer que la ha atendido.

—¿Lo ha disfrutado? —le pregunta con una sonrisa.

Flora está pálida.

—Me han robado en el vestuario —responde.

El rostro de la mujer se ensombrece.

—Las tarjetas de crédito, la documentación, el dinero y un colgante, una joya antigua bereber. ¿Es posible que haya entrado alguien sin que lo viera?

—Lo siento muchísimo. No ha entrado nadie en el *hammam* después de usted. Y yo no me he movido de la puerta.

—Estaba todo en el bolso. Se lo aseguro.

La mujer responde que no tiene duda.

—Hay una puerta trasera —dice—, aunque siempre permanece cerrada.

—¿Podríamos comprobarlo?

Ella asiente con la cabeza y con un gesto de la mano le indica que la siga. Atraviesan unos corredores con cubos donde hay apiladas toallas sucias. La puerta da a un callejón minúsculo. Está abierta.

—Alguien la ha forzado —dice—, la han reventado.

Flora comprueba que la cerradura es tan enclenque que cualquiera podría haberlo hecho metiendo una simple navaja. Además, el callejón está desierto. Tiene que poner una denuncia por el pasaporte y el carné de identidad. ¿Qué más puede ocurrirle en Tánger? Primero la caída y ahora el robo. El destino conspira contra ella.

Le pregunta a la mujer por una comisaría de policía cercana, y antes de dirigirse hacia allí le pide un vaso de agua. La capa invisible cubre de nuevo su piel, Flora ha regresado de golpe a una única realidad.

El inspector Rachid Abdelán se encarga de atender a Flora. Tiene unos treinta y pocos años, pelo negro abundante, ojos marrones, rasgados. Viste una chaqueta azul marino, sin una sola arruga, camisa blanca. La recibe en un despacho pequeño, huele a la fritura de pescado del restaurante que está junto a la comisaría, pero la colonia del inspector, una aroma varonil de madera, lo encubre en parte. Sobre la mesa, papeles apilados en columnas perfectas. Bolígrafos colocados con la rutina de los colores. Un ordenador viejo.

El inspector Abdelán le pregunta a Flora sus datos personales en un francés pulcro que teclea sin el menor rasgo de tedio. Después ella le relata cómo ha sucedido el robo y enumera lo que le han sustraído.

—Un amuleto bereber, dice. —El inspector Abdelán la mira con curiosidad.

—Sí, antiguo, una pieza única. De plata.

—¿Con alguna piedra semipreciosa incrustada?

—Ninguna. Era una cruz del sur. Un tanto rara, con las puntas hacia arriba.

—¿Tiene una fotografía?

—No. —Flora piensa que podría habérsela hecho al menos para que le quedara el recuerdo de él. Para tener una prueba de su existencia. De Paul.

—¿Lo compró en Tánger durante su visita? En tal caso, dígame dónde.

En ese instante, ella se arrepiente de haberlo mencionado.

—Era de un amigo. Se lo dejó olvidado. Iba a devolvérselo. El disgusto es mayor aún por eso.

—¿Cómo se llama su amigo, señora Gascón?

A Flora le tiembla el estómago. Tendría que haberse limitado a hablarle del robo del pasaporte y las tarjetas de crédito, un robo más a una turista. ¿Debe mentir a la policía marroquí?

—Paul Dingle.

Se estremece al ver cómo el inspector teclea el nombre de Paul.

—¿Dónde podemos localizarle? Quizá pueda darnos más datos y una fotografía que nos ayude a identificar la pieza como la suya, en caso de que la recuperemos, claro.

Estamos investigando el expolio de obras tradicionales bereberes semejantes a la que describe. Su amigo quizá podría aportarnos alguna información útil.

—Bueno, no creo que sea tan valiosa como para tanto trabajo.

—Usted ha denunciado el robo de una pieza bereber, única, me ha dicho.

El inspector mira a Flora inquisitivamente. A ella comienza a sudarle la nuca.

—Verá, estoy tratando de localizar a mi amigo. No responde al teléfono. —Le tiembla la voz.

—¿Vive en Tánger?

¿Dónde vive Paul? ¿Debería mencionar a Bella Nur? ¿Decirle al inspector que la escritora sabe quién es él, que ella puede darle más datos del amuleto? ¿Recomendarle que se lea la novela para que entienda lo que sucede?

—No. —Se siente atrapada en una telaraña de la que no sabe cómo escapar. ¿Miente, oculta datos?—. Como le he dicho, ahora mismo no puedo localizarle, tiene el teléfono apagado.

—¿Dónde vive entonces?

Flora se da cuenta de que cuanto más se esfuerza por evadir el tema, más interés despierta en el inspector. Necesita entrenamiento como detective. Tiene que releer las novelas de Poirot, de la señorita Marple, tan aguda.

—Iba a venir a Tánger, eso tenía yo entendido, al menos.

—Y no le localiza. ¿Quiere decir que ha desaparecido?

Flora siente que el aroma a madera de la colonia del inspector la envuelve, la acorrala, le oprime la garganta y le falta el aire.

—Yo no diría tanto.

¿Cómo explicarle que Paul desapareció el 24 de diciembre de 1951 primero y después en Madrid en el año 2015? ¿Cómo explicarle que es un ser maldito, condenado a recorrer el mundo, a seducir mujeres, y que luego se lo lleva el viento? ¿Debería mencionarle a la Axia Kandisha? Seguro que la conoce, incluso es muy probable que la haya temido hasta hace bien poco, como le sucedía a Armand.

—¿Me puede dar el número de teléfono de su amigo?

—¿De Paul?

—Sí.

Flora saca el móvil del bolso.

—¿No le han robado el teléfono? —le pregunta Abdelán.

—Ya ve que no, tampoco es nada del otro mundo —responde mostrándoselo.

Busca en «contactos» el número de Paul. Sus movimientos son lentos, con la intención de aparentar tranquilidad, pero en su pecho hay olas de varios metros, lluvia torrencial, truenos. Le dicta los números al inspector. ¿Y si logra localizar a Paul? Ella le robó el amuleto. No, se dice a sí misma, lo encontraste en el suelo de la habitación del hotel, ibas a devolvérselo en el café Central, no te dio la oportunidad. Si se hubiese presentado, ella no estaría en Tánger, no estaría en esa comisaría con olor a fritura de pescado y colonia de madera.

—¿De qué país es este teléfono?

—De España.

—Entonces su amigo vive allí.

—Viaja bastante.

El pecho de Flora se desborda. La espuma del mar le moja la camisa, el vientre, se le escurre por los muslos.

—¿Cuándo regresa a España, señora Gascón?

—El día 23 tengo el vuelo, el miércoles que viene.

—Debe ir al consulado español para que le proporcionen documentación provisional, no tiene pasaporte para el viaje. Necesitará llevar la copia de la denuncia. —El inspector la ha impreso y se la entrega—. Tengo su teléfono y su hotel; si hay noticias sobre lo que le han robado, me pondré en contacto con usted. Antes de abandonar Tánger, comuníquemelo.

Luego abre un cajón y le da una tarjeta de visita.

—Aquí tiene mi número de teléfono. El de la comisaría y el móvil. Si su amigo aparece y le da más datos sobre el amuleto, llámeme también.

Flora coge la tarjeta con una mano húmeda. Le da las gracias. Se aferra al bolso y se aleja de Rachid Abdelán, del hedor a pescado y a hombre, mientras deja a su paso un rastro de mar.

9

Niebla en Tánger
Capítulo IV

Si había algo que no toleraba Paul Dingle era que le llamasen cobarde. Lo averigüé una noche en el bar del hotel, cuando un borracho se le echó encima y pretendió que le pidiese disculpas. Paul le dedicó una mirada de hastío, y le apartó de su lado con suavidad para marcharse a la cama. El borracho quiso iniciar una pelea, Paul sonrió y se dirigió a la puerta. «Cobarde», le dijo el hombre, que apenas se mantenía en pie. Se le tiñó el rostro de ira, como si aquel pobre diablo hubiese prendido una mecha antigua, y le dio un puñetazo que le tiró al suelo.

La mañana de su desaparición, después de hablar con Samir en el rellano de la escalera, encontré en el pasillo a una de las doncellas árabes que limpiaban las habitaciones y le pregunté si había oído la discusión entre Paul y Samir. La noté inquieta. Tuve que convencerla de que ella no quería espiar, y además la recompensaría si me lo contaba.

—Estaba haciendo una cama y salí de la habitación porque oí ruido de golpes —me dijo mientras retorcía un trapo entre las manos—. El hombre del parche en el ojo no dejaba de decirle al otro, al francés, que era un cobarde. Cuéntaselo a Marina, insistía, si es que te atreves, cuéntaselo y tendrás suerte si ella no te mata, y si me lo pide, lo haré yo mismo.

Eso le dijo, señora, yo me asusté mucho y me metí otra vez dentro del cuarto para que no me vieran.

Hasta el altercado con el borracho, no había visto a Paul comportarse de forma violenta. Aquella noche ya lejana subimos a mi dormitorio y le serví un whisky. Le temblaba la mano. Se lo bebió de un trago. Le serví otro, estaba sentado en la cama. Me abrazó por la cintura y hundió la cabeza en mi vientre. Luego sacó de su cartera la foto en blanco y negro de un hombre vestido de militar, con una gorra, y varias medallas prendidas en la chaqueta.

—Es mi padre —me dijo—, fue un héroe de la Gran Guerra.

No se parecía a él. Tenía un aire a Frank Sinatra, delgado y con ojos oscuros y una expresión de orgullo por quién era o pretendía ser.

Me contó entonces la historia de su infancia en una casa de París, en el barrio de Le Marais, con un patio luminoso, donde crecían enredaderas y la portera criaba gatos. Un día uno de ellos se coló por la ventana de su piso, un bajo. Saltaba de sofá en sofá sacando los hilos de la tapicería de seda de su madre, me explicó Paul. «Échalo de aquí, demuéstrame que eres valiente», le dijo su padre. Pero cada vez que Paul intentaba atraparlo, el animal le bufaba y le lanzaba zarpazos. Al final fue el padre quien capturó al gato y lo echó de nuevo al patio. «Nunca llegarás a nada —le dijo a Paul mirándole con desprecio—, no eres más que un cobarde.» Él solo tenía diez años.

—Le gustaba decírmelo constantemente porque me hería. No tuve tiempo para demostrarle que no era así. Yo también quería ser un héroe a sus ojos —me confesó Paul con un aire de desamparo que le devolvía a la infancia—. Murió a los pocos meses, de una herida de combate en el pecho que nunca se le acabó de cerrar y le volvía loco de dolores e insomnio.

Cuando regresé al colegio después del entierro, me peleé con los chicos más fuertes de mi clase. Me pusieron un ojo morado de un puñetazo, y estuve sin ver bien durante más de una semana. Aquellos chicos nunca se habían metido conmigo, solo era una prueba de mi hombría, que llegaba demasiado tarde.

El padre de Paul había sido un hombre de naturaleza sensible, la guerra le había cambiado, así le disculpaba él. Tenía una pequeña editorial que había quedado a la deriva tras su muerte, y Paul anhelaba hacerse cargo de ella cuando alcanzase la edad suficiente. Entendí por qué cada vez que le veía con un libro estaba haciendo anotaciones en él, se le había quedado el vicio de corregir como si estuviera editando manuscritos. La madre era pianista y de origen español. Había descubierto el don de su hijo para la música siendo él muy niño. Paul era capaz de tocar de oído lo que ella ensayaba con solo escucharlo un par de veces. A los doce años daba conciertos de piano en pequeños auditorios, a los quince le otorgaron una beca para estudiar en una escuela de música de Dresde, por eso hablaba alemán.

Después de que la doncella árabe me contara lo que había oído aquella mañana del 24 de diciembre de 1951, me apresuré a vestirme y bajé al comedor donde se servían los desayunos. Le hice una seña al *maître* para que se acercara y le pregunté si había visto a Paul.

—*Oui, madame*—respondió.

Había desayunado hacía más o menos una hora. Los nudillos de la mano derecha le sangraban, hubo que traerle un paño que se anudó en la herida. Comió poco y salió con prisa.

—Me dio la sensación de que llegaba tarde a una cita, madame.

—¿Te dijo dónde iba?

—No, madame. Solo me preguntó dónde estaba la tumba de Ibn Battuta. No hay quien la encuentre si no es de aquí, monsieur, le dije. Tendrán que guiarle.

Bebí solo un té a la menta y me encaminé hacia la tumba. Estaba enredada en las callejas más estrechas de la Medina. Ya no me orientaba tan bien como cuando la recorría junto a Ankara. Había regresado de América en abril de 1946, un año después del fin de la segunda guerra. Divorciada y sin hijos. Solo un aborto que me causó alivio, en principio, pues habría frustrado mis primeros pasos en el cine, y después una culpa, aunque no hice nada para provocarlo, que durante mucho tiempo me estuvo despertando con la impresión de que tenía la boca en carne viva. Seguía llevándome bien con Matthew, el divorcio había sido idea de los dos después de unos últimos años de matrimonio en los que apenas nos vimos. Matthew se había alistado en la aviación y luchó en el frente del Pacífico. Me enviaba fotos con su avión y con las nativas de las islas que salpicaban aquellos mares paradisiacos. Siempre fue bebedor y mujeriego, aunque fui feliz a su lado mucho tiempo. Lo que jamás hice fue bordar ni una sola letra de su apellido junto al mío; este hecho lo tuve siempre como símbolo de mi rebeldía juvenil, pero acabó convirtiéndose en una superstición relacionada con la felicidad de mi matrimonio. El día que, cansada de los avatares de Hollywood, me puse a bordar la ele de Levingstone en un cojincito del camisón, con el dedal de mamá Ada, supe que habíamos terminado para siempre. Y así fue.

Regresé a Tánger con acento inglés. Había participado en varias películas de cine mudo, incluso rodé una con un papel secundario junto a Buster Keaton. Mi agente se ilusionó con mi nombre, Marina Ivannova, que me hizo mantener porque decía que le daba un toque de exotismo. Interpreté a todo tipo de mujeres melancólicas enamoradas y burladas por amor; mis cabellos rubios y mi rostro blanco de ojos azules eran el paradigma de la languidez romántica. Solo en una de ellas conseguí el papel de mujer fatal, y lo disfruté vengándome de tanta desdicha que los guionistas me habían hecho pasar. Aquel mundo me había fascinado durante más de una década; sin embargo, cuando llegó el cine sonoro y sobre todo el tecnicolor, fui consciente de que había terminado una etapa. Me cansé de no conseguir un buen papel. Despertaba cada noche con una añoranza de Tánger que no me dejaba respirar, y en las colinas de Hollywood veía el espejismo de las casas blancas colgadas sobre la planicie del mar. Atrás quedaba mi querido Rodolfo, en una fotografía en blanco y negro que le otorgaba el glamur de la inmortalidad. Atrás quedaba la Marina Ivannova americana. Guardé los carteles de mis películas y las fotos de publicidad en las que aparecía con tocados y turbantes por mi ascendencia tangerina. «Oriente y Occidente en una sola mujer», rezaba uno de los carteles. Lo hice enmarcar y lo colgué en el salón de la casa de la Kasbah. Papá Arón había muerto en el segundo año de la guerra. No pude asistir al entierro. Acababa de producirse el desastre de Pearl Harbor y el mundo estaba demasiado revuelto como para andar moviéndose por él, por una causa, además, que ya no tenía remedio. Se murió sin saber si le publicarían su obra magna sobre el rey David; aun así le había merecido la pena dedicarle media vida junto a las filigranas del oro. Sí alcancé a despedirme de mamá Ada. El médico me dijo que estaba aguantando las ganas de morirse para verme. La encontré postrada en la cama matrimonial donde había dormido durante más de cinco décadas.

—Lo único que siento es no llevarme a la tumba la visión de un nieto —me dijo con los ojos llorosos—. He de hablar con los espíritus. Ellos sabrán.

Apretó mi mano y murió.

La tumba de Ibn Battuta era una edificación mínima encaramada en lo alto de una escalera estrecha. Más que tumba —nadie creía que el explorador y viajero tangerino estuviera enterrado allí—, era un mausoleo. Las calles se enroscaban a su alrededor en una madeja. Solo encontré a un muchachito que a veces se apostaba en la puerta miserable y pedía una limosna a los que se acercaban a rezar una oración.

—¿Has visto hoy a este hombre? —le pregunté, mostrándole un retrato que me había hecho junto a Paul en el último Purim.

Dijo que sí con la cabeza y guardó silencio. Le di unas monedas.

—Estuvo aquí.

—¿Solo?

Negó de la misma manera. Le di unas monedas más.

—Discutió con un hombre al que le faltaba un brazo y que llevaba un sombrero blanco.

Eso fue todo lo que conseguí averiguar.

La Medina me recordaba siempre a Ankara con su sombrero de paja y borlas de colores, y su uniforme de niñera de ricos. Al poco de mi regreso fui a visitarla a su pueblo del Rif. Era apenas una aldea o cabila, como decían ellos, unas cuantas casas que se confundían con el color de la tierra. La más grande y hermosa pertenecía a Ankara. Nunca se había casado ni había tenido hijos, yo había sido su niña y dedicó sus mejores años a mi cuidado. Ella fue la piedra angular de mi infancia, testigo de quien fui, de quien querían que fuese y de quien era de verdad. La hallé postrada en una cama de reina, el único mueble que merecía la pena en la casa, junto con una mesa fornida que le había regalado mamá Ada. La cama ocupaba la mitad de la habitación principal, y tenía un baldaquino con un mosquitero de tul para los bichos.

—Niña mía —me dijo al verme entrar—, no te comieron los americanos. Allí debe de ser todo grande, solo con ver a tu marido basta para imaginarlo.

La sentí tiritar entre mis brazos. Parecía un pajarillo asustado. Se le había caído el cabello: apenas le quedaban unas hebras amarillentas que le salían del cráneo con la dignidad de la muerte. Los ojos se le habían apagado y la opulencia de su ser no era más que un recuerdo.

—Mandaré venir a un médico —me senté en la cama—, el mejor que encuentre.

—Solo me queda una cosa pendiente para dejar este contubernio de mundo y descansar.

—Volví para quedarme. Voy a llevarte conmigo a la casa y te cuidaré yo misma.

—De aquí no me muevo —dijo con la lucidez de las últimas horas.

Se abrió la puerta y vi entrar a una niña alta y delgada a punto de escurrirse hacia la adolescencia.

—Ella es la causa de que no pueda irme en paz. Es la hija de Amina, ¿la recuerdas? Fuimos a su boda un poco antes de que te casaras.

Ankara le hizo un gesto con la mano y la niña se acercó a nosotras.

—¿Cómo te llamas? —le pregunté.

Se quedó callada mirándome. Tenía los mismos ojos

que su madre, parecía que estaban vivos. Y el mismo cabello negro. Me estremecí.

—Se llama Laila. Anda, vete ahora al pozo a traernos un poco de agua —le ordenó Ankara.

Tardó un rato en obedecer.

—¿Habla español?

—Perfectamente, es lista. También francés, tarifit y la lengua de su madre. Pero desde que ella murió, hace más de un mes, no dice una palabra, ni come apenas.

—Ya la he visto, es un esqueleto viviente. ¿Qué le ocurrió a Amina?

—Tuberculosis.

—Como mi madre.

—Eso es. De alguna manera vuestros destinos están conectados, niña mía.

—¿Y el padre?

—Era un mal hombre. Le dio una vida perra a Amina. Le pegaba y la hacía trabajar en un puesto del mercado hasta caer rendida, mientras él se lo bebía todo. Un día no aguantó más, se defendió y le mandó al cementerio. Con él muerto, a ella se la llevaron a la cárcel. Allí se puso enferma y duró muy poco.

—Es terrible. ¿Y tus primas?

—Están cargadas de hijos y nietos y son muy pobres. Esta criatura se merece algo mejor. Te darás cuenta cuando la conozcas. Nunca te he pedido nada, niña mía. Yo me hice cargo de ella, pero ya me ves, poco me queda. Allah me llama, aunque ha esperado a que volvieras. ¿Has tenido hijos?

Negué con la cabeza.

—Tampoco me queda ya marido, me divorcié.

Acarició mi mano.

—Cuídala tú por mí. Os haréis compañía. Atiende la súplica de esta vieja que te ha querido con toda su alma. No te arrepentirás.

A pesar de mis dudas, no tuve corazón para negárselo.

—Te prometo que la cuidaré bien, como si fuera la hija que no he tenido.

—Gracias, niña mía. Allah es grande, cumplí con todo.

Me tumbé junto a ella y puse la cabeza en su regazo. Olía a mi infancia. A las especias del Zoco Grande, los quesos y la *chubarquía*, los dulces de hojaldre y miel. Por fin estaba en casa. Acarició mi cabello y me cantó las suras del Corán con las que me acunaba hasta quedarme dormida.

Ankara murió unas semanas después de mi visita y por primera vez me sentí huérfana. No me quedaba nadie vivo a quien querer, solo esa niña que había irrumpido en mi vida y estaba tan sola como yo.

Laila tenía doce años y era una potra sin domar. El día que llegamos a casa no supe qué hacer con ella. La había llevado de la mano durante el camino por las calles de la Medina, la suya fría y húmeda como un pescado muerto. La puse a dormir en una habitación de invitados, de color azul, y ordené que le hicieran la cama con las sábanas de hilo holandés de mamá Ada, aquellas con las que yo había dormido de pequeña y creía que entre su tacto nada malo me podía pasar. A media noche me desperté sobresaltada y fui a verla. No estaba en la habitación. La busqué por toda la casa, y la hallé hecha un ovillo en el suelo de la cocina, sobre una estera mugrienta, al calor de los rescoldos que quedaban en el fogón. Supuse que ese era el lugar que a ella le daba seguridad. La conduje de nuevo a su cama, la arropé y le acaricié el cabello. Negro y largo, igual que el de la pobre Amina. Apartó la cabeza, no se dejaba tocar. Apenas dormí pendiente de los ruidos, por si se levantaba otra vez. Me desperté con la cabeza embotada. Tuve que tomarme tres pastillas para el estómago porque lo tenía dado la vuelta como después de beber champán en las fiestas de Hollywood.

A los dos días desapareció de casa. Eran las diez de la mañana. No la encontré ni en la cocina, así que tras varias horas de búsqueda por la Medina, tomé un taxi y me fui al pueblo de Ankara. Allí hablé con una de las primas y me preguntó si la había buscado en Buarrakía, el cementerio musulmán de Tánger, donde estaba enterrada la madre. Me acompañó hasta allí. Durante todo el tiempo que la buscamos, tuve la piel encendida por un escalofrío. Laila estaba tumbada bocabajo sobre un montículo de tierra, dormida.

—Es la tumba de Amina —me dijo la mujer.

Me agaché junto a la niña y le di la vuelta con cuidado. No se despertó. La llamé con suavidad por su nombre y se puso a hablar en una lengua que no entendí, pero seguía dormida.

—Está hablando con ella —me explicó la mujer—. Así se comunican las hechiceras con los muertos. Se echan sobre su tumba y hablan en sueños.

El escalofrío se acentuó.

—¿La niña también es hechicera?

—Sí. Tendrá ese cabello negro sin una sola cana aunque sea muy vieja.

—¿Y qué hacemos?

—Esperar a que despierte.

Estuvimos más de media hora contemplándola sobre el montículo.

—¿En qué idioma habla? —le pregunté.

—Un dialecto bereber.

Cuando Laila despertó me la llevé a casa. Se dejó arrastrar dócilmente.

—Voy a encargar una lápida para la tumba de tu madre —le dije—, la más bonita que haya. Tú misma la elegirás.

Ella no respondió.

Aquella noche, mi cansancio era tan grande que no habría soportado una nueva excursión a los fogones de la cocina, así que la acosté en mi cama. Se quedó rígida entre las sábanas, en un extremo del lecho para que no la rozara. Olía al cementerio. A las varas de arrayán que los musulmanes depositan en las tumbas de sus muertos. Le había ordenado a una de las sirvientas que la bañara, fue inútil, no se había hecho con ella. Me dormí. A media noche la sentí marcharse y dejé que se refugiara en la cocina. Mañana mismo busco una niñera del Rif, pensé, acurrucándome en las sábanas de Holanda. Se me han pasado los años para jugar a ser madre. Para salvar a nadie más.

Una vez que amaneció, cambié de opinión. Tengo que hacerme con ella antes de contratar a alguien, me dije. Al menos que duerma de forma civilizada.

Continué acostándola conmigo, y ella huyendo en cuanto me vencía el sueño. Hasta que una noche me puse a cantarle las suras del Corán con las que me acunaba Ankara y a relatarle los cuentos de las mujeres del Rif, aunque ella ya los conocía. No se fue a los fogones, se mantuvo lejos de mí y ni se dignó mirarme mientras duró mi serenata. Agotados mis recursos, una noche le dije: «Voy a contarte quién soy». Me contempló con esos ojos negros que vivían por sí mismos, y se encogió de hombros. Y a mí qué. Le hablé de los amores prohibidos de mis padres, de la casa afrancesada, de la muerte de mi madre y de mi padre. Noté que se acercaba a mí y su mano rozaba la mía. Creo que se dio cuenta de que yo también estaba sola. A la noche siguiente le hablé del niño ruso en la nieve. Amanecí con ella acurrucada en el regazo. Sentí en el vientre el calor del desierto de la mano de Amina, y comprendí lo que ella había querido decirme.

Poco a poco, Laila empezó a comer y a hablar, yo misma le cocinaba algunas mañanas *pancakes* americanos con mantequilla y miel y el chocolate caliente de mamá Ada, al que acabó aficionándose como si fuera judía. Una tarde en la torre de costura, con un surco de chocolate alrededor de los labios, mientras mojaba en la taza un cruasán de la pastelería Pilo, me dijo:

—Yo siempre seré musulmana, entérate bien, así que no intentes convertirme a tu religión. No me pude vengar en esta vida de mi padre, lo haré cuando lo encuentre en la otra, aunque tenga que ir al infierno a buscarle. Tú tampoco estarás lejos, arderás donde el resto de los infieles.

Me aterraron sus palabras no solo por el odio y el rencor que encerraban hacia su padre, y porque me había llamado *infiel*, sino también por tanta frialdad y dureza en una criatura de su edad. Laila había estado presente en la muerte de su padre. Lo sabía porque Ankara me lo contó. Jamás me había hablado de ello la niña hasta ese instante, y yo no me había atrevido a mencionárselo con la esperanza de que aquella horrible imagen se le hubiera borrado de la memoria.

—Siempre golpeaba a mamá cuando regresaba a casa apestando a alcohol. Le aplastaba la cabeza contra el horno —me explicó mordiendo el cruasán y relamiéndose el chocolate que se le escurría por la boca—. Ese día vino hacia mí, hasta entonces no me había tocado. Mamá me defendió y él la empujó, entonces ella cogió un cuchillo y se lo clavó en el estómago. Se cayó al suelo y estuvo retorciéndose y chillando hasta que aparecieron los vecinos. Sabía cómo hacer daño. Luego llegó la policía y se llevó a mamá. Yo me agarré muy fuerte a sus piernas para que me llevaran con ella, pero no me dejaron. Ya no la volví a ver. ¿Me das otro cruasán?

Le acerqué la bandeja y se apoderó de él con entusiasmo. Siguió merendando como una niña más, mientras yo la observaba fijamente.

—¿Tú no comes?

Le acaricié la cabellera negra y le besé la frente mientras se encogía de hombros.

Aquella noche, aún conmocionada por lo que me había contado, le permití que se acostara en mi cama desde el principio. Ya había conseguido que durmiera sola, aunque muchos días amanecía junto a mí. Cogió ese vicio, y lo mantuvo durante muchos años, hasta que Paul Dingle ocupó su lugar en mi lecho, y no volvió a aparecer por allí.

Vivíamos en la casa: la cocinera, dos doncellas, la niñera que había contratado para Laila (una mujer del Rif conocida de las primas de Ankara), ella y yo. Pronto empecé a echar de menos la actividad que tenía en Estados Unidos, todas esas fiestas y los clubs nocturnos a los que solía acudir con Matthew, donde bailábamos y bebíamos hasta la madrugada. Había aprendido de él la emoción de emprender negocios, de ganar dinero e invertirlo de nuevo en otro proyecto si cabía más arriesgado. Tuve que admitir que una parte de mí se había hecho americana. Me aburría en Tánger. Mis amigas se habían casado, tenían sus hijos y llevaban una vida parecida a la que mamá Ada había deseado para mí. Además, después de mi traición a Esther Bensalóm y mis andanzas en Hollywood, no era bien recibida en el grupo del colegio.

Disfrutaba de una posición económica muy holgada, puesto que había heredado las joyerías de mis abuelos, la casa de la Kasbah, y tenía el dinero en efectivo que me había correspondido en el reparto de los bienes tras divorciarme de Matthew, además de la casa afrancesada que me pertenecía desde la muerte de mis padres. De modo que una mañana le dije a Laila: «Vamos a convertir la casa en el hotel con más glamur de Tánger. Los salones de la primera planta serán una sala de fiestas. Tendremos un restaurante, música en directo con orquestas de swing y jazz o música tradicional, y un espacio para bailar. Podrá acudir todo aquel que quiera. Será el más divertido de la ciudad. ¿Querrás hacerlo conmigo?». Ella sonrió. Tenía también otra buena noticia: la lápida de la tumba de su madre ya estaba lista. Fuimos al cementerio para ver cómo había quedado. Era una lengua de mármol blanco, con vetas grises. La más alta y hermosa de Buarrakía.

—Así, aunque pase el tiempo, te será más fácil saber dónde está.

—Gracias —me dijo—. A ver qué le parece a ella.

Se tumbó sobre el montículo de tierra. Estuve a punto de impedírselo porque llevaba un vestido de lino azul que acababa de comprarle. Tienes que respetar sus tradiciones, pensé. La dejé a solas para que se durmiese y hablara con su madre en sueños.

—Mamá también te da las gracias —me susurró al despertar—. Nos anima a hacer el hotel, dice que será un éxito.

Comenzamos las obras de la casa a las pocas semanas. En la torre de costura instalé el despacho desde donde llevaría mis negocios, aunque mantuve junto a la ventana un pequeño rincón de costura en honor a mi pasión por las puntadas y a las tardes de infancia que había pasado junto a mamá Ada. En la planta baja estaban la recepción, el bar, la cocina y una salita de lectura que daba al patio, para degustar los libros bajo el arrullo melancólico de la fuente. En la primera planta, la sala de fiestas; en la segunda, las habitaciones de los huéspedes, siete en total; en la tercera, mi dormitorio, el de Laila, el de la niñera y dos más para invitados y conocidos. En la azotea, que se descolgaba con su aire de fortaleza sobre la inmensidad del Estrecho, había hamacas de estilo californiano para tomar el sol, mesas morunas y asientos de piel donde degustar té a la menta y licores durante el ocaso.

El sitio perfecto para celebrar una fiesta como la que preparamos la noche en la que, por capricho del destino, el *Ventur* atracó en el puerto de Tánger.

Ese 9 de marzo de 1949 había contratado una orquesta de blues y una cantante lánguida que entonaba las baladas de moda en Estados Unidos, para amenizar la fiesta en honor del nuevo cónsul americano. Después de mi encuentro con Paul Dingle en el muelle, regresé a casa para arreglarme. Me había retrasado la borrachera de Matías Sotelo, y los primeros acordes ya se escapaban por la puerta del salón, cuando alcancé el patio sin aliento y con la imagen de Paul clavada en la memoria, de donde no habría de salir jamás.

Laila me esperaba en mi dormitorio. Tenía la costumbre de mirarme mientras me vestía, igual que yo había hecho con mi madre en los años felices de la casa afrancesada. Había cumplido los quince años y era alta, de una belleza aún desgarbada por la adolescencia, pero ya se adivinaba en su porte esbelto y su rostro afrutado una plenitud de reina. El cabello le caía hasta la cintura, espeso y negro, enmarcando los ojos de otro mundo, los pómulos triangulares y unos labios gruesos de herencia árabe.

—Todos te esperan —me dijo, besándome en la mejilla—. Te he elegido la ropa.

Sobre la cama reposaba un vestido de lamé plateado de mi época de Hollywood, su favorito, largo, ceñido a las caderas y con la espalda al aire. Laila solía probárselo y pasearse por las habitaciones privadas jugando a ser una actriz famosa. Me ayudó a ponérmelo, y me indicó que me sentara frente al tocador para cepillarme el pelo. Le gustaba hacerlo cada noche antes de acostarse.

—Hoy te irás tarde a la cama —me explicó.

A veces, ese era nuestro único momento del día para estar juntas. Ataviadas con la intimidad del camisón, Laila me desenredaba el cabello, rubio y lacio, atraída por la fascinación de los contrarios, y me hablaba de los progresos que hacía en el colegio. Tenía una habilidad nata para los estudios y una inteligencia por encima de la media. Había aprendido a leer y a escribir en unos pocos meses con una profesora que contraté antes de inscribirla en el Liceo Francés. Cuando se incorporó al colegio no le fue difícil adaptarse a la rutina de estudiar, sin embargo tuvo problemas con sus compañeras. Algunas de ellas se reían de Laila y la llamaban *analfabeta*. Nunca pareció importarle lo que pensaban los demás, ni siquiera en esa edad en la que necesitamos la aprobación de los otros para estar seguros de nosotros mismos. Laila era una criatura fuerte, con una voluntad y un tesón admirables. Creo que había sufrido tanto en su primera infancia que ninguna de las burlas de las niñas ricas le parecía un problema. De todas formas, ella supo bien cómo callarles la boca. En poco más de dos años progresó lo suficiente para alcanzar a las niñas de su edad, así que las que se metían con ella habían tenido que tragarse el insulto de analfabeta.

—Estás preciosa —me dijo, sosteniéndome la barbilla para que me mirase en el espejo. Me había recogido el mechón de pelo del lado derecho con un pasador de pedrería, y me había dejado suelto el izquierdo—. Ahora se lleva este peinado, lo he visto en las revistas. Solo te quedan los labios.

Elegí un carmín rojo, que contrastaba con el blanco de mi piel.

—¿Me dejarás que me asome un rato para ver la fiesta?

En el descansillo de la escalera que ascendía a la segunda planta, había una ventanita que daba al salón.

—Solo un rato y pronto a dormir.

Nunca pude sospechar las consecuencias que traería a mi vida que Laila me desobedeciera esa noche.

Cuando al fin bajé, el cónsul ya había llegado y tuve que disculparme. Gracias a que la orquesta era estupenda, no tomó mi impuntualidad como una descortesía. Me felicitó por la organización y me invitó a sentarme a su mesa. Bebí la primera copa de champán con su mujer y brindamos por Estados Unidos. La cantante lánguida entonaba una canción de Frank Sinatra cuando vi entrar en el salón a Matías Sotelo acompañado de Paul Dingle. Se había quitado las ropas del mar y parecía otro hombre. No sé de dónde había sacado la chaqueta blanca, la camisa impoluta, la pajarita, los pantalones oscuros y los zapatos lustrados; costaba creer que iban dentro del petate de marinero con el que le había conocido. Parecía más alto que en el puerto, más apuesto si cabía. Pensé que habría triunfado en Hollywood, representaba el galán perfecto, un Rodolfo Valentino con el glamur francés. A su lado, Matías Sotelo hacía el papel del amigo simpático, poco agraciado. De estatura escasa, rechoncho por los excesos de la comida y la bebida, de ojos pequeños, enrojecidos, y una calvicie incipiente a pesar de sus cuarenta y pocos años. Le hice una seña al *maître* para que los acomodara en un buen lugar. Todas las mesas del salón eran redondas y estaban cubiertas por manteles de hilo blancos. La luz tenue de una lamparita les proporcionaba un ambiente íntimo. Eran una réplica de los clubs de Los Ángeles que conocí en mis noches americanas. Les pedí al cónsul y a su mujer que me excusaran y me acomodé con ellos.

—Bienvenido a mi casa —le dije a Paul.

—Me alegro de volver a verla. Está magnífica. ¿Ha sido actriz?

Se había fijado en uno de los carteles que decoraban el local, aquel donde aparecía con mi turbante y mis ropas de Sherezade como la mujer de Oriente y Occidente. Un *souvenir* americano que me daba un aspecto de *femme fatale*.

—Argucias comerciales de Hollywood —me defendí sonriendo, porque tenía sus ojos clavados en los míos y no los apartó ni cuando guardé silencio. Noté que un viento frío y húmedo me atravesaba las manos. Tranquila, me dije, no es ni será el primer seductor que te echas en cara. A tu edad y con tu experiencia, puedes manejarlo.

Me equivoqué. El desasosiego que me producía su presencia, su mirada tenaz con un halo de ensueño, fue creciendo junto con la rabia de haber perdido el control de mí misma. Hasta esa noche no había agradecido la desmesura verbal de Matías Sotelo. Además seguía borracho.

—Nos conocimos en Londres —contaba sin soltar la copa de champán—, en el campo de entrenamiento del general Leclerc, para luchar por la Francia libre. Las tropas del gobierno de Vichy apestaban a fascismo, ¿verdad, Paul? Ni él ni yo quisimos permanecer en ellas.

Matías había sido uno de los muchos soldados republicanos que tras la guerra civil española se habían exiliado a Francia. Estuvo varios meses en un campo de concentración hasta que le dieron a elegir entre volver a España, lo que significaba la muerte, o alistarse en las tropas francesas. «Habría elegido la segunda opción aunque no me hubiera esperado el pelotón de fusilamiento, siempre he sido un hombre de acción», solía decir. Cuando Francia firmó el armisticio con Hitler, se unió a la resistencia francesa. Y más adelante a la compañía conocida como La Nueve, formada en su mayoría por españoles que habían luchado a favor de la República.

—Londres era un nido de valientes. Paul se entrenaba para paracaidista. Y llegó a ser uno de los mejores.

Paul dio un trago de champán e intentó desviar la conversación hacia mis andanzas en el cine. No le dio resultado, Matías estaba dispuesto a contar su historia y a celebrar el reencuentro.

—Luchamos juntos en el infierno de Normandía; cualquier hombre que haya estado allí merece mi respeto, pasara lo que pasara después, no le juzgo. —Miró a Paul de reojo—. Sobrevivimos. Brindemos por ello.

Juntamos las copas. Paul se había hundido en un enigmático mutismo que agudizó mi desazón. En ningún momento participó en el relato heroico de Matías. Ni él ni yo parecíamos saber qué decir, solo nos mirábamos.

—Marina es una pacifista, ¿sabes, Paul? Piensa que no hay ninguna justificación para matar a otro ser humano. Ni siquiera a los nazis. Tendrías que haber estado en esa playa, querida amiga, donde la vida valía menos que el agua del mar y se escapaba como en un colador. Tan fácil.

—¿Qué opinión le merece la guerra? —me preguntó Paul—. ¿No habría luchado para defender a su país, por la libertad?

—Me temo que mi idea sobre este asunto es demasiado romántica después de lo que ha pasado en el mundo. Es más sencillo expresarla que mantenerla. Todos hemos sido víctimas del poder, de los hombres que lo ejercen. —Sentía la boca seca—. Ellos nos venden que el fin justifica los medios. Los que están a sus órdenes las acatan sin más. Cómo si no es posible explicar tantas atrocidades cometidas.

—Te perdono porque también eres anarquista, mi amiga, y además judía. Una católica y un «comecuras» como yo no habríamos hecho buenas migas —resopló Matías.

—Los soldados no deberían tener conciencia, así sería más fácil —dijo Paul.

Sus ojos me desordenaban la mente.

—¿No matarías ni para defenderte, Marina? Tendrías que haber vivido aquello —repitió Matías.

—Espero no verme obligada nunca a quitarle la vida a otro ser humano. Celebremos que todo acabó y hoy estamos de fiesta —dije alzando la copa.

Brindamos de nuevo.

—Paul y yo nos encontramos de nuevo aquel 24 de agosto de 1944, cuando les birlamos París a los nazis. —Matías se encendió un cigarrillo y me ofreció uno.

Había comenzado a fumar en América y solía hacerlo en las noches de fiesta. Paul me dio fuego y me rozó la mano al retirar el mechero.

Matías me había contado infinidad de veces cómo se había paseado desde el Arco del Triunfo hasta la tumba del Soldado Desconocido, montado en el blindado oruga que él y sus compañeros habían bautizado *España cañí*, y vestido con el uniforme de los soldados americanos, entre los gritos de júbilo de los parisinos.

—Se creían que éramos yanquis —reía Matías—, pero llevábamos la bandera republicana cosida en el brazo y nos desgañitábamos cantando *¡Ay, Carmela!* Me encontré a Paul ya por la noche, en un cabaret adonde habíamos ido a celebrar la victoria. Yo me arranqué con mis coplas, que todos aplaudieron sin entender ni una palabra de lo que decía; ¿te acuerdas, Paul? —No le dio tiempo a replicar—. Luego él se puso a lo suyo, el piano. Tocó y cantó la *Marsellesa*. No hubo un solo mortal en el cabaret que no se hiciera líquido con tanta lágrima. ¿Por qué no tocas, Paul, para que te escuche Marina? Eres prodigioso.

La orquesta estaba en un descanso de media hora.

—Por favor —le rogué—, me encantaría.

—Solo si me promete que más tarde me interpretará algún papel suyo.

—Era cine mudo —respondí.

Me lleve una mano a la frente y eché la cabeza para atrás con gesto de mujer que sufre por un amor burlado. No se me ocurrió tomarlo entonces como un presagio.

Paul sonrió.

—Ha cumplido —dijo, levantándose de la mesa para dirigirse al piano.

Quién era Paul Dingle. Las manos curtidas por el sol y las labores de marinero resurgieron de su letargo al colocarlas sobre las teclas. Se le cayó de pronto el cascarón del silencio. Sus movimientos, que habían desembocado a lo largo de la noche en una melancolía misteriosa, se transformaron de nuevo en seducción.

—Buenas noches. Esta canción se la dedico a Marina Ivannova, nuestra anfitriona, que ha tenido la amabilidad de acogerme en su casa.

Me dirigió una mirada que me causó una agitación interior, que ahogué en un sorbo largo de champán, y un sudor me empapó el cabello de la nuca. Matías Sotelo me hizo un guiño cómplice.

El murmullo que flotaba en el salón junto con el humo de los cigarrillos se disipó. Paul interpretó un tema de una cantante francesa que acababa de darse a conocer con gran éxito: Édith Piaf, y con la que Paul vivió, supe más tarde, algunas noches de juventud en los cabarets del París más bohemio. *La vie en rose*, en su garganta, era un lamento de gozo. Tenía una voz evocadora, rota, que atravesaba la piel.

Vi a Laila en la ventanita de la pared, absorta en Paul, en sus manos magistrales y su apostura de artista. Vi a Samir, con la chaquetilla blanca que le había comprado hacía unas semanas, apoyado en una de las columnas, mirándole a él, a mí, con su ojo de esmeralda; olfateaba la vida que surgía entre nosotros.

—Quédese en Tánger —le propuse cuando regresó a la mesa—. Le contrato para que toque y cante en el hotel. Me vendría muy bien tener un músico fijo.

Lo dije sin pensar. La sola idea de que partiera en el *Ventur* al día siguiente me resultó insoportable. Aún resonaban los aplausos en el salón.

—Los ha impresionado —insistí.

—Le agradezco el ofrecimiento. Estoy cansado de viajar de un lado para otro. Llevo así cuatro años. Más que sangre tengo ya agua de mar, y un mareo perenne que no me deja disfrutar de tierra firme.

—Quédese, entonces. Sus manos han nacido para un piano, no para los cabos de un barco.

—Déjeme que lo piense.

¿De qué huía Paul Dingle?

10

La fotografía

Flora camina hacia la casa de Bella Nur. Después de salir de la comisaría se ha ido al hotel y ha dejado que una ducha caliente le templara el sudor que se le había helado en el cuerpo. No ha podido comer, no le entraba nada en el estómago. Solucionar su problema económico era lo primero. No tiene ni un dírham, ni un euro. Ha cancelado por teléfono las tarjetas de crédito; nadie había intentado comprar con ellas, ha llegado a tiempo. El alojamiento del hotel y el desayuno están pagados, lo hizo desde España al reservarlo, pero ha de abonar las comidas y las cenas y necesita dinero para sobrevivir hasta que se vaya. Se lo ha contado a su marido por teléfono, no ha tenido más remedio, aunque ha omitido la entrevista con el inspector de policía. Su marido, como siempre, ha sido encantador.

—No te preocupes, daré el número de mi tarjeta de crédito en el hotel para que me carguen todos los gastos que tengas. Procura hacer las comidas allí. No se me ocurre de qué manera puedo hacerte llegar efectivo.

Flora ha pensado en Armand. Su marido podría transferirle dinero a su cuenta y él sacarlo con la tarjeta de crédito. Aún no se han cruzado; si no le ve en la cena, le llamará por teléfono. La noche pasada, mientras fumaban en la azotea, él le pidió su número de móvil y luego le hizo una llamada perdida, lo tiene grabado.

—¿Crees que ese hombre estará de acuerdo? Armand, me has dicho que se llama.

—Le he conocido en el congreso, hemos hecho amistad y es muy amable. Se lo preguntaré esta tarde cuando le vea en la conferencia que tenemos a las cuatro.

Flora se está aficionando a mentir. O lleva ya mucho tiempo haciéndolo.

—¿Por lo demás estás bien? ¿Quieres que hable con el ogro de mi jefe por si me deja escaparme a Tánger?

—No hace falta, te lo agradezco. Vamos a arreglarlo así de momento. No le pidas nada a tu jefe, que luego te lo haría pagar. El lunes a primera hora iré al consulado para que me solucionen el tema del pasaporte, ya he encontrado la dirección en internet. Y en unos días estaré en casa para Navidad.

Solo pensar en su regreso a Madrid, Flora siente que le abren la tapa del ataúd para que se meta dentro.

—Te echo de menos —responde él.

—Tienes tu televisión para distraerte y enseguida estoy en casa.

He sido malvada, piensa. No he podido evitarlo.

—Aquí te espero, entonces.

Pero él no reacciona.

Flora le ha preguntado al recepcionista del hotel por la dirección de Bella Nur. Veinte o veinticinco minutos andando, le ha dicho él, mostrándoselo en el plano. Camine siempre hacia el mar, está muy próxima al puerto.

El día continúa nublado, sombrío, no hay ni rastro del sol de Tánger y la humedad hace astillas los huesos. Flora desciende por una calle empinada, al final de ella está la casa, según le ha indicado un chico al que no ha podido darle ni una moneda, solo un cigarrillo. Ella se enciende otro y piensa en Deidé. Sonríe. Quizá debiera hacerle caso, se dice. Tose. Está dando otra calada cuando oye el sonido de su móvil. No reconoce el número, aunque le suena haber visto ese prefijo en el teléfono del hotel.

—*Allô?* —responde en francés.

La mano tensa, el humo entrando en sus pulmones.

—Soy el inspector Abdelán. La he atendido esta mañana por el tema de su robo.

El olor a la colonia de madera acosa de nuevo a Flora.

—La encargada del *hammam* ha encontrado su pasaporte y su carné de identidad español.

—Qué buena noticia. ¿Dónde? —Intenta que su voz suene firme.

—Tirados en un pasillo del *hammam*, cerca de la puerta trasera por donde ha entrado el ladrón. Están en la comisaría. El resto, sus tarjetas de crédito y el amuleto siguen sin aparecer. ¿Ha tenido noticias de su amigo?

—Ninguna.

—Yo también he tratado de contactar con él, pero me ha sido imposible de momento. El número español que me dio es de una tarjeta prepago. Si él ha viajado a otro país, a Marruecos, en este caso, habrá metido una de aquí y tendrá otro número. Es la opción que veo más lógica. Por eso su móvil aparece como apagado.

—No se me había ocurrido —contesta Flora—. Entonces se pondrá en contacto conmigo para darme el nuevo número.

—Infórmeme si lo hace. De todas maneras, usted venga mañana a recoger sus documentos, hasta las seis estaré en la comisaría.

Flora le da las gracias y cuelga. Ha de volver a encontrarse con ese hombre, la angustia que la interrogue más sobre Paul. ¿Qué estoy haciendo en Tánger?, se pregunta. ¿Por qué voy a casa de Bella Nur?

Recrea en su memoria retazos de la noche en el hotel de la Gran Vía. Paul le acaricia los pechos, los muslos, el sexo, la desea. La llama *pelirroja*, con su voz secreta, le agarra el cabello para atraerla hacia él, la besa. No hay pensamientos, solo los labios de Paul, sus brazos tensos, sus ojos que se entornan cuando ella le toca, el goce que no ansía nada más. Sin esperas ni fracasos cuando le viene la regla. Flora se detiene en la calle. Mira las gaviotas extraviadas en el cielo grisáceo. Y si ahora abandona la búsqueda, ¿qué le queda?, ¿esperar a que Paul contacte con ella?, ¿regresar a casa?, ¿a las traducciones de batidoras y a la televisión?, ¿a las noches de lágrimas frías y las mañanas de orina en una prueba de plástico? Los ojos grises se humedecen. Ya no puede. Además, quiere saber. Intuye que la historia de Paul aún no ha concluido. La pérdida del amuleto, de la única prueba tangible de su verdad, no puede desanimarla. No tiene una fotografía de él, pero recuerda cada una de sus puntas levantadas, sus relieves de plata y ese nombre escrito en el reverso: Alisha. ¿Quién es Alisha?

La puerta de la casa de Bella Nur tiene una cancela

de hierro negro. Flora llama a un telefonillo que hay en la pared y una voz de mujer responde en francés.

—Soy Flora Linardi. La señora Nur me citó a las cuatro.

Suena un chirrido y la cancela se abre. Una escalera de piedra asciende serpenteando entre macetas de hortensias hasta un edén ajeno al bullicio tangerino. Hay ficus gigantes, madreselvas, hileras de tiestos con sus flores naranjas y moradas, plátanos, acacias, varas de narcisos, rosales trepadores, un paraíso de fertilidad; y en medio de él, una casa de dos plantas con fachadas grisáceas por donde ascienden las buganvillas. Una mujer con caftán de algodón espera a Flora en una puerta de madera blanca con vidrieras.

—Bienvenida. —Le habla en español.

—Es un jardín maravilloso.

—Tiene muchos años, señora, casi doscientos.

—Una no puede imaginar que exista un sitio así tan próximo al caos de la calle.

—El siglo pasado esto era las afueras de Tánger, aquí no había más que el cementerio judío. La ciudad ha crecido tanto... Sígame, la señora la espera.

La mujer guía a Flora hasta una sala con una hermosa cristalera por donde se ve el jardín. En una butaca de mimbre con respaldo redondo está sentada Bella Nur. Frente a ella hay otra butaca idéntica y una mesita con una chocolatera de plata, dos tazas de porcelana con sus platitos a juego, una bandeja con magdalenas, unas servilletitas de hilo y una campanita.

—Querida Flora, disculpa que no me levante. No me encuentro muy bien. —Bella Nur le indica que se siente frente a ella—. En estos días lo que más me consuela es sentirme uno de mis personajes, así me olvido de mí y de mis dolores. Te aseguro que la creación puede transformar.

Flora le da la mano y se acomoda en la otra butaca. Recuerda que el gerente de la librería Des Colonnes le dijo que estaba muy enferma y que se había retirado de la vida activa como escritora. Hoy tiene el rostro más demacrado que el día anterior, su tez tostada no atenúa la palidez de las mejillas. De nuevo son solo sus ojos los que se muestran ajenos a todo síntoma de enfermedad, de cansancio, de vejez. Los ojos negros que la escrutan con la misma viveza que en Villa Joséphine. Flora intuye que Bella Nur podría fingir; de hecho su comportamiento le resulta un poco afectado, ya que acaban de conocerse, pero sus ojos no mienten. ¿Qué tiene Flora de interesante para una reputada escritora? ¿Su blog literario, recién iniciado y que en realidad ni siquiera existe? ¿Que llevaba el amuleto de Paul colgado del cuello y le conoció en Madrid? Esa idea le parece más razonable. Le interesa él.

El cabello de Bella Nur está oculto en un turbante negro, sin adornos. Su cuello de pájaro soporta un único collar de cuentas de coral que cae sobre una túnica a juego con el turbante, donde tiene prendida una rosa marchita. En la habitación hace un calor de invernadero. Cerca de Bella Nur hay un brasero de hierro que despide un hálito de fuego.

—Vive en un lugar extraordinario —le dice Flora—. Los árboles inmensos, las buganvillas, la cristalera que se abre al jardín. Dígame, ¿es mi imaginación o esta es la casa afrancesada de Marina?

—Bravo, la has reconocido. Efectivamente, es la casa donde vivió con su padre.

—Y esta, la habitación en la que tenían el cadáver de cera de la madre, rodeado de narcisos y rosas.

—Veo que has leído la novela a conciencia.

Las palabras de Deidé asaltan la mente de Flora «los escritores, al final, por mucho que lo adornen, escriben sobre su vida, sobre los temas que los torturan, que los obsesionan».

—En esta casa encontré los diarios de Marina. Estaban escondidos en su dormitorio, en un compartimento secreto bajo las maderas del suelo. Yo me limité a corregirlos y a darles la forma de una novela; sin embargo, puedo decir que es ella la que está detrás de cada palabra, como dijo Cervantes en parte de su *Quijote* acerca del historiador musulmán Cide Hamete Benengeli.

Esa es solo una herramienta narrativa que utilizó Cervantes, piensa Flora, muy usada en su época. ¿Está Bella Nur jugando conmigo? ¿Usa trucos de escritora?

—Me hubiera gustado tanto conocer a Marina... —responde en su lugar.

—Sería centenaria hoy en día, nació en 1909.

—¿Sabe cuándo murió?

—No, exactamente, aunque ya era anciana. Esperó a Paul toda su vida. —Sonríe—. No llevas hoy colgado el amuleto. —La mirada fija en el hueco de la garganta de Flora.

—He de contarle con tristeza que me lo han robado esta mañana en el *hammam*.

—¡Cuánto lo lamento! Al menos no te lo robaron en la calle y te dieron un buen susto. Así que un desconocido se ha apoderado del amuleto de Paul, vaya.

—Hay un inspector que está tratando de localizarle

para interrogarle sobre dónde adquirió el amuleto, por lo visto ha habido un expolio de piezas bereberes y lo están investigando. No le hablé de la Axia Kandisha, como comprenderá, ni le dije que Paul también había desaparecido en 1951.

—Eso ni lo menciones.

—Quizá podría usted hablar con el inspector para darle algún dato sobre el paradero de Paul o sobre el amuleto. Estoy segura de que le sería de gran ayuda.

—¿Cómo se llama ese inspector?

—Rachid Abdelán. —Flora saca la tarjeta del policía de su bolso y la deja sobre la mesa—. Quédesela, yo grabé su número.

—Lo haré si me encuentro con fuerzas. —Bella Nur hace un gesto de dolor y suaviza su tono de voz—. ¿Te sirvo un poco de chocolate caliente?

—Por favor.

La escritora coge la chocolatera de plata, le tiembla el pulso. Contrae el rostro.

—Déjeme, yo lo serviré. —Flora llena la taza de Bella Nur y luego la suya.

—Y tienes que probar una magdalena, aunque no son como las de Proust de Villa Joséphine. Estas las hace mi cocinera y al menos están tiernas.

—Dentro de un rato, ahora mismo no tengo hambre, gracias. No he dejado de pensar en lo que me contó ayer sobre esa mujer temible, la Axia Kandisha.

—Cómo explicar la desaparición de Paul si no. La noche era propicia y motivos no faltaban para que ella se lo llevara.

—Usted conoce a Paul.

Los ojos de Bella Nur se iluminan.

—Le conocí igual que tú —dice.

¿Bella Nur también fue amante de Paul?, se pregunta Flora.

—¿Cuándo sucedió?

—Hace muchos años, ya soy una anciana. Además, yo conozco muy bien a mis personajes.

—Paul también es un hombre de carne y hueso.

—Y un personaje de mi novela. Oscar Wilde tiene un maravilloso libro que se titula *La decadencia de la mentira*. ¿Lo conoces?

—He oído hablar de él, pero no lo he leído.

—Bien, pues Wilde afirma, y yo estoy de acuerdo, que el arte, la escritura en este caso, no debe imitar a la vida, sino la vida al arte la mayoría de las veces. Wilde decía que en su época se escribía mal porque los escritores mentían muy poco. La mentira en el arte había caído en el oprobio. Escritores como Zola se aferraban demasiado a la realidad, hacían realismo sin imaginación y no realidad imaginativa. Sin embargo, los personajes de Balzac poseían el vivo colorido de los sueños. El arte, si es verdadero, toma la vida como materia bruta, la recrea, la inventa, la imagina, la sueña, dice Wilde. El artista ha de crear la vida, no copiarla.

—¿Mintió usted entonces en *Niebla en Tánger*?

—No entiendes nada, querida Flora, yo no mentí, creé vida. Espero que puedas comprenderlo.

Bella Nur da un largo sorbo de chocolate. Después se limpia los labios con una de las servilletitas de hilo. Flora se fija en que tiene bordado un once o quizá sea un dos en números romanos, no se distingue bien.

—Prueba ahora una magdalena —insiste la escritora.

Flora coge una y le da un mordisco. Luego se lleva la taza de chocolate a los labios, aún está caliente. Nota que se empieza a marear, no ha comido nada desde el desayuno, salvo ese pedazo de magdalena, y el brasero deja en la habitación un sopor asfixiante.

—¿Podría ir al cuarto de baño?

Bella Nur hace sonar la campanita que hay sobre la mesa y al momento aparece la mujer con el caftán.

—Ella te guiará hasta el *toilette*.

A Flora le encantaría perderse en esa casa, bajar al sótano, comprobar si aún sigue allí la caja con el cuerpo de cera de la madre de Marina y la pandera de Samir. Pero no sabe cómo librarse de la mujer que le sonríe y la conduce directamente al baño. Una vez allí se recoge el cabello en una coleta, abre la ventana, respira una bocanada de aire que entra fresco del jardín, se moja la nuca y las muñecas con un chorro de agua. ¿Por qué Bella Nur no le habla claro? Ya no sabe qué pensar.

Sale del cuarto de baño. Hay un pasillo con baldosas antiguas que dibujan grecas. Varias puertas de cuarterones blancos, todas cerradas. La mujer del caftán no está. Flora avanza con cautela por el pasillo, se detiene por si oye pasos que se acercan. Silencio. Elige una puerta al azar y gira el pomo dorado. Le laten los labios, la garganta. Ve una gran cama de matrimonio postrada bajo un palio de tul. Ve una colcha sobre ella, bordada con todas las selvas del mundo. Oye pasos. Cierra la puerta.

—Me he despistado —dice sonriendo a la mujer del caftán.

—La señora no se encuentra bien, hoy no tiene un buen día. Muchos dolores, algún disgusto.

—¿Qué enfermedad padece?

—Una en los huesos, nunca me acuerdo del nombre. Ya sabe, esas palabrejas médicas.

Bella Nur está de pie, esperándola. Se apoya en un bastón de madera con puño de marfil. Sus ojos sobreviven a la agonía de su rostro.

—Siento tener que interrumpir nuestra charla, he de acostarme un rato, estoy fatigada.

—Por supuesto. Gracias por la merienda. Espero verla otro día.

—¿Cuándo te marchas de Tánger?

—Aún no lo sé.

—Quizá sería mejor que lo olvidases todo y te fueras a casa. —Bella Nur contrae el rostro en un gesto de dolor, y empieza ya a darse la vuelta—. Ahora márchate —le dice.

Flora la ve avanzar por el pasillo apoyada en el bastón y en la mujer del caftán. A pesar del dolor su paso es firme. Sale al jardín. Entre las nubes se filtra el primer rayo de sol del día.

Flora ha subido a la azotea del hotel a fumarse un cigarrillo y ha visto a Armand sentado en un puf de piel. Tiene las piernas cruzadas y sobre ellas un bloc de hojas. En la mano, un lápiz. Está dibujando el paisaje de las azoteas. Antenas de televisión, ropa tendida, gatos. El cielo con una hendidura entre las nubes. En el horizonte, el Estrecho, una lámina de acero.

—Así que pintas —le dice Flora.

Armand se sobresalta. Deja el bloc y el lápiz sobre una mesita baja donde hay un vaso de té con hierbabuena y una caja con más lapiceros para dibujar a carboncillo y otros de colores.

—Pintaba, más bien. —Él le sonríe, tiene los ojos de oro—. Me encantaba cuando era niño, me pasaba el día dibujando cuanto veía, cuanto imaginaba. Cuando tuve que abandonar Tánger con mi familia, juré que nunca más volvería a hacerlo. Eso le dije a mi padre. Si me llevas lejos de Tánger, aquí dejo mi corazón y con él mis lápices.

—Muy trágico para un niño de ¿cuántos años? —Flora se sienta a su lado, pone un momento la mano sobre la rodilla de Armand, expulsa el humo, sonríe.

—Doce. Era trágico, pero lo cumplí. Recuerdo que al principio me costó, sufría mucho. En Marsella dibujaba con las yemas de los dedos en las mesas, en las puertas, en las servilletas, en cualquier sitio. Mi padre me regaló una caja de lapiceros para profesionales, aquella que yo le pedía en Tánger y no me compraba porque era muy cara. Jamás la abrí. Se la dejé encima de la mesa de su despacho con el precinto puesto. No la devolvió. Siguió esperando en su casa, hasta su muerte.

—¿Esta es la caja? —le pregunta Flora señalando la que hay sobre la mesa.

Armand asiente.

—La encontré en el cajón de la mesa de su despacho después de que falleciera. Llevaba allí medio siglo, sin abrir, aguardándome. Pero mi padre ya estaba en el cementerio. Me la llevé y no le he quitado el precinto hasta hoy.

—Si tenías que volver a dibujar, qué mejor sitio que Tánger, ¿no crees? Es como si hubieras regresado a la ciudad para recuperar algo que aquí dejaste. El círculo se cierra. Ya eres libre de tu juramento.

—Se nota que escribes.

—No escribo lo que me gustaría: novelas, relatos. Hace veinte años estuve aquí y me veía en un futuro próximo siendo escritora. Me perdí por el camino, como en otras cosas.

—Yo también. Quizá teníamos que regresar a Tánger, empezar en este escenario. Hacer un alto en el camino, recapacitar. Hemos cambiado.

—Ni tú tienes doce años, ni yo veinte.

—Aunque en algunos aspectos seguimos deseando lo mismo que entonces. ¿Te das cuenta?

—Es cierto.

Flora le ofrece un cigarrillo. Durante unos minutos fuman en silencio mirando hacia el Estrecho.

—Me gustaría pedirte dos favores —le dice Armand.

—Dos nada menos, yo a ti uno. —La conversación anterior la ha distraído y no le ha hablado del dinero.

—¿Quién empieza?

—Tú, que tienes dos.

—El primero es que me gustaría hacerte un retrato. No me importa que me falte mucha práctica, la voy a compensar con mi ilusión.

—Seré tu conejillo de Indias, todo sea porque vuelvas a dibujar. Vayamos por el segundo.

—El segundo es que mañana por la mañana me acompañes a la casa familiar, la que tengo que poner a la venta. Llevo retrasando ir desde que llegué. A mediodía me espera el abogado para arreglar los papeles y algunos están allí. No me siento con fuerzas para entrar solo. Es como un mausoleo, están todos los recuerdos de la familia desde hace generaciones.

Flora duda.

—Si te sientes incómoda, lo entenderé.

—¿Por eso te has alojado en el hotel?

—No podía dormir allí, no me preguntes por qué, llevo sin pisarla desde los dieciséis años.

—Iré contigo.

Armand le da las gracias.

—Ahora te toca a ti pedir el favor.

Ella le cuenta lo que le ha ocurrido en el *hammam* y el plan para que su marido le ingrese dinero en su cuenta bancaria y él lo saque con su tarjeta de crédito.

—Por supuesto. Cuando suba a la habitación te envío por mensaje el número y ahora mismo puedo darte los dírhams que llevo encima para que tengas algo en el bolsillo.

—No es necesario.

Armand insiste y Flora acaba aceptando.

La tarde cae sobre Tánger. Fuman de nuevo mientras el muecín llama a la oración. El tiempo parece detenerse. Armand empieza a hacer un boceto del retrato de Flora. Cuando la luz se desvanece en el horizonte, van a cenar juntos al restaurante.

Esa noche Flora bebe tres copas de vino y se duerme nada más acostarse.

La casa familiar de Armand Cohen está situada en el corazón de la Medina. Es un piso amplio, en una tercera planta sin ascensor, con una escalera ancha y de madera grisácea. Desde que Flora se ha levantado tiene en mente la imagen de la colcha bordada con las selvas que vio en el dormitorio de la casa de Bella Nur. Le duele la cabeza por el vino y sus pensamientos son lentos. Armand permanece silencioso mientras ascienden por los peldaños desgastados. Al llegar frente a la puerta de dos hojas con un arco sobre ellas, Armand se detiene. Busca la llave en el bolsillo de la chaqueta, la mete en la cerradura y, antes de hacerla girar, mira a Flora y lanza un suspiro.

Huele a cerrado. La casa está sumida en la penumbra. En la inmovilidad de la nostalgia. Armand entorna los ojos un instante y traspasa el umbral. Flora le sigue. Hay un recibidor amplio con el suelo de baldosas hidráulicas que da paso a un gran salón. Ha amanecido un día luminoso y unos rayos de luz se filtran por las rendijas de las contraventanas que no encajan bien. Armand las abre y el sol de Tánger invade el salón. La decoración es antigua, Flora no entiende mucho de muebles, aunque reconoce en algunos de ellos el estilo *art déco*. Los veladores frente a las butacas con las tapicerías en polipiel.

—¿Qué te parece? —le pregunta Armand.

—Maravillosa, y eso que acabo de entrar.

—Es una pena venderla, ¿verdad? Mi hermano y yo nacimos aquí, pero él necesita el dinero. Y mi mujer insiste también en que debemos deshacernos de ella, será porque nunca la ha pisado.

Flora le sonríe.

—Voy al despacho a buscar los papeles y ahora te la enseño.

—Yo me quedo por aquí.

Ha visto un piano de cola en una esquina, cubierto por un mantón de encaje, y sobre él muchos marcos de fotos. Le fascinan las fotografías antiguas. Le da la sensación de que cada una de ellas encierra una historia que ha quedado atrapada en el tiempo. Se agacha para verlas mejor. Todas son en blanco y negro. Una mujer con el cabello ondulado, una pamela negra, junto a un hombre muy serio con un traje de cuello duro. Parece una boda. Fotos de reuniones familiares, de Bar Mitzvá, de hombres vestidos con uniforme militar con sable y hombreras de gala.

Una de ellas le llama la atención. Flora coge el marco y la examina detenidamente. Varios niños y jóvenes disfrazados, en filas atendiendo a su estatura, frente a la chimenea de un salón. Entre todos ellos, Flora descubre a una joven. Es alta y delgada. Tiene el cabello rubio, lacio, y unos ojos que se adivinan muy claros. Va disfrazada de gaucho argentino.

11

Niebla en Tánger
Capítulo V

A las doce del mediodía del 24 de diciembre de 1951 aún brillaba el sol en el cielo de Tánger y las nubes formaban abanicos blancos. Nada hacía sospechar el viento que se levantaría en cuanto cayó la tarde. El Zoco Chico estaba muy concurrido a esa hora a pesar de que el bulevar Pasteur y sus alrededores habían usurpado su esplendor. Los turistas paseaban por él y tomaban té a la menta en las terrazas en ese día luminoso; los tangerinos iban y venían a los *bakalitos*, pequeñas tiendas de comestibles, atareados con el ajetreo de preparar la Nochebuena, pues era corriente que musulmanes y judíos celebraran esta fecha junto a sus amigos cristianos. Quedaba un puestecito de cambista en una esquina, con las divisas a precio de ganga, y un viejo mendigo que entonaba un canto lastimero mientras tocaba la *darbuka*. Pensé en Samir. En sus manos sobre ese instrumento el día de la boda de Amina, tan distintas a las de Paul sobre las teclas. Más grandes y bastas, con la aspereza y la raza de la tierra donde había nacido. A veces echo de menos en lo que acabó convirtiéndose nuestro idilio, un amor calmado que había puesto su semilla en la niñez. El huevo de astrogodón, en el cajoncito del secreter, nos había estado esperando durante muchos años con su latir secreto.

Me encontré con Samir en el cementerio de Buarrakía uno de los muchos viernes que solía llevar a Laila a la tumba de su madre para poner arrayán y limpiar la lápida. Estaba de espaldas frente a lo que quedaba de un montículo de tierra antiguo, borrado casi por la inclemencia del levante. Iba vestido como un occidental: pantalones oscuros y camisa blanca. Era la primera vez que le veía de hombre con algo distinto a una chilaba. Me alejé de Laila para dejarla a solas con su madre, y me acerqué a él aunque guardando la distancia suficiente para no incomodarlo. ¿Quién estará en la tumba?, me pregunté, ¿quizá la esposa muerta? Me presintió, eso me dijo: que un olor a las especias que soplábamos en el zaguán y una molestia en el estómago que se le convirtió en torrente de agua al darse la vuelta le habían alertado. Ya llevaba en el ojo tuerto el parche negro de bucanero. El ojo esmeralda se le había oscurecido, pero estaba líquido, brillando por cada año de espera. Calzaba los zapatos de papá Arón.

—Hoy algo me ha impulsado a ponérmelos, estábamos destinados a encontrarnos —me dijo con una sonrisa.

Sentí un temblor en las rodillas que me dejó inmóvil. Las primeras canas asomaban en sus sienes. Se aproximó a mí; había corregido su cojera hasta tal punto, a fuerza de voluntad y dolores de huesos, que apenas se le notaba.

—Sabía que volvería a verte —le dije.

—Yo también, solo era cuestión de esperar, y en esta tierra tenemos paciencia.

—¿A quién rezabas?

—A mi madre, que yace aquí sin piel.

—¿Qué has hecho en todos estos años, Samir?

—Solo he visto pasar el tiempo... hasta hoy.

Olía a colonia de los bazares, al aire varonil de su mundo. Le tomé del brazo, como si lo hubiera hecho toda la vida, y le hablé de mi matrimonio en América, de mis trabajos en el cine, de mi divorcio, del hotel que había abierto en la casa de la Kasbah, que él conocía; de mi niña bereber, que charlaba con su madre sobre la tumba de hechicera; y seguí hablando con él, hasta que Laila se cansó de la conversación en sueños y encontró a Samir de mi brazo, con su aire del Rif y sus labios anchos sin más origen que él mismo. Y continué hablándole la noche que le invité a cenar en la torre de costura donde había improvisado una mesa baja con cojines para comidas morunas en la intimidad, porque ya era la dueña de mi casa y tenía la madurez suficiente para hacer lo que me venía en gana, aunque mamá Ada se revolviese en la tumba.

Él se había echado un perfume de almizcle y las ondas de su cabello refulgían bajo la pasta olorosa con que había pretendido domarlas. En lo más recóndito de mi imaginación esperaba que llegase con el turbante y las ropas árabes del film *El hijo del caíd*, y con un aire soberbio de rapto inmediato, pero lo hizo vestido como le vi en el cementerio, además de la chaqueta blanca que usó en su época de camarero en el café Fuentes, y que le quedaba estrecha en las sisas. Hablaba engomado hasta que un vaso de vino, que no solía tomar, le templó el nerviosismo de las manos y me entregó la cola de una salamanquesa disecada y teñida de púrpura en honor a los juegos de la infancia: «Para que te traiga magia en tu nueva etapa», me dijo. Después de la comida, recostados en los cojines de seda, fumamos una pipa *sebsi* de kif que acabó de aplacar su aire de occidental impostado y poco a poco le devolvió a su esencia. Me tomó de una mano y jugó con mis dedos a los gusanitos que van y vienen por la palma y el dorso, mientras me hablaba de su época en la que había sido porteador de unos contrabandistas; conocía los lugares más desolados de las playas para hacer el desembarco, las fases en las que la luna ayudaba o delataba las entregas; había trabajado después en fábricas, en una plataforma petrolífera, en mitad de un océano de barro, donde por el día existía por la inercia de existir y por las noches se derrumbaba en el cansancio doloroso de recordar aquel beso que me había robado en la calleja de Tánger, pocos días antes de mi boda, desgastado ya por el uso de la memoria, por buscar en él lo que no hubo, «porque el recuerdo se me había quedado pequeño para la desazón que me quemaba por dentro», me dijo, y se me echó encima, deshaciéndose de la chaqueta que le estorbaba para mostrarme el beso que había soñado en las noches solitarias, el beso que me arropó entera con los labios grandes y me arrancó la ropa dejándome con el cuerpo febril a la espera del suyo.

A partir de esa noche, Samir se incorporó a mi vida. Laila le adoró desde el primer momento. Hablaban de mí en tarifit y se contaban secretos que no entendía para hacerme rabiar. Cuando se enteró de que Samir era analfabeto, se empeñó en enseñarle a leer y a escribir en francés y en árabe, que era como ella aprendía, y conforme avanzaba en sus clases con la maestra, le descubría los misterios de la lengua para que pudiera leer los periódicos y conocer lo que ocurría en el mundo. Samir mostraba con Laila una docilidad de buen alumno, le consentía todo. Se dejaba regañar cuando se equivocaba en los deberes que ella le ponía y aguantaba las sesiones de estudio leoninas los días que no trabajaba en un *bakalito* despachando verduras, conservas y especias. No pudo con los dos idiomas, Laila le dejó elegir, él se decantó por el árabe. Por las noches llegaba exhausto a mi dormitorio. Después de hacer el amor esperaba a que me durmiera para estudiar en una mesita baja, sentado en un taburete donde apenas le cabían las piernas. A veces me despertaba de repente y admiraba su desnudez dorada bajo el resplandor de una pequeña lámpara mientras practicaba caligrafía árabe, fascinado por la belleza de sus líneas, por la historia de su pueblo que hasta entonces le resultaba desconocida. Se le dividió el mundo en dos. Al principio mantenía en secreto mi relación con él, tan solo Laila y algunos íntimos como Matías Sotelo la conocían; confieso que tenía algún prejuicio sobre lo que pensarían los clientes de mi salón de fiestas si se enteraban de que había traspasado una línea invisible y mantenía un idilio con un hombre pobre y musulmán siendo yo judía y teniendo como tenía una posición social mucho más elevada. Le propuse a Samir que dejara el *bakalito* y se incorporase al personal del hotel, para coordinar las tareas de los trabajadores —del Rif en su mayor parte— y velar por que todo funcionase y el hotel estuviera limpio y bien atendido. Más adelante, cuando avanzara en su aprendizaje, podría encargarse de los suministros. Se resistió a ser mi empleado, pero acabó aceptando ante la idea de liberarse del horario demoledor de la tienda y de estar más tiempo juntos. Con el sueldo que le pagaba, alquiló una habitación en el café Fuentes, aunque la mayoría de las noches las pasaba conmigo. Le compré ropa adecuada para que asistiera a alguna de las fiestas y muy pronto se empezó a rumorear sobre nosotros. Con mis antecedentes de haber vivido en Hollywood, donde todo era posible, y haber sido actriz, se consideró una excentricidad mi idilio con Samir, lo que le dio al hotel un halo de bohemia y glamur que atrajo a los turistas y a los occidentales que se habían instalado en Tánger buscando la libertad de un lugar con leyes mucho más laxas que las de sus países de origen. Era el prototipo de mujer moderna, independiente, liberada, es decir, todo aquello para lo que no me había educado mamá Ada.

El arcón de caoba se había convertido en un ataúd polvoriento en el desván y la lencería del ajuar lucía, tan solo con mis iniciales, en las mejores habitaciones del hotel para los huéspedes más selectos. Una noche consulté con la tabla de la güija de mamá Ada a los espíritus, y ella misma se levantó de la tumba para decir que se volvería a morir de nuevo. Me di con Laila un atracón de chocolate caliente, al que ella también se había aficionado con el tiempo; no se me ocurrió otra manera de resarcir el remordimiento ancestral que me ahogó el corazón durante un par de días. Estuve a punto de iniciar con Laila unas sesiones de bordado en la torre de costura, menos mal que las tareas del hotel me devolvieron de nuevo a mi vida y aplacé el ponerme a bien con su espíritu para más adelante.

Samir también me echaba una mano en el negocio del contrabando de tabaco que yo había iniciado con Matías Sotelo. Su experiencia de juventud nos ayudó a elegir los sitios más adecuados para los desembarcos. En ocasiones, él se encargaba de buscar a los porteadores, incluso de supervisar la operación en la misma playa. Le daba una participación generosa de los beneficios, aunque no me gustaba que se arriesgara tanto. Podría decirse que los deseos del huevo de astrogodón se habían cumplido. Samir cada vez era menos pobre, vestía bien y había dejado de alimentarse de la basura judía. Además, me parecía que era feliz, aun cuando no todo fuese idílico.

La primera gran discusión que tuve con él fue después de que asistiera al discurso que dio el sultán Mohamed V, junto a sus dos hijos, en el Zoco Grande el 9 de abril de 1947, sobre la independencia de Marruecos y su unidad territorial. El aprendizaje de su lengua le había cambiado o había despertado en él un sentimiento que siempre estuvo en su interior y que hasta ese momento no había descubierto. Recordé las palabras que Laila me dijo una vez: «A mi madre se la llevaron a la cárcel porque era una ignorante y además pobre, a mí no me ocurrirá lo mismo». Samir se afilió a Al-Istiqlal, el partido de Allal al-Fassi, y se hizo independentista.

—Tú eres marroquí —me decía exaltado— y tangerina. Marruecos debe ser un solo país, libre de todo dominio extranjero. Somos como niños en manos de franceses y españoles.

—Pero no Tánger, Samir, vivimos en una ciudad única, como no ha habido ni habrá otra. Tánger es lo que es por sus leyes especiales, sin ellas se convertiría en un espejismo.

—Se convertiría en una ciudad de un Marruecos libre y unido.

—¿Matarías por ello? ¿Acabarías con la vida de una persona solo por una idea? ¿Es más digno defender un ideal que la vida de otro ser humano?

—Mataría para defenderla, sí, para que se hiciera realidad. ¿Acaso no lucharon los aliados para recuperar su territorio de manos de los nazis, para salvar a tus compatriotas judíos de los campos de exterminio? Eres una idealista, Marina, una ingenua; lo que tú dices nunca se hará realidad porque es contrario a lo que somos los hombres. A lo que hemos aprendido de cómo debe organizarse una sociedad, un país.

—Es contrario solo a los que tienen el poder y manejan a los otros como marionetas valiéndose de ideas grandilocuentes como libertad, honor, identidad, incluso religión. ¿De qué sirven si atentan contra lo más importante, que es el respeto por la vida de otro ser humano? No te equivoques, es la codicia del poder lo que se esconde detrás y lo corrompe todo.

Después de aquello durmió varias noches en su habitación del café Fuentes, hasta que volvió a mi cama en una reconciliación que nos mantuvo en el duermevela de la pasión hasta la luz del alba. A partir de entonces, y como signo de su convicción tenaz, cada vez que salía a la calle, vestía una chilaba artesanal que había encargado a los tejedores del zoco.

El 9 de marzo de 1949 todo cambió entre nosotros. Paul Dingle fue el terremoto que asoló la rutina tibia a la que me iba acostumbrando. Samir no era necio y menos aún era hombre de callarse una amenaza como esa. Me había visto coquetear con otros, clientes en su mayoría que intentaban seducirme, y a los que yo permitía ciertas confianzas, pero en Paul Dingle supo ver el infortunio que se le venía encima.

—Te ha gustado ese francés, Marina —me dijo esa noche, retándome con el ojo esmeralda.

—No me hagas una escena de celos —respondí—. ¿Has visto el éxito que ha tenido tocando el piano y cantando?

—Lo he visto en cómo le mirabas.

Se dejó abrazar.

—He esperado tanto para estar a tu lado —me susurró al oído—, que ahora no voy a permitir que un extranjero venga a quitármelo. Ya tienen mi país, ¿qué más van a arrebatarme?

Me desnudó deprisa y me hizo el amor como si mi cuerpo fuera el territorio que anhelaba conquistar, la tierra suya que los extranjeros mancillaban con su sola presencia. Yo tenía ya dentro de la piel la mirada de Paul Dingle, su voz, sus silencios. Samir se fue dando cuenta conforme pasaban los días. Paul actuaba en el hotel cuatro noches a la semana y muy pronto se empezó a hablar de él en ciertos círculos de la ciudad. Aquel francés que interpretaba con voz desgarrada las canciones de Édith Piaf era el aderezo perfecto a mis veladas, donde abundaba el champán, el vino, los cigarrillos, las conversaciones sobre política o literatura, y por supuesto la seducción. Paul la encarnaba perfectamente. Había en su forma de comportarse un halo romántico de hombre torturado por un secreto, de hombre que sufre y se refugia en los placeres para olvidar, al tiempo que hace olvidarse al resto de sí mismos.

Una noche, no había transcurrido un mes desde su llegada, me pidió que bailara con él después de su actuación. Una balada de Gardel. Había contratado por unas semanas a una banda latina para cerrar el programa. Su brazo asía fuerte mi cintura y me atraía hacia su pecho. Sentí que me besaba el cabello y me acariciaba la espalda que dejaba desnuda mi vestido blanco de Hollywood. Estaba dentro de una película. En un giro descubrí a Samir, nublado en la bruma de los cigarrillos. La pierna coja en la pared, los brazos cruzados, el ojo esmeralda espiándonos. Por un instante, quise taparme con la sábana como si hubiera vuelto a la infancia. Su mirada traspasaba la piel, los huesos. Desde la llegada de Paul le presentía tras de mí, acechando mis sentimientos sin descanso. Esperó a que terminara la velada. Jamás tuvo su parche en el ojo un aire tan siniestro. Paul regresó a su hotel, yo subí a mi dormitorio y Samir me siguió.

—Quiero que se vaya. Te seduce en mi cara y tú se lo permites. —Me agarró de una muñeca.

—Solo era un baile —dije, zafándome de su mano.

—Perdóname si te he hecho daño, pero tú sabes que no es así. Hace mucho que nos conocemos, me sé de memoria cada uno de tus gestos, lo que significan tus miradas. Si no se marcha, hemos terminado.

—Tú lo has dicho —contesté, enfrentándome a su ojo verde.

Vino hacia mí y me abrazó con fuerza.

—Marina...

Le rodeé la cintura y noté algo duro en su espalda. Me separé de él y le levanté la chaqueta: la culata de una pistola sobresalía de sus pantalones.

—¿Vas armado?

Se alejó de mí unos metros y guardó silencio.

—¿Por qué vas armado? ¿En qué andas metido? ¿Tiene algo que ver con la lucha por la independencia?

—No es asunto tuyo, Marina, en esto mejor no te metas. Ya has dejado clara tu postura.

—No quiero una relación con un hombre que lleva una pistola como un bandolero.

—¿Acaso crees que tu francés no mató a nadie en la guerra?

—Eso es otra cosa.

—¿Ah, sí? Porque es él y tiene derecho a defenderse.

—Samir, no mezcles los celos con este asunto.

—Buscas una excusa para dejarme. Ya la tienes. Le pegaría un tiro a él y al resto de los franceses que ocupan la ciudad si con ello consiguiera la libertad de mi país, de tu país, Marina. Eres marroquí. Judía, pero marroquí.

—No te quiero ver armado en el hotel. Esta es mi casa y yo pongo las reglas. Odio las armas. Cuando no estés aquí, allá tú con tu conciencia.

—Bien, entonces será mejor que me vaya.

Desapareció de la habitación dando un portazo. Pensé que no se presentaría al trabajo al día siguiente; sin embargo, a primera hora de la mañana estaba en su puesto con el cabello negro domado hacia atrás y un surco de insomnio bajo su único ojo.

—Me alegra verte —le dije, pasándole la mano por la cintura. No noté ninguna arma.

—He venido a presentarte mi renuncia formalmente y desarmado, como acabas de comprobar.

—Quédate, Samir, te necesito aquí para que dirijas a los trabajadores, lo haces muy bien. —Sonreí.

Aceptó mi propuesta. En ese tiempo ya escribía y leía aunque con cierta dificultad. No intentó volver conmigo. Llegaba a su trabajo puntual, cumplía con diligencia sus obligaciones y regresaba al café Fuentes a dormir. Hablábamos poco, en algunas ocasiones almorzábamos juntos y entre los temas de la gestión del hotel me preguntaba si era feliz, mirándome con el ojo verde que me hacía regresar a la época tranquila que habíamos pasado juntos. De cuando en cuando me decía que esa situación era temporal, buscaría un puesto en otro sitio conforme a su nueva experiencia, pero lo cierto es que permaneció en el hotel hasta la noche de la desaparición de Paul, en la que además se encargó de supervisar el desembarco del cargamento de oro en la playa que él escogió.

Esa mañana de 1951 me había costado mucho trabajo encontrar la callejuela que descendía, serpenteando y mezclándose con otras, desde la tumba de Ibn Battuta hasta el Zoco Chico. Me dirigía al café Fuentes. Matías Sotelo también vivía allí, como buen republicano que era. Enfrente del Fuentes se hallaba el café Central, adonde solían acudir los nacionales y los fascistas italianos durante la guerra. Una vez la tripulación de un barco con bandera italiana se equivocó de café y se armó una buena pelea. En Tánger todos tenían cabida, pero cada uno en su lugar.

Encontré a Matías aún con los ojos vaporizados por el sueño.

—Estoy buscando a Paul —le dije acalorada—. Ya veo que no está contigo.

—Hoy no es un buen día para que desaparezca —afirmó

Matías, ajustándose unas gafas doradas en la nariz con gesto de preocupación.

Estaba en pijama, sentado a la mesa donde trabajaba llevándome las cuentas del hotel y los números y papeles del contrabando de tabaco para burlar las aduanas y enviarlo en barcos a España y algunos puertos franceses. Hacía cuatro años que estaba en este negocio, asesorada por Matías, y me daba muy buenos beneficios con un riesgo al que ya me había acostumbrado. Me gustaba el dinero. La excitación que producía ganarlo tras una nueva operación que terminaba con éxito. Con Paul habíamos dado un paso más allá. Conocía en el Congo a un tipo metido en el contrabando de oro. De fiar, nos había asegurado. El riesgo era mayor, también las ganancias. Podría obtener buen rendimiento de las joyerías de mis abuelos, si la materia prima era más barata, aunque se trataba de una cantidad lo bastante grande como para conseguir también una suma considerable con su venta en el mercado negro. Estaba previsto que el barco llegara a Tánger con el cargamento esa misma noche, a un lugar recóndito de la playa. El día elegido resultaba perfecto: al ser Nochebuena, la vigilancia de la zona sería menor. Arriesgaba una cantidad elevada de dinero; sin embargo, lo que más me preocupaba en ese momento era encontrar a Paul.

—A veces no consigo llegar hasta él. Algo le atormenta —le confesé a Matías.

Me apartó la mirada y se sirvió un vaso de whisky de la botella que tenía encima de la mesa. Lo vació de un trago.

—Cuando le conocí, su apellido no era Dingle, sino Vincent —dijo, quitándose las gafas—. El teniente Paul Vincent, del cuerpo de Cazadores Paracaidistas franceses. Me aseguró que lo había cambiado porque quería empezar una vida nueva después de la guerra, olvidar quien había sido. Encontrar su lugar lejos de Francia. Sé que se guardó algo, pensé que necesitaba su tiempo para compartirlo.

—Matías, ¿por qué no me lo has contado hasta ahora?

—Era un secreto entre soldados, mi querida amiga, entre camaradas de guerra. Cada uno digiere el horror a su manera. Yo no me meto en la vida de los otros, no juzgo, como no quiero que me juzguen a mí. —Se sirvió otro trago de whisky—. Si desean cambiar de nombre o de apellido, en este caso, que lo hagan. Y más si me han echado una mano. En Londres me ayudó un par de veces a escapar de la policía militar cuando estaba bebido. Esa siempre fue mi debilidad... Paul tenía otra: las mujeres, pero de eso ya te habrás dado cuenta.

Vislumbré en una alucinación dolorosa las noches que Paul coqueteaba con las clientas. Les hablaba con la voz de sus canciones, a medio camino entre el mundo real y el mundo de ensueño en que te sumergía su presencia de dandi cinematográfico. Bebían copas de champán, reían en las ciénagas de la seducción, mientras les hablaba de los océanos profundos que había surcado, de las noches de estrellas fosforescentes en mitad de la nada, de las tribus de países lejanos donde los hombres no se reconocían como hombres, sino como los únicos seres reales de la Tierra hasta que le vieron a él. O al menos eso imaginaba yo, ardiendo en una adolescencia de celos, espiándole en el fragor de la espera, de que volviera a mí, porque siempre lo hacía. Borracho, muchas noches, y me susurraba: te quiero, solo a ti, por eso me he apeado de dar vueltas por el mundo, me cueste lo que me cueste, tú eres mi brújula; me besaba en la boca, mi norte, no sé por qué lo hago, me desabrochaba el vestido, cada noche me digo que será la última, me hacía el amor cantándome Édith Piaf, no sé por qué destruyo lo que más me importa, recorriéndome el cuerpo que no encontraba descanso, ni el sexo era suficiente para calmar el hambre, la sed de él, el desasosiego de su presencia a pesar del tiempo transcurrido; ya no soy nada sin ti, Marina, temblaba desnudo, con la cabeza apoyada en el cojincito del camisón, sin más inicial que la mía; un hielo fantasmal le envolvía por completo cuando le vencía el sueño y buscaba mi regazo para acurrucarse, los labios se le ponían de nieve, el semblante pálido, flaco de un duermevela que le atormentaba sin descanso, qué tienes, Paul, qué sueñas, le apretaba contra mí, con el sudor que aún me quedaba del asalto amoroso, Paul, frío, Paul, helado, Paul, a quien arropaba en mi memoria con la capa rusa de la infancia.

—Acaba de reunirse con un hombre al que le faltaba un brazo y han discutido. ¿Sabes algo de eso? —le pregunté a Matías.

—Tanto como tú. Encuéntrale, hoy no es un día para perder el control con la operación que nos traemos entre manos.

—Nos vemos esta noche. Mantente sobrio, por favor —le rogué mientras abandonaba la habitación.

Samir no solo sufrió nuestra ruptura, también soportó que Laila aceptase a Paul con más entusiasmo del que esperaba. Si Samir había sido su alumno, a Paul le convirtió en su maestro. Él había estudiado tres años de Literatura en la Sorbona con la intención de ocuparse de la editorial de su padre. Su madre se había casado con el hombre que había puesto al mando de ella mientras tanto, y cuando llegó el momento de que Paul fuera cogiendo las riendas del negocio, se encontró con que ya no tenía sitio en él. Dejó la universidad, los estudios de piano clásico, la casa materna y se hundió en el París rojo de los cabarets y las noches eternas.

Algunas tardes encontraba a Paul y a Laila en el salón de lectura hablando de libros. Paul le enseñaba a desentrañarlos, a diseccionar sus misterios. Le abría las puertas de los secretos del escritor, la ayudaba a analizar de qué manera había conseguido uno u otro efecto. Podían pasarse horas con un lápiz anotando en las páginas, discutiendo sobre lo que era más apropiado para el personaje, si el autor se había equivocado o no. Paul tenía una tendencia a fabular la vida, a dotarla de la magia extraordinaria de los cuentos, como si solo a través de ellos pudiéramos entender su verdadero sentido. Como si solo pudiéramos soportar la vida gracias a la existencia de las historias. Quizá porque se había criado entre libros y manuscritos, emulando a su padre o al recuerdo que su madre le transmitía de él. Paul creció entre historias, poemas y partituras de música. En un mundo sensible donde la belleza dominaba al mundo real.

Yo los miraba desde el quicio de la puerta, ellos ajenos a mi presencia, tan enfrascados estaban en su conversación. Laila apasionada, en una edad frutal, con sus cabellos detrás de las orejas para apartarlos de las páginas sobre las que debatían. Contemplarla me devolvía la imagen de mi edad madura: tenía cuarenta y dos años, Paul treinta y nueve. Por primera vez en mi vida coincidía con mamá Ada: ansiaba tener un hijo de Paul, una criatura de madre judía y padre católico, como era yo. Pero la naturaleza me lo negaba, mes tras mes, y mi esperanza se iba desvaneciendo junto con una impotencia que me desgarraba las entrañas. ¿Por qué el amor me había llegado cuando ya no tenía tiempo para que diera sus frutos? Sentí que se reía de mí el arcón de caoba atrincherado en el desván, hueco por dentro, sin más compañía que la carcoma.

Laila devoraba con fiebre todo cuanto Paul le recomendaba. Por la época de su desaparición estaban leyendo el primer volumen de *En busca del tiempo perdido* de Proust: «Por el camino de Swann». Laila se quedó atascada en su lectura para siempre.

Tras salir del café Fuentes, subí la calle de Siaghine en dirección a la Kasbah. No había recorrido ni un par de metros cuando el destino quiso que se cruzara por delante de mí un hombre envuelto en una gabardina al que le faltaba un brazo. Eran muchos los mutilados que había en esos tiempos, estigmas de la guerra que habían de lucirse como una medalla o un calvario toda la vida. El hombre, además, llevaba el sombrero blanco que me había indicado el muchachito de la tumba de Ibn Battuta, así que le seguí. Caminaba muy aprisa, si no hubiera habido tanta gente en las calles a esa hora, pasado el mediodía, me habría resultado imposible ir tras él sin que se diera cuenta. Torció hacia una de las callejas que llevan hasta la sinagoga de Nahón, esperé a que se adentrase un poco para aventurarme tras él. Repetí la misma operación en varias ocasiones, las calles por las que avanzaba se iban tornando más y más angostas y solitarias. En uno de los giros, le perdí de vista. Me quedé en mitad de la calle, inmóvil, sin saber hacia dónde dirigirme. Aún no conocía el cúmulo de fatalidades y circunstancias que analizaría una y otra vez a lo largo de los años sobre lo que sucedió aquel día aciago.

No vi salir al hombre de ninguna parte, se abalanzó sobre mí, empujándome contra la pared, me puso el brazo que le quedaba en la garganta y me preguntó en un francés estricto:

—¿Por qué me está siguiendo? —Le olía el aliento a alcohol y cigarrillos.

—¿Qué quiere de Paul? —contesté mientras me intentaba zafar de él. Un río helado descendía por mi espalda.

El hombre torció la boca de forma maliciosa y sonrió.

—Dígale que no me extraña que se sirva de mujeres para defenderlo. Espero que esta tarde no acuda a nuestra cita con un niño, los cobardes son así.

Quitó el brazo de mi garganta y desapareció por uno de los callejones.

Paul había regresado al hotel. Le encontré en mi dormitorio, donde se había instalado hacía más de un año, con una maleta y ropa sobre la cama. Tenía los ojos idos, impenetrables en su propio azul.

—¿Qué estás haciendo? —le interrogué.

Aún me corría un hilo de sudor por el vientre de la precipitación con la que había caminado hasta casa.

—Tengo que marcharme.

No dije una palabra. Comencé a recoger la ropa que había sobre la cama para guardarla en el armario: las camisas de algodón blanco que se había comprado en Tánger para sus actuaciones, almidonadas con primor por las planchadoras; los pantalones negros con su raya de ángel; las manos me temblaban, toqué algo metálico y frío, como las pesadillas de Paul, bajo la ropa. Era una pistola.

Jamás había sostenido una. Matthew era aficionado a ellas y durante una época se empeñó en enseñarme su manejo por si entraba un ladrón en casa; yo me había prohibido tocarlas hasta entonces.

Paul estaba sacando de nuevo la ropa que yo había guardado en el armario. Sentí una rabia y una desolación que me convertía en agua. Le apunté con el arma.

—No juegues con ella, Marina. Dámela. Está cargada.

La bajé. Las sienes me ardían como si tuviera fiebre. Me la guardé en el bolsillo de la chaqueta.

—Dime por qué te marchas.

—Porque nunca debí quedarme tanto.

—Es por el hombre sin brazo.

—¿Qué sabes tú de eso? —me preguntó sorprendido.

—Sé que ha quedado esta tarde en encontrarse de nuevo contigo, que no te llamas Paul Dingle, sino Paul Vincent, que quieres huir de nuevo.

Se sentó sobre la cama con aire desolado. Dijo mi nombre, Marina, lo repitió varias veces.

—Me buscan para someterme a un juicio militar, por eso me cambié el apellido. Quedarme a tu lado ha sido suicida. Tarde o temprano tenía que pasar esto. Ese hombre me ha reconocido y me pide dinero para no delatarme.

—¿Cuánto te pide?

—Más del que puedo darle. Pero no voy a pagarle ni un franco a ese chantajista. Si hubiera tenido conmigo la pistola, le habría matado.

—Dime cuánto es e iré a buscarlo al banco.

Me dijo la cantidad, que era desorbitada, claro que tampoco conocía el contenido de lo que estábamos comprando, ni me importaba en ese momento. La idea de perder a Paul me desgarraba.

—Espérame aquí. Voy al banco. No creo que tarde demasiado. ¿A qué hora has quedado con él?

—A las cinco en la tumba.

Salí del cuarto con la pistola en el bolsillo. La guardé en la caja fuerte del hotel y me encaminé al banco.

Los recuerdos de aquel día se mezclan en mi memoria ahora que intento escribirlos, diseccionarlos como hacían Laila y Paul con Proust. Tánger se convirtió en un espejismo.

Las calles se nublaban a mi paso, las casas se deformaban en su blanco perfecto, las personas no eran más que sombras.

En el banco tardaron por lo menos dos horas en prepararme semejante suma de dinero mientras yo, sentada en una silla de madera recia, no dejaba de pensar en las palabras de Paul: era un forajido.

Regresé con el dinero al hotel pasadas las tres de la tarde. Paul había desaparecido. Laila estaba en su dormitorio, en un estado de somnolencia que marchitaba su rostro, y con los ojos llorosos.

—¿Y Paul? —le pregunté.

—No lo sé —me dijo con brusquedad—. Tengo que hablar contigo. Es importante.

—Tendrá que esperar.

Cerré la puerta.

—Tú lo has querido —la oí decir.

Guardé el dinero en un maletín de cuero. Saqué la pistola de la caja fuerte y la escondí en mi bolso. Le pedí al *maître* que me sirviera algo para almorzar. Se me había despertado un hambre nerviosa que necesitaba calmar antes de enfrentarme a la cita con el hombre sin brazo.

Paul no apareció por el hotel, no sé dónde estuvo durante esas dos horas. A las cinco menos cuarto me dirigí a la tumba de Ibn Battuta. Él ya estaba allí y también el manco. El muchachito de la puerta había desaparecido. La calle estrecha estaba desierta. Se había levantado un frío metálico de diciembre que se deslizaba hasta los huesos.

—Veo que viene tu mujer con el dinero. No has podido hacerlo tú solo. Es propio de cobardes, o peor aún, de desertores.

Paul sacó una pistola del bolsillo interior de la chaqueta. Más tarde supe que se la había conseguido Samir en el mercado negro a cambio de que se fuera. Apuntó al hombre, este se rio y sacó otra pistola de la gabardina.

—¿Crees que iba a venir desarmado a un encuentro con alguien como tú? Deme el dinero, señora —me dijo.

Se lo tiré. Pero no tenía mano para cogerlo y seguir apuntando a ambos.

—Sea buena y cuélgueme el maletín del brazo.

—No lo hagas, Marina, no pagues a este chantajista.

—Yo chantajista y tú desertor. ¿Eso se lo ha contado, señora, que dejó tirada a su unidad en mitad de la nieve, cuando le necesitaban para tomar un puente? Hablabas alemán, por eso te escogieron para engañar a la guardia; quién sabe si además eres un traidor. En esta ciudad se han juntado todos, víctimas y verdugos.

Paul le dio un puñetazo, el hombre le disparó con pulso vacilante. La bala rozó un brazo de Paul, abriéndole una herida. Lanzó un quejido y disparó la pistola que le había dado Samir.

—Vámonos de aquí, Marina. El ruido de los disparos puede haber alertado a los vecinos.

Recogió el maletín con el dinero y me tomó de una mano.

—Se lo merecía —mascullaba Paul—, lo entiendes, ¿verdad, Marina?

El hombre quedó tirado en el suelo, le vi moverse y escupir una maldición. Huimos. El niño de Moscú, mi ángel, había brotado en mi memoria con tanta intensidad que me provocaba náuseas.

En el hotel limpié la herida de Paul, que no era profunda y curaría con rapidez. Él estaba silencioso, ensimismado, con la piel fría. Laila entró en mi dormitorio mientras terminaba de vendarle. Vio las gasas con la sangre en el suelo, se arrodilló para abrazarse al pecho de Paul, que estaba sentado en la cama, y comenzó a llorar. Él le acariciaba el cabello negro, vencido sobre el rostro desconsolado.

—Estoy bien, no es más que un rasguño. No me moriré de esta.

—Laila, déjale ahora, por favor. Sal de la habitación.

—No quiero marcharme.

Me asustó la ira de sus ojos negros.

—Laila, por favor, sal un momento —le dijo Paul—, he de hablar con tu madre sobre un tema de negocios.

—Yo también tengo que hablar con ella.

Me pareció que le amenazaba.

—Más tarde, Laila, ahora he de irme. Te prometo que regresaré enseguida.

Le levantó la barbilla, le limpió las lágrimas.

—Ve a terminar a Proust.

Ella se puso en pie, a sus diecisiete años era más alta que yo, y abandonó la habitación de mala gana.

—Marina, quiero contarte lo que pasó. Estaba harto de tanta muerte, de ver a mis compañeros masacrados, no lo soportaba más. Al final de la guerra sufrí varios episodios de sonambulismo. Luchábamos en la última batalla, en el frío invierno belga, era Navidad, como ahora. Una mañana desperté helado en un lugar solitario. Había estado caminando dormido y me había alejado del resto de mi unidad. Fui a buscarlos y los hallé a todos muertos. No logro quitarme de la cabeza su imagen. Los rostros de aquellos hombres, algunos eran mis amigos. Maldije la muerte, la barbarie, la guerra. No aguanté más.

—Paul... —Le acaricié el cabello.

Él consultó su reloj.

—Es hora de irme. Samir me espera para desembarcar el cargamento.

—No vayas, Paul, estás herido. Hablemos de lo que me acabas de contar.

—Prefiero olvidarlo. Y centrarme en que todo salga bien. No voy a abandonar ahora la operación y quedarme en casa. He de supervisar la entrega. Además, mi amigo me espera, solo se fiará de mí. Una vez que tengamos el oro a buen recaudo en la playa, iré hasta el barco en un bote para reunirme con él, y atracaremos juntos en el puerto. Allí nos veremos y podremos hablar. Me das tanta paz, Marina... Te quiero. —Me besó en la boca.

Luego se dirigió hacia la puerta.

—¿Por qué has discutido hoy con Samir? —recordé de pronto. A Paul se le ensombreció la mirada—. Una de las doncellas me ha dicho que te llamaba cobarde porque no querías contarme algo que me haría tener ganas de matarte. ¿Qué más ocurre, Paul?

No contestó a mi pregunta. En su lugar, atacó:

—Tu Samir, del que tanto te fías, utiliza tus canales de contrabando, tu organización, para traer armas para los independentistas de Al-Fassi. Imagino que no lo sabías. Una cosa es que te descubran traficando con tabaco o con oro, otra muy distinta con armas para luchar contra los occidentales. Eso tampoco te lo ha contado él, ¿verdad?

Guardé silencio. No me esperaba que Samir me mintiera. Me sentí triste, como si el huevo de astrogodón hubiera dejado de latir en el cajón secreto después de muchos años.

—Ya veo que no. Después de la operación hablaremos.

Había quedado en encontrarme con Paul en el puerto. En un bote, él había burlado las olas del viento hasta llegar al barco congoleño, que había atracado con no pocas dificultades en un espigón que se abría para las urgencias. Descendió por la pasarela él solo. Su amigo, el capitán del barco, aún ultimaba los preparativos en la nave antes de bajar a tierra. Recordé el día que le vi llegar, con sus andares de mar por el muelle junto a Matías Sotelo. En esta ocasión me pareció que caminaba igual, como si ya estuviera embarcado en el viento que se lo llevaría para siempre. Vestía el mismo jersey a rayas y los pantalones negros, parecía más alto, más esbelto, lo que acentuaba la soledad de sus andares.

—La operación ha salido bien. Ahora voy a la casa donde Samir ha guardado el oro. No me fío de él, después de lo que he descubierto.

Se refería a la casa afrancesada. Sus palabras llegaban lejanas hasta mí. Se acercó para abrazarme.

—He hablado con Laila —le dije, apartándole, ya no reconocía el azul de sus ojos.

El viento nos volaba los cabellos y una lluvia fina parecía el principio de un diluvio que se iba a llevar el mundo de un manotazo. Mientras Paul y Samir se ocupaban de desembarcar el oro del Congo, Laila me había contado que amaba a Paul y él a ella. Llevaban meses acostándose juntos, en el fragor de las jornadas literarias cuyo final no era otro que la ansiedad de sus cuerpos. «Estoy esperando un hijo suyo», me había dicho Laila con la voz de hechicera que le había salido de pronto de las entrañas.

—Marina, lo siento —respondió él.

Esas fueron sus últimas palabras.

Veo su imagen en el muelle, la pistola que llevo en el bolsillo de la chaqueta tiene un tacto de hielo.

Una rabia desconocida es mi dueña. Un dolor que nace

de un lugar que no existía. La pistola está húmeda por el aliento del puerto. Él me da la espalda y camina. Se desdibuja en la niebla. Saco la pistola de la chaqueta, un ruido metálico, miro de nuevo a Paul con la certeza de que jamás querré a otro, el estómago me tiembla, he olvidado mi nombre, soy una mujer en el viento, mi amante se aleja, me pesa la mano, la pistola, la traición, el viento se lo lleva.

12

Niebla en Tánger
Epílogo

Encerrada en mi torre, con la ardua labor de esta colcha interminable, veo pasar el tiempo por la ventana de vidrieras, donde antaño suspiraba por la libertad con Ankara. A veces les doy un descanso a mis manos y a mi imaginación, perdida en selvas amazónicas día y noche, y leo algún libro. Uno ha llegado hasta mí que me ha conmocionado. Se trata de *El hombre rebelde* del francés Albert Camus. He encontrado en sus palabras el reflejo perfecto de mis pensamientos, de mis angustias y mis culpas. Estas son:

> Hay crímenes de pasión y crímenes de lógica. El Código Penal los distingue asaz cómodamente, por la premeditación. Vivimos en la época de la premeditación y del crimen perfecto. Nuestros criminales ya no son aquellos jovenzuelos desarmados que invocaban la excusa del amor. Por el contrario, son adultos, y su coartada es irrefutable: es la filosofía, que puede servir para todo, hasta para transformar a los criminales en jueces.

> Heathcliff, en *Cumbres borrascosas*, mataría a la Tierra entera para poseer a Cathy, pero no se le ocurriría decir que este crimen es razonable, o que está justificado por un sistema. Lo llevaría a cabo, en lo que se resume toda su creencia. Ello supone la fuerza del amor y el carácter...

Si hubiera conocido este libro con anterioridad, se lo habría leído a Samir.

Unos meses después de la desaparición de Paul se presentó en la torre de costura. Llevaba puestas la chilaba artesanal, las babuchas, solo le faltaban el turbante y el caballo para ser la imagen del rapto cinematográfico que yo había esperado durante años, y llegaba ahora, cuando ya no me quedaba deseo para disfrutarlo.

—Ven conmigo. Tengo que enseñarte algo.

—No me interesa —le dije, deteniendo apenas el movimiento de la aguja sobre una liana de seda.

Ya no trabajaba en el hotel, ni en el negocio del contrabando de tabaco y oro que yo había cerrado tras aquella aciaga Nochebuena. Sabía que Samir se había metido aún más en política, pero desconocía cómo se ganaba la vida exactamente. Después de que me confesara su implicación en el contrabando de armas, del que me había advertido Paul, no quise volver a verle. Él lo había intentado sin éxito en reiteradas ocasiones, aquella vez, sin embargo, no parecía dispuesto a aceptar una negativa.

—Ya te dije que me habías decepcionado. Traicionaste mi confianza.

—Esta vez vendrás conmigo.

—Ni lo sueñes.

—He descubierto un nido de astrogodón. Va a poner los huevos, es el único momento en que se hace visible. Te aseguro que es maravilloso.

—No me vendas magia a estas alturas, Samir.

—¿Y el huevo que has guardado durante todos estos años?

—Un fiasco, como tú. Además, lo he tirado.

—Mayor razón para que tengas uno nuevo.

—No lo quiero —le dije con desprecio y continué bordando.

Me arrancó la colcha de las manos y la arrojó al suelo. Pegué un grito. Solo había una criada en la casa, no acudió. Había cerrado el hotel provisionalmente en señal de un luto que no acabaría nunca. Samir me levantó de la butaca y me cargó sobre su hombro sin dificultad. Yo apenas comía, me estaba convirtiendo en un pájaro de mi colcha. Comenzó a descender la escalera y me dio por reír. Había visto nuestra imagen al pasar frente a un espejo y me había resultado muy cómica.

—Bájame —le dije—. Iré contigo por los buenos ratos que pasamos juntos. Quizá pueda bordar un astrogodón en mi colcha.

Me dejó en el suelo. Quiso tomarme de la mano. No se lo permití.

Caminamos hasta la plaza de la Kasbah, allí cogimos un taxi que nos condujo hacia las afueras de la ciudad, al café Hafa.

Era un día claro y la vista del Estrecho desde las terrazas escalonadas del café resultaba interminable. Escogió una mesa alejada del resto y pidió dos tés a la menta. Estaba a punto de atardecer.

—Cuando el mar se trague el sol, lo veremos aparecer entre el follaje de aquel árbol —me dijo, señalándome la copa frondosa de un albaricoquero—. Solo tú lo verás, solo yo lo veré para ti.

Nos trajeron los tés. Bebimos en silencio esperando el ocaso.

—Allí, ¿lo ves? —me preguntó Samir cuando el horizonte se tiñó de una luz naranja—, entre las ramas.

Cogió mi mano entre las suyas. La besó. Yo miraba las ramas del albaricoquero.

—Te quiero, Marina. Nada tiene sentido sin ti. —Sacó un huevo verdoso de su bolsillo y me lo puso en la palma—. Hemos de pedir un nuevo deseo juntos.

El astrogodón es un pájaro de alas azules, cuello rojo y penacho verde aguamarina. Un ave fénix de la maternidad con tamaño de cigüeña y sin piedras preciosas en el pico. Cuando emprende el vuelo y se aleja del nido se torna invisible, invencible. No se lo puede matar ni encerrar en una jaula de oro. Una vez que regresa a empollar sus huevos, surge majestuoso. Es el miedo a la pérdida el que lo transforma en un ave tan hermosa como vulnerable.

—Adiós, Samir. —Dejé el huevo sobre la mesa y ascendí por las terrazas del Hafa camino de mi casa.

No volví a verle. El 30 de marzo de 1952, cuando se cumplían cuarenta años del protectorado francés sobre Marruecos, resultó muerto en los disturbios que se produjeron en la manifestación multitudinaria por la independencia del país. Reclamé el cuerpo y lo enterré en el cementerio de Buarrakía, junto al montículo antiguo de su madre. Me encargué de que un *tolba* recitara versículos del Corán sobre su tumba.

Los viernes, antes de empezar a cumplir con el *sabbat*, me aparto durante unas horas de la colcha y visito a mis muertos. A mi padre, en el cementerio católico; a mi madre y a mis abuelos, en el judío; y a Samir, en el musulmán. Cuando regreso a casa, las manos me huelen a arrayán, a rosas y a narcisos. Cada religión tiene su aroma.

Anochece en la Medina. La luz del crepúsculo se filtra por la vidriera e inunda de colores mi vida por un instante. Escucho al muecín con su canto sagrado. Despierta mi memoria. Pienso en mi madre, esculpida en cera, en la pandera de la madre de Samir, olvidadas ambas en el sótano de una casa con buganvillas. Bordo sin descanso, soy invisible, ni una sombra sobre mi colcha.

13

El amuleto bereber

Marina, ¿eres tú? Marina, en blanco y negro, no puedo dejar de mirarte. ¿Es este tu rostro? La fotografía contra el pecho.

—¡Armand! ¡Armand! —Flora se adentra en el pasillo que parte del salón hacia las habitaciones.

Con una cartera de documentos bajo el brazo, él sale del despacho. Flora le conduce de la mano al salón, frente al gran ventanal por donde entra el cielo, su luz, vuelos de gaviotas. Se da cuenta de que retrasa hacerle la pregunta, quiere vivir ese instante donde existe la posibilidad de que la mujer de la foto sea Marina. Mira los ojos de Armand. Sonríe.

—¿Qué ocurre? —Él le devuelve la sonrisa.

—Esta chica disfrazada de gaucho argentino, ¿la reconoces? —le pregunta, mostrándole la fotografía.

Armand se pone las gafas para ver de cerca que lleva en el bolsillo de la chaqueta y tarda unos segundos en contestar.

—No sé quién es. La niña que está en primera fila vestida de arlequín es mi tía abuela. Aquí debe de tener unos diez años.

Extrae la foto del marco de plata y le da la vuelta. Con una caligrafía sepia, alargada, está escrito:

Purim, marzo, 1928
Fiesta de disfraces, hotel Continental

—Es ella —dice Flora.

—¿Quién?

—Marina Ivannova, la protagonista de la novela. Esta fiesta se relata en uno de los capítulos. Coinciden la fecha, el hotel, los disfraces. Bella Nur me contó que había encontrado los diarios de Marina y los había transcrito. Todo es verdad. Si pudiera hablar con tu tía, quizá ella recuerde a Marina. Creí que no podría localizar a nadie vivo y relacionado con la novela, salvo a la escritora.

—Tenía pensado ir a verla. Quizá sea la última oportunidad que me quede. Mi padre, que la visitaba todos los veranos, decía que vive más en el pasado que en el presente, pero quitando eso, tan propio de su edad, la cabeza le funciona perfectamente.

—En este caso, que viva más en el pasado facilita que pueda acordarse de Marina.

—¿Qué te ocurre con ese libro? Ya has hablado con Bella Nur y aún sigues buscando algo.

—La huella de los protagonistas. Quiénes fueron.

—¿Y eso no lo cuenta el libro?

—Sí, pero es tan fascinante hablar con alguien que los haya conocido...

—Tienes que prestarme la novela, quiero leerla para poder seguirte.

—Claro, así me ayudarás a investigar.

Flora se pregunta si le contaría a Armand la verdad sobre la búsqueda de Paul. Si le contaría que ella también ha conocido a un personaje. Que ha sido su amante aunque por una única noche.

—Aparte de bloguera, eres detective literaria entonces. —Él le aparta un mechón de pelo que le cae sobre el rostro.

—No se me había ocurrido la idea, me gusta. Puede ser una sección del blog. Investigar los lazos de unión entre la vida del escritor y su obra, entre la obra y la realidad.

Flora está eufórica. Mientras Armand pasa las páginas de una agenda que hay sobre un velador con un teléfono negro del siglo pasado, ella examina una a una las demás fotos del piano por si encuentra en otra a Marina, o a cualquier otro personaje de la novela. No reconoce a nadie más. De nuevo vuelve a la joven rubia con su disfraz de gaucho, está magnífica. Comprendo que Matthew se enamorase de ella nada más verla, piensa. Se parece un poco a la mujer que había imaginado, aunque es más delgada. Una belleza del norte, de sangre rusa.

Armand habla por teléfono primero en francés y después en español. ¿Es posible que su tía también conociera a Paul?

Cuelga.

—Podemos ir a visitarla esta misma tarde, Flora. Nos ha invitado a tomar chocolate a las cinco.

—¿Es costumbre en Tánger lo del chocolate en vez del café o el té?

—Entre las mujeres judías, sobre todo el siglo pasado.

—Bella Nur también bebe chocolate y es bereber.

—Habrá tenido amistades judías. Ya te dije que en

Tánger éramos todos un poco todo. He de ir en una hora a ver al abogado, almorzaré con él.

—¿Aunque sea domingo?

—Sí, es un viejo amigo de la familia. Se ocupaba de los asuntos de mi padre y aún cuida de los de mi tía. ¿Qué te parece si te recojo en el hotel sobre las cuatro y media? Llévate la foto de Marina.

—Nos hará falta, sí.

—Voy a enseñarte el resto de la casa.

Flora le sigue por el pasillo. Necesita poner sus notas en orden, relacionar datos, darle vueltas a la idea que se le acaba de ocurrir.

Cuando llegan a la habitación donde Armand dormía en su infancia, Flora ve que en la pared hay expuestos varios dibujos, incluso alguno enmarcado.

—Mi padre nunca los quitó. Ni quiso deshacerse de la casa, aunque emigramos. Aquí vivió su hermana durante muchos años y cuando murió tampoco quiso venderla. Y ahora me toca a mí hacer lo que él nunca pudo.

—¿Y los muebles, las fotografías?

—Mi hermano y mi mujer dicen que los venda... No sé si voy a poder. Todo lo personal que quiera mantener, como las fotografías de la familia, tendré que llevarlo conmigo a Marsella.

—Por ahora salvemos tus dibujos.

Los desclavan de la pared y Armand los guarda en la cartera con el resto de los documentos. Ya son las doce y media. Regresan al salón, él cierra las contraventanas y la casa se sumerge de nuevo en su aroma de otro siglo.

Flora ha pedido el almuerzo al servicio de habitaciones del hotel. En la bandeja, un cuscús de pollo se enfría mientras ella repasa las notas de la libreta y escribe otras nuevas. Tiene el portátil encendido para escuchar música, bandas sonoras de películas. Deidé la llama por Skype. Es temprano en Buenos Aires. Bebe una taza de café. Bolsas bajo los ojos; el cabello negro, enmarañado aún por el sueño.

—Te pareces a Cher, Deidé.

—No jodás, Florita, que recién me levanté pensando en vos. ¿Qué hacés por allí? Me tenés preocupada. ¿No te habrás metido en otra caracola ajena?

—Me pillas intentando poner en claro mis notas. ¿Qué puntos de unión hay entre la vida de Bella Nur y su novela? Ayer me invitó a tomar chocolate a su casa y es la casa afrancesada donde vive la protagonista en su infancia. Sí, ya sé lo que me dices siempre, que el escritor utiliza su vida para su obra. También descubrí en un dormitorio una colcha igual que la que bordaba la protagonista. Ella me dijo que encontró los diarios de ella en la casa, los transcribió y por eso conoce la historia.

—¿Vamos a jugar a los detectives en vez de contarme cómo estás vos y esa obsesión por el tal Paul?

—Bella Nur le conoció, Deidé, y no solo en los diarios de Marina; en la vida real. Pero ¿cuándo le conocería? Me dio a entender que hace muchos años.

—La última vez que vos y yo hablamos, concluimos que Paul era un Dorian Gray que lleva arrastrándose por el mundo, igual de bello..., ¿desde cuándo?

—En 1951 tenía treinta y nueve años. Me pregunto qué personajes de la novela podrían estar vivos en 2015 para entrevistarlos.

Flora guarda silencio y mira fijamente la pantalla del ordenador.

—Parece que me vas a hipnotizar, me das miedo, Florita —le dice Deidé.

—El personaje de Laila.

—No sé, querida, de qué personaje me estás hablando. Entraste totalmente en el juego detectivesco y me confundiste con el doctor Watson.

—En abril de 1946, cuando Marina regresa de Los Ángeles, Laila tiene doce años. Debió de nacer, por tanto, en 1934.

—O en 1933, si nació en meses posteriores a abril.

—1933, esa fecha me resulta familiar. —Flora busca en la libreta las anotaciones que hizo en Madrid. Fecha de nacimiento de Bella Nur: 24 de diciembre de 1933. Siente un escalofrío—. Deidé, te quiero: en abril de 1946 Bella Nur también tenía doce años.

—Y como ella otros tantos, Florita.

—Pero esa no es la única coincidencia. He estado ciega. Solo pensaba en encontrar a Paul. Laila es bereber, al igual que lo era su madre, Amina. Bella Nur es bereber. Tiene sus ojos negros, inquietantes, ojos que no envejecen, que parecen vivir por sí mismos.

—¿Y no es posible que inventara un personaje parecido a ella? ¿Qué pruebas tenés de que lo que sucedió en el libro fue real, de que los personajes existieron?

—Tengo una foto de Marina en la fiesta del Purim, en la misma fecha y en el mismo hotel que en la novela. La encontré en la casa familiar de Armand.

—Quizá Bella Nur cogió lo que quiso de la realidad y el resto lo inventó.

—Eso es lo que tenemos que averiguar, querida Watson.

—No voy a entrar en el juego, soy tu psicoanalista y estoy aquí para ponerte los pies en la tierra.

—Escucha, Deidé, hay más coincidencias. Pequeños detalles que son los que construyen una vida. Bella Nur bebe chocolate, como Laila; su madre adoptiva era judía. Por lo visto es muy común entre las mujeres judías, al menos en Tánger. Vive en la casa que probablemente heredaría de Marina, ella no tuvo hijos, y con la casa heredó la colcha y los demás objetos personales de su madre. Es posible que encontrara los diarios de Marina. En el caso de que fuera Laila, también conocería la historia porque su madre se la contó. Bella Nur lo dice en la novela: Marina se la relató siendo niña cuando dormían juntas. Y luego está su pasión por la escritura, su profesión, los juegos literarios. Me dijo que había transcrito *Niebla en Tánger* como Cervantes transcribió en el *Quijote* el manuscrito que encontró del historiador musulmán Cide Hame... no recuerdo ahora qué más. Esto es solo una argucia de escritor. Ha podido mentirme respecto a los diarios de Marina; ¿por qué juega conmigo?, ¿por qué querría ocultarme que es Laila? Y luego está su amor por Proust, por la famosa magdalena. El Proust que leía con Paul, el Paul del que se enamoró, con el que traicionó a Marina, el Paul con el que tuvo un hijo. —Flora siente que le arde el pecho—. Laila estaba embarazada de Paul.

¿Por qué no había profundizado en este hecho? ¿Quizá le dolía pensar que Paul había tenido un hijo con otra mujer? Quizá le dolía la sola idea de que otra mujer fuera madre y ella no, ¿así de mezquina podía llegar a ser?

—Querida, esto es un culebrón más que una novela negra. Traiciones, amantes compartidos, un galán mujeriego, hijos..., por no hablar de esa mujer del saco que me contaste que se llevaba a los hombres malos, ¿cómo se llamaba?

—La Axia Kandisha. Bella Nur me dio a entender que una mujer le pidió a la Axia Kandisha que se llevara a Paul; por los acontecimientos de la novela esa mujer sería Marina, puesto que él la había traicionado con su propia hija. Y su hija la había traicionado con su novio. Doble dolor. Doble venganza. Es el Paul maldito que yo conocí. Y el Paul de Bella Nur, que lleva un amuleto bereber, un amuleto que pudo haberle regalado ella. Otro dato de la vida real que tendería puentes con la historia que se cuenta en el libro. Aunque lleve ese nombre grabado por detrás: Alisha.

—Ahora volvemos de nuevo a nuestro Dorian Gray. ¿Y ese hijo de Laila?

—Es cierto. ¿Sería un niño o una niña? ¿Vivirá aún?

—¿Qué dice la novela sobre ello?

—Nada, ahí termina. Aunque el final es abierto. Por un lado, la autora nos sugiere que es Marina quien mata a Paul, le dispara con su propia pistola en el puerto. Laila ya le ha confesado que está embarazada; por otro lado, sugiere que a Paul se lo lleva el viento, y aquí encajaría la historia de la Axia Kandisha. Un hombre del que una mujer quiere librarse o al que quiere castigar. Marina permanece encerrada en su torre de costura bordando una colcha de selvas que cose y descose, como Penélope su manto, a la espera de saber qué fue de Paul.

—Tendríamos aquí a una persona que no admite el hecho terrible que ha cometido, que lo enmascara con una leyenda. Le resulta tan doloroso reconocerse como la asesina de alguien a quien amaba que su mente lo rechaza, por eso fantasea con la idea de que puede regresar en cualquier momento y ella le espera.

—Deidé, Marina no solo amaba a Paul, también era una mujer que aborrecía todo tipo de violencia. Defendía que ninguna ideología, religión o deseo puede justificar el asesinato de otro ser humano. Luego habría hecho algo contrario a su corazón y a sus firmes creencias. Por eso tiene sentido la cita de Camus con la que termina la novela.

—¿Camus también está en esto?

—Marina utilizaría la cita de Camus para justificar su acto. Un asesinato por despecho, sin premeditación.

—Admitir la culpa de lo que hizo sería muy doloroso para ella. De ahí que pudiera haber padecido algún tipo de psicosis viviendo una realidad inventada, ya que la verdadera le resultaba demasiado traumática.

—Eso es, querida Deidé o querida Watson. Al menos para tu mente de psicóloga.

—Entonces ¿con quién te acostaste vos, Florita? ¿O es que solo lo imaginaste?

Suena el móvil de Flora.

—Deidé, me llaman de la comisaría de policía. —Había quedado con el inspector Rachid Abdelán en que hoy iría a recoger su documentación antes de las seis de la tarde. Aún son las cuatro.

—¿Policía? Me estás preocupando de verdad, querida. ¿No estás jugando demasiado fuerte a los detectives?

¿A ver si sos vos la que está viviendo una realidad inventada para no afrontar su verdadero problema? No sé por qué te lo pregunto si lo estás haciendo y yo alentándote. Huir no sirve de nada.

Flora se despide.

—Te mantengo informada.

Le tira un beso a Deidé y corta la comunicación.

—¿Inspector?

—Señora Gascón, la llamo solo para decirle que tengo que ausentarme de la comisaría. Un compañero le dará los documentos. O bien venga mañana, si no le corre prisa.

—Gracias por avisar.

—¿Ha encontrado ya a su amigo, el desaparecido Paul Dingle?

—Aún no.

—¿Hace cuánto tiempo que le conoce?

Flora respira hondo, ¿debe mentirle más?

—Le conocí en Madrid hace una semana, aunque intimamos bastante. —Flora siente la boca seca.

—Comprendo. He interrogado a algunos de los vecinos que viven en el callejón al que da la puerta trasera del *hammam,* y a una hora que cuadra con su visita a los baños vieron salir corriendo a un chico de unos veinte años, pantalones vaqueros y gorra americana. ¿Le dice algo?

—No. Antes de entrar en el *hammam* tuve la sensación de que alguien me seguía, aunque no podría darle una descripción, además tampoco estoy segura de que sea cierto. Andaba muy distraída por la ciudad esa mañana.

—Está bien. Procure hacer memoria por si hay algún detalle que puede servirnos de ayuda.

Flora se despide del inspector. Son las cuatro y diez y aún está sin arreglar para ir a casa de la tía de Armand. Come un par de cucharadas de cuscús y se viste con unos pantalones anchos de lana negra y una chaqueta de cuadros. Algo clásica para causarle buena impresión a una mujer mayor, de clase media o alta si su familia se relacionaba con los Bensalóm y asistieron a su fiesta en el hotel Continental. Cuando va a salir de la habitación, llaman a la puerta. Cree que es Armand y abre con una sonrisa.

—Han dejado esto para usted en la recepción —le dice un empleado del hotel, y le entrega a Flora un paquete de tamaño pequeño, envuelto en un papel de seda azul.

«Para la señorita Flora Linardi», se lee en una tarjeta.

Reconoce la letra: es de Bella Nur. Desenvuelve el paquete deprisa. Llega tarde, Armand debe de estar ya esperándola en la recepción. Es el libro de Oscar Wilde del que ella le habló: *La decadencia de la mentira*.

Flora sonríe y lo guarda en el bolso.

La tía abuela de Armand se llama Rachel, Rachel Cohen. A Flora le parece una anciana extraordinaria desde el primer momento. Fuma unos cigarrillos finísimos en una boquilla alargada de plata y marfil. Las manos son nudos de huesos con un par de sortijas de brillantes, zafiros y esmeraldas. Es imposible que salgan y entren de sus dedos, piensa Flora, por lo que deben de formar ya parte de ellos. En el cabello, blanco y recogido en un moño de suflé que le otorga a su estatura menguada diez centímetros extra, lleva cuatro prendedores de plata y esmalte. Va vestida con un traje de chaqueta color crema con aire de los años cincuenta, blusa de encaje, una tira bordada le ciñe el cuello delgado, la falda le llega a los tobillos por donde asoman unos botines que a Flora le recuerdan a los de Mary Poppins.

—Armand, querido. —Deja la boquilla en un cenicero y abre los brazos para recibir a su sobrino.

Él la toma con cuidado entre los suyos para no quebrar un esqueleto de cristal.

—Y tú eres la señorita Flora Linardi. —Le estrecha la mano—. Muy hermosa, ojos de muñeca, pelirroja. Las pelirrojas son mujeres apasionadas, el rojo del pelo lo llevan en el corazón. En ocasiones oculto, pero una vez que se enciende es imposible apagarlo. —Con un dedo-joya, tembloroso, le señala el lado izquierdo del pecho—. Dime, ¿a ti se te encendió ya? —Le sonríe pícara. Sus labios finos se pierden en dos filas de arrugas.

—Creo que sí. —Flora le devuelve la sonrisa.

¿Acaso fue obra de Paul Dingle como le ocurrió a Marina y a Laila?

Rachel se gira hacia su sobrino y le acaricia el rostro.

—¿Puedes creer que hace quince años que no veo a Armand? Desde el verano que fui a visitarlos a Marsella, el que me quedé viuda. Se fue mi pobre Jacob. Ahora ya no puedo viajar, los huesos se me rompen con mucha facilidad. Falta de calcio y otra enfermedad cuyo nombre no recuerdo nunca, se me ponen picudos y me pinchan la carne, son cuchillos. No puedo ni salir a la calle. Problemas de vieja. —Da una calada elegante y se sienta en un tresillo de terciopelo verde con paños bordados en el respaldo.

Están en un salón con muebles parecidos a los de la casa familiar de Armand. *Art déco*, elegantes. Un gran reloj de pie preside la estancia. Es de caoba y su esfera dorada de números romanos marca las diez y veinte. Flora se pregunta desde hace cuántos años. Huele a un sutil perfume de limón.

Rachel Cohen le indica a Flora que se siente a su lado en el tresillo y a su sobrino, frente a ellas, en una butaca de damasco rosa.

—Tía, quería enseñarte una fotografía que hemos encontrado en casa.

—¡Tu casa! No duermo, querido, pensando que vas a cometer el sacrilegio de venderla. Con todas las generaciones de Cohen que han nacido y vivido en ella.

Armand entorna los párpados y los ojos de gato desaparecen por un momento.

—Lo sé, tía. Bueno, queríamos enseñarte esta foto por si reconoces a una persona que aparece en ella.

Flora la saca del bolso y se la muestra a la anciana.

—No veo nada, queridos.

Rachel se ajusta unas gafas con montura de carey que hay sobre una mesita, delante del tresillo. Sus ojos, pequeños y velados por la vejez, se convierten en dos canicas verdes con las lentes de aumento.

—¡Ah! —La anciana se lleva una mano a la frente—. La fiesta de Purim en el hotel Continental. Mira, Flora, yo soy esta pequeña que va vestida de arlequín. —Se inclina hacia ella con el dedo sobre la fotografía—. Debía de tener...

—La fiesta fue en 1928, tía, lo pone por detrás.

—Nueve años, eso es. Qué poco pudor se tiene ya para decir la edad cuando una es más que vieja, casi centenaria. —Da otra calada de diva—. Qué fiesta tan magnífica.

—Tía, la joven que va disfrazada de gaucho argentino, rubia, a tu derecha, ¿la reconoces?

Rachel se incrusta las gafas en el puente de la nariz y la observa unos segundos.

—¡Ah! —Echa la cabeza hacia detrás. Se atusa el moño de suflé por si se le ha salido algún cabello.

Flora teme que los latidos de su corazón puedan oírse en la estancia, que Armand y su tía crean que el viejo reloj ha vuelto a funcionar con su mecanismo de tictac.

—Cómo no voy a acordarme. —Deja las gafas sobre la mesita—. Recuerdo mejor esa época que lo que he hecho esta mañana. —Apaga el cigarrillo en un cenicero de cristal de Murano—. Era muy guapa. A mí me fascinaba su cabello rubio, casi blanco, y liso, creía que en verdad era una sirena que había salido de las aguas del Estrecho. Piel de nácar, ojos azules. Muy delgada. La observaba siempre con admiración. Era de padre ruso, católico —susurra Rachel—, y madre judía. Un escándalo de principios de siglo, según me contaba mi madre. Los dos muertos jóvenes, ella primero, él algo después. La criaron sus abuelos maternos. Muy amigos de tus abuelos, Armand, de mis padres, de los Bensalóm.

Los brazos de Flora se erizan bajo la chaqueta.

—Se llamaba Irina.

—Irina, no, Marina —dice Flora.

—No, Irina —insiste Rachel—, lo recuerdo perfectamente. Irina Ivannova. Tenía el nombre de la abuela paterna. Una rusa de la aristocracia que murió durante la Revolución roja. Fue una mujer que dio mucho que hablar, había nacido del escándalo y ella lo continuó. Por eso yo acabé admirándola aún más que cuando era la niña vestida de arlequín.

Bella Nur le cambió el nombre en la novela, piensa Flora.

—Se casó con un americano que conoció precisamente en la fiesta del hotel Continental. Luego se hizo actriz. ¿Veis?, cómo no me voy a acordar, mi admirada sirena se convirtió en una actriz de Hollywood. No fue muy famosa. Por lo visto la perjudicó la llegada del sonido, no sé por qué, yo recuerdo su voz muy hermosa. Regresó a Tánger poco después de la guerra, divorciada. Yo para entonces ya me había casado con Jacob y tenía a uno de mis hijos. Para más escándalo convirtió la casa de sus abuelos en un hotel. Dar Kasbah se llamaba. Daba unas fiestas magníficas en sus salones. Lo frecuentaban artistas como Bowles y su mujer, Jane. Dicen que también asistían millonarios, Barbara Hutton, e incluso que se alojó Churchill. Jacob y yo a veces íbamos a cenar y a bailar. Tengo la boca seca.

Rachel tira de un cordón de seda y una mujer árabe, ataviada con uniforme blanco y negro de doncella, aparece enseguida en el salón.

—El chocolate y vasos de agua, por favor, Fátima. ¿Por dónde iba? —La anciana se pasa la lengua por los labios.

—¿Cómo puedes conocer tantos detalles, tía?

—Querido, quizá tú no lo recuerdas, pero en Tánger,

y más en esos tiempos, todo se sabía, todo se rumoreaba entre las principales familias. Y ella llegó a ser un personaje muy famoso en la ciudad por el hotel, sus fiestas con celebridades, y por otras cosas más, digamos, escabrosas. Tuvo amantes después de su regreso de América y muy sonados. Primero un hombre, musulmán y pobre, al que rescató de no recuerdo qué oficio del pueblo. Se lo llevó a trabajar al hotel y le vestía a su antojo como un muñeco para lucirlo en las fiestas.

Samir, se dice Flora. Todo es verdad. Le suda la nuca, las manos. Quiere quitarse la chaqueta, pero está tan fascinada que no puede moverse.

—Era un hombre de aspecto inquietante, con un parche en un ojo y un cabello de jeque que te hacía temblar. Luego Irina adoptó a una niña musulmana. Se rumoreó que era hija suya y del amante del parche, que la habían tenido antes de casarse ella en una aventura juvenil porque la adoptó ya casi adolescente. Aunque las fechas no cuadraban. Con la guerra de por medio, Irina no había pisado Tánger desde que se fue con el americano después de una boda muy rápida. No podía ser su madre. Luego se supo la verdad: que era una protegida de su niñera, una mujer del Rif a la que ella adoraba porque la había criado desde su nacimiento.

Ankara. Flora va reconstruyendo la novela en su cabeza.

—¿Qué sabe de la niña? ¿Aún vive, qué fue de ella? —le pregunta a Rachel.

Su corazón va a poner de nuevo en marcha el reloj de caoba.

—Era una criatura hermosa, una auténtica bereber,

de cabellos como el carbón. Desapareció de la comunidad judía al morir Irina. Ella nunca dejó de ser musulmana. Sé que se marchó a Francia y también a Túnez y vivió allí bastante tiempo.

La doncella entra en el salón con una bandeja de plata y la deja sobre la mesita. Vasos de agua de cristal labrado, chocolatera de porcelana inglesa, delicadas flores moradas a juego con las tazas y los platitos y, en vez de magdalenas de Proust, pastelitos de crema y nata.

—De la pastelería Pilo, Armand. Me acuerdo yo de que eran los que te gustaban de niño. Le hice ir a Fátima a por ellos en cuanto recibí tu llamada. Te dije que vinieras hoy mismo por si me moría esta noche y me iba a la tumba sin verte.

—Tía, eres maravillosa —dice Armand llevándose un pastelito a la boca.

La doncella sirve chocolate en las tazas. Pregunta en francés si la señora desea algo más. Rachel le indica que puede marcharse.

—Cualquier cosa por mi sobrino. —Bebe a sorbos pequeños el vaso de agua.

—¿Estás cansada, tía?

—No, querido, me habéis dado la vida esta tarde. Recordar esa época, en la que era joven y feliz con mi Jacob, me hace rejuvenecer.

—¿Recuerda cómo se llamaba la niña? —le pregunta Flora. Da un sorbito de chocolate, deja la taza con cuidado en el platito para disimular su ansiedad.

—La niña adoptada de Irina, ¿cómo se llamaba? Con ella tuve menos contacto.

—¿Laila, quizá? —le sugiere Flora.

—No, Laila, no. —La anciana coge un pastelito y lo sostiene en la mano—. Empezaba por A, era algo como... Alisha. Eso es, se llamaba Alisha Levingstone, porque Irina mantuvo su apellido de casada con el americano a pesar del divorcio. Decía que un apellido americano le abría más puertas. —Rachel muerde el pastel, satisfecha.

El amuleto lleva el verdadero nombre de Bella Nur, que es solo su seudónimo como escritora, piensa Flora. Tiene que ser ella. La hija de Irina, Laila en la novela. Ella debió de reconocer el amuleto porque fue un regalo suyo a Paul. Para que quien lo lleve encuentre su destino, me dijo el hombre de la tienda. Estoy segura de que el destino que le deseaba a Paul tenía mucho que ver con que estuvieran juntos.

—¿Conoce a la escritora Bella Nur?

—Sí —responde Rachel—. No soy muy aficionada a la literatura, siempre me han gustado más las revistas. —Ríe—. He sido y soy un poco mundana. He oído y leído sobre ella.

—¿Sabe si es Alisha Levingstone? —le pregunta Flora.

—Es posible. De hecho lo comentó alguna de mis amigas en las tertulias que celebraba antes en casa, ahora soy la única que está viva y solo me queda hablar con los espíritus. —Sonríe.

—Tuvo un hijo siendo muy joven, ¿no es así? —Flora da otro sorbo de chocolate.

—¿Alisha, un hijo? ¿Cuando aún vivía Irina?

—Sí. Como en 1951, bueno, daría a luz en 1952. —Si es que apenas se le notaba el embarazo cuando desapareció Paul el 24 de diciembre, piensa Flora.

—Nooo, quien tuvo un hijo por esa fecha fue su madre, Irina.

El vientre de Flora se convierte en hielo.

—No es posible. Marina, quiero decir, Irina no tuvo hijos. Era demasiado mayor. Tenía cuarenta y dos años.

—¿Por qué dices eso con tanta seguridad, Flora? Claro que lo tuvo, un niño. Fue bien sonado el tema en la comunidad judía por muchas razones. La primera porque se casó deprisa y corriendo. Por entonces había cambiado al hombre musulmán del parche en el ojo por un francés exquisito, se llamaba Paul Dingle. Era un hombre guapísimo, con unos ojos azul marino.

Flora se estremece. Marina se casó con Paul. Se enciende un cigarrillo.

—Pianista en el hotel. Cantaba canciones francesas con una voz que te embrujaba. Irresistible. —Le dirige a Flora una mirada de complicidad y coloca otro pitillo en la boquilla. Lo enciende con coquetería—. Se sabía que era el amante de Irina, el novio más bien. Y luego se casaron porque esperaban un hijo. Sin embargo, él desapareció a los pocos días sin dejar rastro. —Da una calada misteriosa—. Por eso os decía que fue un caso muy sonado, salió hasta en el periódico. No se sabía si le habían asesinado, hubo testigos que le vieron discutir con un hombre. Algo se rumoreó de una deuda de guerra pendiente. Se abrió una investigación policial, buscaron al francés por todas partes, hasta interrogaron a Irina y la consideraron sospechosa. La estuvieron vigilando durante un tiempo. Fue horrible. Pero jamás le encontraron. No había cuerpo, no había caso. Era como si se lo hubiera tragado la tierra. Nunca se supo qué pasó con el francés.

Rachel se recuesta en el respaldo del tresillo. Tiene las mejillas congestionadas.

—Tía, te estamos fatigando mucho.

—Querido, me emociono al recordar esta historia de final tan triste. Irina Ivannova me fascinaba, ella y su vida. Era una gran mujer, adelantada a su tiempo, de una energía extraordinaria. Y tan bella con su pelo de sirena. Con la desaparición del francés, cambió. Las fiestas en el hotel se terminaron.

—¿Y dice que Irina tuvo un niño? —insiste Flora.

—Sí, estoy segura. Le puso el nombre ruso de su padre: Iván. Eso es, se llamaba Iván Dingle. Irina murió cuando él tendría unos dieciocho o veinte años. Recuerdo que enterró a su madre y se fue a Francia a la Universidad de la Sorbona, donde había estudiado, por lo visto, el padre. No era tan guapo como él, ni tenía esos ojos de un azul enigmático. Y no volvió a Tánger, que yo sepa. Por entonces ya no éramos la ciudad internacional y se produjo la diáspora. Muchos de nosotros, la familia de Armand y tantos amigos, emigraron. La ciudad cambió.

—¿Irina murió joven, entonces?

—Con sesenta y pocos años. Una pena. Se la llevaron unas fiebres, peritonitis, creo que le dicen ahora.

Bella Nur también me mintió con respecto a la muerte de Marina, piensa Flora. No llegó a la vejez.

—¿Y mantendría el pequeño Iván contacto con su hermanastra, Alisha?

—No podría asegurártelo. Alisha no vivió con ellos,

de eso estoy segura, se había ido a Francia a estudiar. Tendría lo menos diecisiete o diediocho años.

—¿Y el hotel, tía, qué fue de él? —pregunta Armand.

—¿El Kasbah? Aún funciona. Mantiene el mismo nombre que lo hizo famoso. Dar Kasbah. El hijo lo vendió al morir Irina, tenía problemas económicos por lo visto, ahora es de un matrimonio español. Aunque no es ni sombra de lo que fue, como no lo es el Minzah. Aquel mundo, el Tánger de la ciudad internacional, tú lo sabes, Armand, se desvaneció. Vive en nuestro recuerdo, en la nostalgia. Es como un estado de ánimo, ¿verdad, querido? Un Camelot que ya no se volverá a repetir.

El frío de la noche refresca el rostro de Flora. Enciende otro cigarrillo y camina junto a Armand por la calle Italia. Puestos de verduras y frutas en pequeños carros, en cartones sobre el suelo donde está escrito el precio de la mercancía. Turistas. Gatos. Tiendas de especias, de cazuelas de barro, junto a restaurantes y cafés con aire bohemio. Un olor a basura, a excremento, a jazmín, a la brisa que llega a bocanadas del puerto.

—Tu tía me ha contado la historia de la novela —dice Flora—. Bella Nur cambió su nombre y el de la protagonista, aunque mantuvo el de Paul Dingle. También cambió el final. Aún estoy conmocionada. En la novela Irina no tiene un hijo, sino Laila, que así es como llama a Alisha. El padre también es Paul.

—¿Se acuesta con el marido de la madre?

—Con el novio, en la novela no hay boda.

—Le ha añadido un toque de culebrón.

—O más aún.

—¿Crees que Bella Nur es Alisha Levingstone?

—Sí. Ayer en su casa, me habló de un libro de Oscar Wilde, *La decadencia de la mentira*. Los escritores escriben mal porque se ciñen demasiado a la realidad, eso decía Wilde de los de su generación. Ella le ha seguido. Ha mentido en lo que más le dolía, me temo. La relación de su madre con el hombre que amaba, Paul Dingle. El arte no debe imitar a la vida, sino la vida al arte, proclamaba Wilde; eso le hubiera gustado a Bella Nur. Que la vida hubiera sido como ella la ha escrito. Sus palabras exactas fueron: «yo no mentí, creé vida».

Flora imagina a Deidé diciéndole «¿ves?, te lo dije, Florita, los escritores son todos unos narcisistas, unos mentirosos patológicos».

—¿Vas a escribir lo que has averiguado en el artículo para el blog?

Flora está a punto de preguntarle a qué blog se refiere.

—No lo sé. Ahora mismo estoy confusa.

—Parece mentira que la desaparición de ese hombre, Paul Dingle, siga siendo un misterio después de tantos años. Perder a tu marido, al padre de tu hijo, debe de ser muy duro, pero no saber qué ha sido de él... La esperanza es el peor de los males en algunas ocasiones, no permite avanzar.

Flora se ve cada mes esperando que se le hinche el vientre. Que su marido la desee.

—Tienes razón. Por algo estaba en la caja de Pandora junto al resto de los males del mundo. Y fue el último que escapó.

Se agarra del brazo de Armand. Él le aprieta la mano.

Desea contarle que no se llama Flora Linardi, sino Flora Gascón, traductora de instrucciones de batidoras y otros electrodomésticos; que Paul Dingle fue su amante de una sola noche; que ha ido a Tánger a buscarle, a averiguar qué fue de él. Calla. Los rondan dos gatos, los esquivan. Caminan en silencio. A Flora le parece lejana su vida y, sin embargo, cada día que pasa la tiene más presente.

—¿Sabrías llegar hasta la tumba de Ibn Battuta? —le pregunta a Armand.

—Me lo has puesto difícil. Y más de noche.

—Tienes ojos de gato. Ves en la oscuridad más de lo que crees.

—Ah, sí. —Él sonríe—. Voy a intentarlo. Antes conocía el camino.

Son las ocho de la tarde. Las luces de las tiendas que aún permanecen abiertas alumbran las calles de la Medina. Se venden alfombras, joyas y telas antiguas, pasteles de hojaldre y miel, perfumes, aceite de argán, caftanes artesanos, camisetas de futbolistas europeos. Las calles se estrechan cada vez más y ascienden hacia la fortaleza. Es una noche borrosa. El cielo parece un riachuelo de niebla que serpentea sobre las cabezas de Flora y Armand, de los turistas descarriados y de los tangerinos que van y vienen por una ciudad que ya les pertenece.

—Hemos vuelto de nuevo al Zoco Chico —dice Armand.

Flora se ríe.

—Subamos por otra calle, probemos suerte por esa —sugiere señalando una que hace esquina con el café Tingis.

A esa hora el Zoco Chico está muy concurrido. Flora

enciende otro cigarrillo. Por un lado quiere llegar al hotel y escribir en su libreta la información que le ha dado Rachel Cohen y decidir qué hacer; por otro, siente que necesita un descanso, dejarse llevar del brazo de Armand en esa noche fría, sin preocuparse de nada más. Abandonarse a la calidez que él desprende.

Se ha levantado viento. Es húmedo, trae el aroma del mar. Entre el gentío que se arremolina en la esquina del café, Flora distingue la silueta de un hombre. De espaldas. Chaquetón y pantalones oscuros. Reconoce su forma de andar, su cabeza, su cabello. Por el pecho le corre un torrente de agua. ¡Paul!, chilla, primero en sus entrañas. Se suelta del brazo de Armand, que la mira desconcertado.

—¡Paul!

Corre tras él. El hombre se funde entre el gentío.

—¡Paul!

Tuerce por el callejón que asciende hasta la tumba de Ibn Battuta.

—¡Paul!

Las lágrimas se agolpan en sus ojos. Flora acierta a ver su sombra adentrarse más en la caracola de la Medina. Una calleja tras otra. A lo lejos le parece oír la llamada del muecín.

—¡Paul!

Le pierde de vista. Bajo la luz fantasmal del río de niebla, Flora reconoce la tumba de Ibn Battuta. Le cuesta respirar. Siente una opresión en el pecho, va a perder el conocimiento. La puerta que custodia la tumba está cerrada. Flora apoya las manos en ella para intentar sostenerse. Allí Paul disparó al hombre manco..., luego Marina y él huyeron... «Fue un caso muy sonado», recuerda las palabras de Rachel. Lucha por mantener los ojos abiertos, tose... Paul con sus pantalones negros y su jersey de rayas... Paul en el viento que llega del mar..., en la noche borrosa... Paul, ¿por qué me has guiado hasta aquí?... Si me muero junto a la tumba de Ibn Battuta, ¿podré hablar contigo como Laila con su madre en el cementerio?... ¿Qué es lo que quieres decirme?...

14

Wilde

Flora Gascón se despierta con la frialdad de un muerto. Destapada y aún sufriendo las visiones de las pesadillas que la han acuciado durante la noche, escucha el sonido de su teléfono móvil y contesta de inmediato. Es Armand.

—¿Cómo te encuentras? Menudo susto me diste ayer.

—Lo siento, Armand, creo que estoy demasiado cansada y tengo que dejar el tabaco de una vez por todas. Me ahogaba.

—Por casualidad se me ocurrió ir a buscarte a la tumba. Y cuando te vi allí tirada... Menos mal que recuperaste el conocimiento enseguida. Creo que deberías ir al médico.

—De verdad que estoy bien. Solo se me abrió de nuevo la herida del labio. ¿Has desayunado ya?

—No, te estaba esperando.

—Dame veinte minutos. Acabo de abrir los ojos.

Flora cuelga y se despereza. Anoche, cuando llegó al hotel, en vez de acostarse y descansar, se puso a leer el libro de Wilde. Devoró las páginas hasta que se quedó dormida con él entre las manos. Era como si le estuviera hablando Bella Nur. Flora ha subrayado varios pasajes que cree importantes para su investigación:

Las únicas personas de verdad son las que nunca existieron, y si un novelista tiene la vileza de tomar de la vida sus personajes, al menos debería aparentar que son creaciones y no hacer alarde de que son copias. Lo que justifica a un personaje de novela no es que otras personas sean como son, sino que el autor sea como es. De otro modo la novela no es una obra de arte.

La clave del misterio está en la escritora, como estuvo desde el principio, se dice Flora. Ella es la pieza fundamental del puzle. Le duele la cabeza, apenas puede pensar.

«... escribir novelas tan coincidentes con la vida que es imposible aceptar su verosimilitud.»

«El arte se debe a sí mismo. No debe atender a la verdad.»

Qué bien cumplió esta premisa, piensa Flora mientras deja que el chorro de agua caliente de la ducha le reconforte el cuerpo maltrecho por una noche de fantasmas.

Armand la espera en la mesa del comedor donde suele sentarse, junto a la ventana. Está muy atractivo con una camisa negra y unos pantalones vaqueros. El cabello aún húmedo, peinado hacia atrás.

—He pedido café.

—Te lo agradezco. Lo necesito.

—Flora, ¿quién es el hombre al que creíste ver ayer? Le llamaste Paul. ¿Pensaste que era el hombre que desapareció, Paul Dingle? ¿Es que se parecía a como Bella Nur lo describe en la novela?

Flora unta mantequilla en una de las tostadas que Armand ha llevado a la mesa.

—Armand, cómo te lo explicaría. Entiendo que pueda parecerte una paranoica que ve personajes de una novela en pleno zoco, u hombres desaparecidos en el año 1951. Y aun así quieres desayunar conmigo. Eres un encanto.

—Ese Paul no puede estar vivo, Flora. Sería una reliquia.

—Lo sé.

—¿Cuántos años tenía cuando desapareció?

—Treinta y nueve. —Y entonces Flora decide que sí, que debe contárselo—: Armand, tuve una aventura en Madrid con un hombre que era físicamente igual que Paul Dingle o muy parecido al menos. Llevaba el mismo anillo que se describe en la novela y el retrato en la cartera de un hombre vestido de militar, como Paul Dingle en *Niebla en Tánger*. Y además, tenía el libro en su mesilla de noche, desmenuzado, lleno de anotaciones y post-it.

El camarero lleva una jarra con café y otra con leche caliente.

—¿La señora querrá tortilla o huevos fritos o revueltos? —le pregunta en francés.

—Nada, gracias.

—¿Cuándo sucedió eso, Flora?

—Hace poco más de una semana. El viernes 11 salí a cenar con mis amigas del colegio, le conocí en un pub y pasamos la noche juntos. Ese domingo habíamos quedado en encontrarnos en un café de Madrid y no acudió a la cita. Es todo lo que sé de él. Y unos cuantos mensajes apasionados que me envió y un teléfono al que no contesta. Compré la novela que él leía y lo demás ya lo sabes.

—Viniste a Tánger a buscarle, a averiguar qué pasaba.

—Algo así.

—¿Puedo preguntarte por tu marido?

—Es funcionario del Ministerio de Justicia, le apasiona la televisión. No discutimos nunca, o casi nunca. No me pone una mano encima o apenas me la pone, y así es difícil tener hijos. Quizá tampoco sea culpa suya, quizá soy yo, que ya soy demasiado mayor y fracaso mes tras mes.

—El que no os acostéis no ayuda, desde luego.

—Por lo demás se podría decir que llevamos una vida cómoda, perfecta, tan perfecta que es inexistente.

—¿Lo has hablado con él?

—Dice que no pasa nada, que me quiere. Solo es el día a día, que le agota. Tiene discusiones constantes con su jefe, que no deja de fastidiarle. Me siento en la obligación de ser comprensiva, de disculparle.

Flora da un mordisco a la tostada. Me he levantado sincera, piensa, quizá demasiado. No podía mentir más a Armand. Al contrario, se siente bien al habérselo contado.

—Yo estoy en una situación parecida con mi mujer —dice él—. Llevamos treinta y tantos años casados y nos hemos distanciado tanto que podríamos decir que cada uno hace su vida. Yo no he tenido amantes y supongo que ella tampoco, pero nuestra convivencia es pura inercia, siento que vivo en una especie de letargo, en el que me he acomodado y del que no sé cómo salir, o lo sé y lo temo.

—Vivir anestesiado. Mi psicoanalista dice que es más fácil que romper con la rutina, por todo lo que ello conlleva. Nuevos riesgos que afrontar.

—Tienes un psicoanalista, al menos, eso es un primer paso, Flora, buscas la forma de solucionarlo.

—Se ha convertido en una gran amiga.

Beben café.

—La muerte de mi padre ha sido un revulsivo. Ya huérfano, me pregunto quién soy, qué he hecho con mi vida y si es esta la que quiero llevar hasta que me muera. Tenía asuntos que solucionar con mi padre, los fui aplazando por falta de tiempo, por no saber cómo afrontarlos, y ahora ya no tiene remedio. Se ha ido. ¿Quiero que me pase lo mismo con el resto? Este viaje a Tánger, a pesar de que refunfuñé un poco porque me tocaba venir a mí a encargarme de todo, ha sido una vía de escape. La oportunidad de estar solo, de parar la máquina engrasada del día a día que te engulle y te agota. Regresar a mis orígenes, a mi ciudad, al niño que soñaba con ser artista, con pintar el mundo. Indagar en el hombre en que me he convertido. Y además he tenido la suerte de encontrarte, de compartir contigo momentos como este.

—Tánger es una especie de Camelot, un estado de ánimo, como decía tu tía. Venimos los perdidos, los que huimos de nuestro mundo real porque no sabemos qué hacer con él. —Flora sonríe.

—Venimos a la ciudad que fue y ya no es.

—A descubrir la nueva, quizá.

—¿Y si esta noche nos vamos a escuchar música tradicional a un local que hay en la plaza de la Kasbah?

—Me encantaría —responde Flora, y da otro mordisco a su tostada.

Armand se ha marchado a otra reunión con el abogado y luego a una empresa de subastas como opción para deshacerse de los muebles de la casa familiar. Hace un día soleado en Tánger. Flora ha subido a la azotea. Saca la cajetilla de tabaco del bolso, la abre, juega con la boquilla de un cigarrillo y la guarda de nuevo sin fumárselo. Mira hacia el Estrecho mientras piensa en lo que le sucedió anoche. ¿Por qué llegó hasta la tumba de Ibn Battuta siguiendo a Paul? ¿Y si no fuera casual? ¿La guio Paul hasta allí por alguna razón?

Cada vez está más convencida de que quería decirle algo. Las palabras de Rachel Cohen vuelven a ella: «Fue un caso muy sonado, salió hasta en el periódico». Flora abandona la azotea. Baja la escalera del *riad* deprisa, se le acaba de ocurrir una idea.

—¿Hay alguna hemeroteca en Tánger? —le pregunta al recepcionista.

La biblioteca del Instituto Cervantes se llama Juan Goytisolo en honor al escritor español, y sí, tiene una hemeroteca.

—¿Qué está buscando? —le pregunta a Flora una mujer joven con aspecto agradable.

—Periódicos de unos días concretos del mes de diciembre de 1951.

—Tenemos el *Diario España* de esas fechas.

—¿Cómo puedo buscarlo?

Ella la guía hasta uno de los ordenadores y le muestra cómo debe realizar la búsqueda.

—El *Diario España* se leía mucho en la Península, sobre todo en Andalucía, porque no sufría la censura de Franco, ¿comprende? Era prensa libre. En esa época tenía mucho valor. Quizá hoy debieran aprender también de su espíritu. —La mujer sonríe.

Flora se queda sola frente al ordenador. Si Paul Dingle desapareció la noche del 24 de diciembre, como pronto saldría la noticia el día 26 o el 27. El 25, día de Navidad, no habría prensa. Flora comienza su búsqueda por el día 26. Lee noticias de todo tipo, pero nada relacionado con lo que le interesa. Al llegar al día 27 tiene más suerte, en la mitad del periódico hay una pequeña nota que dice: «Se encuentra muerto de un disparo a un hombre en la tumba de Ibn Battuta. Aún se desconoce su identidad».

Día 28, una breve columna:

El hombre hallado muerto en la tumba de Ibn Battuta ha sido identificado como Michel Lefont, de nacionalidad francesa. Sirvió en el cuerpo de Paracaidistas de la Francia Libre durante la guerra, donde sufrió la amputación de un brazo al estallarle una bomba en el campo de batalla. Algunos testigos lo vieron discutir con un hombre que ha sido identificado como Paul Dingle, quien trabajaba como pianista en el hotel Dar Kasbah. Dicho hombre desapareció la noche de Nochebuena, el mismo día del asesinato. Las investigaciones policiales concluyen que su esposa, Irina Levingstone, dueña del hotel Dar Kasbah, fue la última persona que le vio con vida. Ha testificado que tras encontrarse con él en el puerto, su marido no regresó a casa.

Paul asesinó al hombre manco. Debió de morir al poco tiempo de que huyera junto a Marina. Bella Nur omitió esa información en la novela, lo que le daba a Paul un motivo para haber huido de Tánger. La policía le estaba buscando. He aquí una nueva hipótesis para la desaparición de Paul. Sin embargo, el periódico coincide con la novela en que Marina fue la última persona que vio a Paul vivo. ¿Llegaría él a la casa afrancesada?, ¿se encontraría con Samir en ella? Samir tenía motivos para desear la desaparición de Paul, al igual que Laila-Alisha. Su amante se había casado con su madre e iban a tener un hijo. Marina (Irina) ¿también tenía motivos? ¿Había descubierto la relación entre su hija y su marido, tal y como relata la novela? ¿Hasta dónde llega la verdad de Bella Nur? ¿Hasta dónde el arte ha modelado esa materia bruta que es la vida real? ¿Dónde empieza y termina la ficción? Estos son los pensamientos de Flora cuando abandona el Instituto Cervantes.

Camina por la calle ensimismada en ellos. Ha decidido pasar por la comisaría para recoger sus documentos. No puede aplazar más su encuentro con el inspector Abdelán, y además necesita su pasaporte para volver a España en dos días. Tuerce por una de las callejas más estrechas camino de la Medina, cuando oye chirriar unos neumáticos y un coche se le viene encima. Flora corre hacia la acera, el coche se sube a ella también, pero en el último momento, en vez de atropellarla, la esquiva y continúa a gran velocidad calle abajo. Nadie se acerca a Flora. Las pocas personas que había alrededor se limitan a mirarla. De nuevo le cuesta respirar. Tiene una opresión en el pecho, las mejillas congestionadas. Se apoya en la pared e intenta recobrar el aliento. Iba demasiado absorta en las distintas hipótesis sobre la desaparición de Paul y no ha visto el coche, ¿o es que han intentado atropellarla?

Comienza a caminar hacia la comisaría. El corazón le late en todo su cuerpo. Se ha mordido el labio en la herida que se hizo al caerse el primer día y vuelve a sangrarle. Cálmate, se dice. No ha sido más que un accidente, ¿o no?

El comisario Abdelán la recibe enseguida. Su perfume a madera inquieta a Flora cuando entra en el pequeño despacho. Pulcro, ordenado, tan solo el tufillo a fritura del restaurante de al lado, que se cuela en pequeñas bocanadas, perturba la meticulosidad que desprende cada rincón.

—Confiaba en que apareciese hoy en busca de sus documentos.

—No puedo irme sin ellos.

—¿Qué le ocurre? Parece agitada y le sangra el labio.

—Casi me atropellan cuando me dirigía hacia aquí. Aunque iba distraída, estoy segura de que miré antes de cruzar la calle. Y el coche se me echó encima.

—¿Cree que fue intencionado?

Flora duda antes de contestar. ¿Quién querría atropellarla?

—Supongo que solo era alguien que iba como un loco.

—¿Recuerda qué coche era? ¿Pudo ver la matrícula?

—No, se alejó muy rápido. Era de color verde. Viejo... No podría darle más datos. Corrí hacia la acera y me quedé algo conmocionada durante unos minutos.

—¿A quién conoce en Tánger? ¿Ha tenido contacto con alguien?

—Conozco a Armand Cohen; bueno, acabo de conocerle en el hotel donde me alojo y nos hemos hecho amigos. Él nació aquí, aunque vive en Francia.

—¿Judío sefardí?

—Sí.

—¿Y a quién más?

Flora duda. «Arriesgate, querida.» Las palabras de Deidé la impulsaron a llevarse el amuleto que luego le ha servido en su investigación.

—La escritora Bella Nur. ¿La conoce?

No parece sorprendido.

—Por supuesto. Ha luchado mucho por los derechos del pueblo bereber.

—Ella pertenece a esa etnia.

—Lo sé. Yo también.

Flora le mira a los ojos, los encuentra fijos en los suyos. Son hermosos, dotados del maquillaje de la naturaleza, como decía Marina.

—Por eso investiga el caso del expolio de las piezas bereberes y le interesaba tanto el robo de mi amuleto.

—No solo por eso. Usted denunció un robo, semejante a otras denuncias previas. Aunque el caso me interesa especialmente, no voy a negárselo. Bella Nur me ha llamado para informarme sobre el amuleto de su amigo.

—Yo le di su tarjeta —dice Flora.

—Lo sé.

—¿Y qué le ha dicho?

—Es confidencial.

—Ella ha escrito una novela sobre la desaparición de Paul Dingle. Verá. Es real que un hombre llamado así desapareció en el puerto de Tánger el 24 de diciembre de 1951. Y nunca se supo qué fue de él. En la novela se da a entender lo mismo que dijeron los periódicos de la época: la última persona que le vio con vida fue su mujer, y creo que llegaron a considerarla sospechosa. Finalmente no pudieron probar nada. La novela desvirtúa un poco la realidad. Aunque menciona una relación entre la joven hija adoptada de ella y su marido.

—Lo sé —repitió Abdelán.

—¿Lo sabe? ¿Ha leído la novela?

—La señora Nur la ha llamado Flora *Linardi* —pronuncia el apellido con énfasis—. Explíqueme por qué se ha hecho pasar por otra persona y por qué está obsesionada con la señora Nur y con ese personaje de su novela hasta imaginar que ha tenido una aventura con él.

Flora se queda callada por un instante.

—Es un hombre real, de carne y hueso, también. —Siente fuego en la garganta—. Yo me acosté con él no hace ni dos semanas en Madrid y él me escribió. —Flora no puede creer lo que acaba de contarle al policía.

—¿Le robó usted el amuleto a la señora Nur?

—¿Qué está diciendo? Se le cayó a Paul en la habitación del hotel y lo recogí para devolvérselo. Mire los mensajes de WhatsApp.

Flora saca el móvil, busca el chat de Paul y le muestra los wasaps al inspector.

—Veo que son de carácter bastante personal e imaginativo. Hablan de la liberación de París. Él va a buscarla en un zepelín no sé adónde.

Dios mío, piensa Flora, al supermercado con los ejércitos de embarazadas. Eso no puedo decírselo, y mientras mi marido compraba latas de caballa. Respira con dificultad.

—¿A qué ha venido a Tánger en verdad? ¿A acosar a la escritora para que le hable de su personaje y le diga dónde está?

—¿Me está llamando *paranoica*? Yo sé muy bien con quién me acuesto. —Si me oyera Deidé, piensa, me echaría en cara adónde me han llevado mis historias quijotescas—. Yo no he robado el amuleto —continúa después de tomar aire—. Me lo han robado a mí. Paul Dingle existió. Vaya a la hemeroteca y compruebe lo que le digo en los periódicos.

—¿Y cómo pudo acostarse usted con él? Si me permite, ¿no dice que desapareció en 1951? ¿Se acostó con su fantasma?

—¿Se está riendo de mí?

—¿O acaso hay un impostor?

—Es muy posible. Alguien que se parece y se hace pasar por Paul. —Flora se queda pensativa.

—¿De verdad? No vuelva a acosar a la señora Nur con su ensoñaciones. Es mayor y está delicada de salud.

Flora está a punto de decirle al inspector que Bella Nur es otro personaje de la novela: Laila, Alisha en la vida real.

—¿Por qué resopla por la nariz como un caballo? —le pregunta él.

—¿Me ha tomado por una loca?

—Yo no, señora Gascón, los hechos.

Flora está agotada. Es la primera discusión que tiene en francés y como siga así puede acabar en un manicomio marroquí. Deidé la llamaría *don Quijote* más que nunca.

—¿Ha encontrado el amuleto?

—Aún no. ¿Lo tiene usted?

—Ya le dije que me lo robaron en el *hammam*. Y tampoco he encontrado a Paul Dingle. Un hombre ha desaparecido, eso es lo que puedo contarle.

—¿En 1951 o en 2015?

Flora está a punto de decirle *que le jodan*, en español. Respira hondo de nuevo y se muerde aún más el labio inferior.

—Se está haciendo sangre.

Puede oír las palabras de Deidé. «¿Te autolesionaste además delante del policía, Florita?» Saca del bolso el pañuelo de Armand y se lo pone en la herida.

—Aún no me ha dicho por qué utiliza un nombre falso —insiste el inspector.

Meterse en la caracola de otro al final le ha traído problemas.

—No es falso. Linardi era el apellido de mi abuela y lo uso como seudónimo, podría decirse. Escribo un blog literario, o voy a escribir, y me presento así.

—Lo comprobaré.

—¿Qué va a comprobar? Aún no lo he empezado. Deme mis documentos, mi pasaporte y mi DNI, por favor, he de marcharme. —Flora se aprieta el pañuelo contra el labio.

—Aún no, señora Gascón. Digamos que los voy a mantener un día en custodia hasta que haga una serie de comprobaciones.

—Es a mí a la que robaron y a la que han intentado atropellar.

—Hace un momento se inclinaba más bien por la tesis del accidente.

—Creo que me estoy acercando a la verdad de lo que sucedió con Paul Dingle, demasiado quizá.

—¿Al personaje de la novela, se refiere?

—Ya le he dicho que es un hombre real también. Un caso sin resolver por la policía.

—Entonces eran los franceses los que se ocupaban, no nosotros.

—Pues resuélvalo usted si tiene jurisdicción. Los asesinatos no prescriben nunca, ¿no? Y ahora deme mis documentos.

—Vuelva mañana y veremos qué ocurre. Y mientras, recuerde que no debe acosar a nadie más que le recuerde al personaje de una novela. Y menos a la escritora.

—Veremos quién ha acosado a quién.

Flora se marcha del despacho y cierra la puerta de un golpe. Un calor sofocante le ahoga el pecho. Cómo ha podido hablarle así a un policía en Marruecos y en francés. En los últimos años solo utiliza ese idioma para explicar cómo debe hacerse un zumo o aspirar una alfombra. Se retira el pañuelo del labio y ve bordadas las iniciales. A. C., Armand Cohen. Le viene a la cabeza la imagen de Bella Nur limpiándose los labios de chocolate con la servilletita de hilo. Tenía bordado lo que Flora interpretó como un once o quizá un dos en números romanos. Estaba equivocada, se dice.

II. Irina Ivannova.

La colcha, la casa, ahora las servilletas. Bella Nur es Alisha Levinsgtone. Flora lo va a confirmar, y ya sabe cómo hacerlo.

15

El túmulo

Flora camina por la calle subida a la acera, casi rozando la pared. Atenta a quienes la rodean, al ruido de los coches que pasan. Pregunta a una mujer vestida con un bonito caftán dónde puede encontrar una floristería, esta le indica una solo a un par de calles de distancia.

Allí compra una cesta de rosas rojas. Dicen que las rosas rojas significan amor.

—¿Puede usted escribirme en una tarjeta: «Para mi querida Alisha, de Paul»? —le pregunta al hombre que la atiende.

—*Oui, madame.*

—*Merci.*

Después toma un taxi hasta la casa de Bella Nur. Cuando el coche se detiene frente a la cancela de hierro negro, el corazón se le acelera. Paga y sale a la calle. Repasa mentalmente varias veces lo que va a hacer. Busca con la mirada un sitio cercano a la casa desde el que pueda comprobar si la puerta se abre y no la descubran. Justo enfrente hay un hotelito con un portal bajo un arco. Flora se cobija allí, si la cancela se abre y recogen las flores, lo podrá ver. La pared del arco la oculta. Cruza de nuevo la calle. Llama al telefonillo. Son las dos del mediodía. La misma voz de hace dos tardes contesta.

—¿Vive aquí la señora Alisha Levingstone? —Flora habla en francés con la voz impostada.

—Aquí es.

—Traigo unas flores para ella.

A Flora le falta el aire. La cancela se abre con un chirrido.

—Pase.

—Se la dejo aquí, tengo prisa.

Flora deposita la cesta en el zaguán y se apresura a esconderse. Es ella, lo sabía, se dice. Había de ser así. Es Laila.

La mujer que la guio el otro día por la casa se asoma un momento a la calle. Sostiene la cesta y mira hacia ambos lados buscando quién ha hecho la entrega. Mete la nariz en el puñado de rosas. Inspira. Sonríe. Cierra la cancela tras ella.

¿Cómo reaccionará Bella Nur cuando le entregue la cesta con la tarjeta a nombre de Paul? ¿Es posible que piense en ella? ¿Y si llama de nuevo al policía porque dice que otra vez la está acosando? ¿Por qué ha hecho eso?

Flora se enciende un cigarrillo y se lo fuma sin moverse. No es buen momento para dejarlo. La pared del portal le refresca la espalda. Suena su móvil. Es su madre.

—Flora, ¿cómo estás?

—Todo muy bien, mamá. No puedo hablar mucho porque voy a entrar ahora mismo en una conferencia.

—Siempre te pillo mal, no tengo suerte. Pero si es la hora de comer.

—Aquí almuerzan antes. A la europea.

—¿Allí a la europea? —No espera respuesta, añade—: Noto a tu marido triste.

—Alguna le habrá hecho el jefe.

—Creo que te echa de menos. Vienes ya mañana, ¿verdad?

—No. Pasado mañana. —A Flora se le da la vuelta el estómago al pensar en el regreso.

—Me ha dicho que tiene una sorpresa para ti. No ha querido contármela. Solo le he podido sonsacar que te va a hacer mucha ilusión.

Flora enarca las cejas. ¿Será posible que su ausencia le haya hecho reaccionar de alguna manera que no sea cambiar de canal con el mando del televisor?

—Pues me dejas intrigada. A ver qué es.

—Ya me lo dirás. Bueno, hija, que te cuides mucho. Y no bebas alcohol por si acaso. ¿Has dejado ya el tabaco?

Flora se apaga la colilla en el zapato.

—Casi, sí. Solo alguno de vez en cuando. Es duro de golpe.

—Bueno, como sea, pero hazlo.

—Un beso, mamá. Hasta pronto.

Flora guarda el móvil en el bolso. ¿Una sorpresa de su marido? ¿No se le ocurrirá presentarse en Tánger? Ya le dijo que el tema del dinero estaba solucionado con Armand. ¿Le habrá pedido días libres a su jefe antes de Navidad para ir allí a estar con ella? Si se presenta, ¿cómo va a explicarle que no hay congreso y que un inspector de policía tiene retenidos sus documentos hasta que compruebe que no es una loca acosadora que va diciendo por ahí que se ha acostado con el personaje de una novela? Flora enciende otro cigarrillo.

Se dispone a marcharse en busca de algún restaurante donde comer algo, cuando la cancela de hierro se abre. Instintivamente, apoya aún más la espalda en la pared. Bella Nur, con un turbante azul, gafas de sol negras que ocultan la mitad de su rostro, túnica bordada, echarpe de lana beige y, colgada de su brazo, la bolsa de *patchwork* que le vio en Villa Joséphine, sale a la calle. Flora apaga el cigarrillo por si el humo la delata. Se siente ridícula y vuelve a encenderlo. Un minuto más tarde, un Mercedes de color marrón se detiene frente a Bella Nur, y un hombre vestido con un traje de chaqueta gris se baja para abrirle la puerta. Ella se monta en la parte de atrás. El hombre regresa al asiento del conductor y el coche arranca. ¿Adónde irá?, se pregunta Flora. Aún son las dos, es pronto para ir a tomarse las magdalenas de Proust a Villa Joséphine. Parecía muy elegante.

Sale de su escondite. En ese momento un taxi libre desciende por la calle. Lo para. El conductor es un chico joven que le sonríe.

—¿Puede seguir al Mercedes marrón que está detenido en aquel semáforo? Procure no perderlo, por favor, dentro va mi tía.

Al chico le parece divertida la propuesta, porque sonríe aún más y dice algo como que eso es lo que sucede en las películas.

—Sí, no lo pierda, por favor.

El Mercedes marrón sale de la ciudad y toma una carretera que discurre cerca del mar. El cielo está claro y el sol calienta aunque es diciembre. El Estrecho parece un plato azul.

—¿Sabe adónde va su tía? —le pregunta el taxista.

—Aún queda un poco para llegar —se inventa, aunque empieza a temer que Bella Nur se dirija a algún sitio alejado de Tánger o que haya emprendido un viaje. No ha cargado ninguna maleta, piensa, solo la bolsa de *patchwork*.

Poco a poco surgen en el paisaje varias formaciones de rocas anaranjadas. Flora recuerda que la cueva de Hércules era una de las atracciones que estaban a las afueras de la ciudad. Le pregunta por ella al taxista y él le indica que acaban de pasar cerca. De pronto el Mercedes aminora la marcha, se sale de la carretera y avanza unos metros por la arena.

—Déjeme aquí —le pide Flora.

—¿No quiere que la lleve con su tía?

—Voy a darle una sorpresa. ¿Puede regresar a buscarme dentro de dos horas?

—¿Aquí?

—Sí, aquí.

—Le dejo mi teléfono y usted me llama.

Hay una playa desierta y varias formaciones rocosas en la orilla donde bate el mar. A Flora le preocupa que el chófer de Bella Nur o ella se dé cuenta de que los han seguido. Se baja del taxi y a unos cincuenta metros ve unas rocas tras las que puede ocultarse. Se despide del taxista y corre hacia ellas. Se sienta sobre la arena. Está fría. ¿Qué hago aquí?, se pregunta. Esperaba que Bella Nur se dirigiera a algún lugar que le proporcionase una pista sobre lo que le ocurrió a Paul, pero parece que va a la playa, quizá a leer a Proust junto al mar. El día es radiante.

Flora ve a Bella Nur bajarse del Mercedes. Se apoya

247

en el bastón con el que el otro día parecía sostener todo el dolor de la enfermedad. Intercambia unas palabras con el chófer y el vehículo enfila la carretera de nuevo en dirección a Tánger. Están las dos solas en aquel paraje desierto que huele a la nostalgia del mar. Desde donde se oculta Flora hasta Bella Nur hay unos ciento cincuenta metros.

El cielo arde de gaviotas. Las nubes han sido pulverizadas por una luz cegadora. Bella Nur se encamina hacia otra formación rocosa más alejada de la playa. Se ha colgado la bolsa de *patchwork* en el hombro. Su andar es pausado sobre la arena. Se detiene a cada rato, toma aliento, se apoya en el bastón, mira al cielo. Busca fuerzas en un azul de invierno. Flora la pierde de vista entre unas rocas cobrizas y puntiagudas que forman un arco. Se enciende un cigarrillo, duda entre acercarse —lo más seguro es que la descubra— o permanecer en su escondite, hasta que la anciana vuelva a aparecer. Espera. Cinco minutos, diez. Otro cigarrillo. Mira las olas que rompen con una espuma tibia, pequeñas, con una cadencia que poco a poco la exaspera, así que decide acercarse. «Arriesgate», de nuevo su Deidé. ¿No me he arriesgado ya demasiado?

Se quita los zapatos, los pies se le hunden en la arena cálida. El lugar abruma por la soledad. Parece el fin del mundo. No hay más seres que ella y una anciana entre las rocas tristes. La playa amortigua sus pasos de fantasma. De espejismo en el horizonte. Según se aproxima se da cuenta de que entre las rocas hay una entrada a una gruta. Camina más aprisa. El arco puntiagudo enmarca el mar. El silencio está vivo. Un graznido de gaviota lo rompe sobresaltándola. Se asoma por la abertura y la ve. De espaldas. Ve cómo Bella Nur se deshace del turbante y cómo una melena negra se desbarata sobre su espalda, hasta más allá de la cintura. Es la melena de Amina, se dice Flora, la melena de Laila. De hechicera bereber. Así la tendrá, como el azabache, inmune a la vejez, hasta su muerte, había leído en la novela. Unos rayos de sol penetran por la abertura, la tierra se ha vuelto naranja.

Bella Nur mira un momento hacia la entrada de la gruta y Flora se oculta. Espera, contiene la respiración. Unas palabras en un idioma que no conoce resuenan tenebrosas, su eco es un suspiro que sale al exterior y desaparece en la nada. Cuando Flora vuelve a asomarse ve a la anciana tumbada bocabajo sobre un gran montículo de tierra de unos dos metros de largo, con los brazos en cruz y el cabello disperso en una mancha de algas. Junto a ella hay un libro. El tiempo se ha disuelto en la espuma del mar. La respiración de Bella Nur es profunda, cavernosa. Está dormida, se dice Flora. Dormida sobre un montículo de tierra. Junto al libro ve una vara de arrayán. Es un túmulo, piensa, una tumba. La novela la inunda. Laila en el cementerio de Buarrakía tendida sobre la tumba de su madre, «así se comunican las hechiceras con los muertos. Se echan sobre su tumba y hablan en sueños».

Bella Nur tiene los ojos cerrados, el rostro se le ha rejuvenecido. El cabello le huele a sombra. Flora se agacha. El libro es el primer tomo de *En busca del tiempo perdido* de Marcel Proust, «Por el camino de Swann». Las palabras de Marina: «Laila se quedó atascada en su lectura para siempre». Páginas amarillentas, una edición vieja. En francés. Anotaciones en los márgenes. Las manos de Bella Nur muestran las palmas hacia arriba y en una de ellas descubre el amuleto bereber, la cruz del sur que le robaron en el *hammam*. Flora lo toca, está caliente, le da la vuelta. Ahí está la inscripción: Alisha. Ella me lo robó a mí y ahora pretende echarme la culpa. Saca su teléfono del bolso y le hace una foto para enseñársela al inspector Abdelán. Cuando mira cómo ha quedado se da cuenta de que es difícil reconocer a Bella Nur en ella. Guarda el móvil y se queda observando a la escritora. El túmulo, la vara de arrayán, el libro de Proust, la conversación en sueños. Flora retrocede, se le escurren las lágrimas, el pecho le quema.

Esto es una tumba. ¿La tumba de Paul Dingle?

16

El cabello rojo

El Mercedes marrón avanza por la carretera solitaria, aminora la marcha antes de llegar a las rocas, se detiene y espera. Desde su escondite, donde se ha resguardado antes de que Bella Nur despertara de su sueño, Flora la ve, como un espectro asida a su bastón. Las conversaciones con los difuntos marchitan las fuerzas, piensa. Ha vuelto a esconder su cabello en el turbante, las gafas de sol ocultan un rostro que habrá comido de nuevo la vejez. El chófer la ayuda a subirse al coche, da un giro en la carretera y parte en dirección a la ciudad.

Nada queda en el paraje estéril más que Flora, las gaviotas, el mar ajeno a los sentimientos. El sol se debilita y ella regresa a la gruta, se sienta frente al túmulo, un montículo solitario del que emerge el silencio. Se descalza, se tiende encima de él y un escalofrío le recorre el cuerpo. Cierra los ojos. Humedad. Tiembla. ¿Qué estoy haciendo aquí? Paul. Veo tus ojos, tus manos, tu anillo de plata con su piedra gris. Paul, el hombre, ¿al que asesinaron?, ¿el que huyó? O Paul, el personaje de una novela que cobró vida. ¿Acaso sois los dos el mismo? ¿Cuál de vosotros reposa en esta tumba? ¿Se puede matar al personaje de una novela? Hay bajo mi cuerpo huesos de hombre, huesos que forjó la tinta, la imaginación de una escritora.

A Flora le viene a la cabeza el rostro de Deidé, siempre plano en la pantalla de su ordenador, lo que daría por ir a Buenos Aires a abrazarla. «Florita, ¿vos perdiste la sesera? Levantate de la tumba en este instante, dejá de quijotadas, de jugar a los espíritus, a los detectives literarios, y volvé a tu casa a hacer lo que tenés que hacer, ¿o querés acabar en el manicomio?»

Flora ha regresado a la carretera. Le ha costado más de diez minutos que el taxista atendiese su llamada. La cobertura no era tan buena como parecía en un principio.

—Iba a finalizar ya el servicio, señora —responde él por fin.

—Le ruego que venga usted o explíquele a un compañero dónde estoy, pero por lo que más quiera no me deje aquí tirada.

Media hora más tarde el taxi aparece a lo lejos. Flora agita los brazos desde la cuneta. Aquí estoy, piensa, en este paraje de mar y muerte. El taxista se detiene.

—Regreso a la ciudad —le indica Flora—. Dígame, ¿sabe dónde podría comprar una pala?

—¿Una pala, señora?

El hombre mira por el retrovisor. Hay manchas de arena en la chaqueta de Flora.

—Sí, para cavar en la tierra. Lléveme a por una.

Flora telefonea a Armand cuando llega a su habitación del *riad*. Ha comprado una pala y una linterna grande. No puede estarse quieta, recoge la ropa que dejó sobre una silla, pone en orden los artículos de aseo mientras su cabeza va de un pensamiento a otro. Armand comunica. Necesita fumar. Tiene un desaliento que la ahoga en esa habitación ahora pequeña para la adrenalina que le sale por la piel en burbujas invisibles. Saber la verdad, si la verdad existe, se dice, tener una respuesta a qué les ocurrió a algunos de los Paul que se multiplican como las buganvillas de la ciudad, el jazmín y las madreselvas de los jardines antiguos donde un Paul fue hombre. Un personaje, una ilusión, una espera. Paul de muchas mujeres y de ninguna. El Paul de Marina-Irina, de Laila-Alisha, mi Paul. El Paul de los ojos azul marino, de la piel presagio de su tumba. Paul que llegó del mar y junto al mar descansa. ¿O no? Vivo, maldito, muerto. Recorriendo el mundo en el viento alado que lo transporta del ruego de una mujer a otra, de un llévatelo por su traición, Axia Kandisha, a un tráemelo de vuelta, y así, infinito, imagina Flora, de tanto viaje por capricho del corazón se había pasado de un siglo a otro, ¿o no? Hasta que alguien le hiciera parar, si es que se puede detener la rueda del no morirse nunca. Pero antes de que se sepa qué me pasó y por qué me vi en este errar del infierno, o en esta tumba con mis huesos entre las caracolas, entre las algas que se me pudren al lado, escribe Flora en su libreta.

Suena su móvil. Es Armand.

—¿Dónde estás? —le pregunta ella.

—De camino al hotel. ¿Cómo te ha ido el día?

—Te espero en la azotea fumando y te cuento con detalle.

—Llego en veinte minutos.

Tres cigarrillos después, el cielo deshilachado en fuego, un ron con Coca-Cola, varias miradas al móvil, dos llamadas de su madre que no contesta, ninguna de su marido, teme que esté de camino a Tánger; un intento de llamar a Deidé, infructuoso, paseos de aquí para allá por la azotea, el mar liso, púrpura, hasta que llega Armand, gatuno, en ojos y andares, cuaderno de dibujo en una mano y en la otra la caja de lápices.

Flora apenas le concede tiempo para sentarse en el puf de cuero, para que continúe el boceto del retrato de ella. No se está quieta mientras le cuenta todos los detalles de lo que le ha sucedido esa tarde.

—¿La tumba de Paul?

—Eso creo. Todo indica que sí. Si no qué hace Bella Nur durmiendo sobre un túmulo. Los bereberes enterraban así a sus muertos. He comprado una pala, una linterna... Un pico, ahora caigo en que necesitamos un pico. Solo quiero comprobar que es una tumba. Con un indicio sería suficiente.

—Me estás diciendo que quieres que vayamos a desenterrar un cadáver. ¿Y avisar a la policía, lo has pensado?

—Si el inspector Abdelán ya me ha tomado por una loca que acosa a Bella Nur, imagínate si le cuento que la he seguido y que creo que he descubierto una tumba. Menos mal que Paul desapareció cuando yo no había nacido, si no es capaz de acusarme del crimen.

—¿Qué comprobaciones tendrá que hacer para devolverte la documentación? Creo que deberías llamar a la embajada española, Flora. No sé si hay un consulado en Tánger, porque la embajada supongo que estará en Rabat. El tema es serio como para irnos a desenterrar muertos.

—Por eso necesito desenterrarlo. Porque si hay un cadáver, es Bella Nur la que nos ha llevado hasta él. Alguna explicación tendrá que dar al respecto. Si no hay nada, el inspector me acusará de nuevo de paranoica o de acosadora. Antes de hablar con él para que me devuelva mis documentos he de estar segura.

—No sé si es legal que pueda tenerlos en custodia, como él dice, un día sin darte un motivo.

—Ha sido Bella Nur quien me ha puesto en esta situación. Creo que quiere que me vaya a toda costa y que deje de husmear en la novela y en lo que ocurrió con Paul.

—Pues no le ha salido bien el plan si el inspector te retiene el pasaporte.

—Si empezamos a cavar y asoma un hueso, lo dejamos y hablo con Abdelán.

—No puedo creer que estemos hablando de esto.

—Yo tampoco. —Flora enciende otro cigarrillo.

—Que Bella Nur sepa dónde está la tumba no prueba que le matara.

—Lo sé, quizá solo sabe dónde está enterrado. Alguien tuvo que decírselo. Pero ¿quién? ¿Samir?

—¿Samir?

—El hombre musulmán con el parche en el ojo; tu tía nos confirmó que era el amante de Marina, digo Irina, hasta que llegó Paul. Primera razón para querer deshacerse de él: crimen pasional. Un segundo motivo es el contrabando de armas. Samir traficaba para los independentistas marroquíes utilizando el dinero y los canales de contrabando que usaba Marina para el tabaco. Paul se lo contó a ella para explicarle la discusión que había mantenido con Samir. Se me ocurre que Paul le amenazó con decírselo a Marina si él le contaba a su vez que había tenido una aventura con su hija.

—Samir tiene que estar muerto, claro.

—Lo está si la novela es fiel a la verdad, que no lo sé. Samir muere en los disturbios por la independencia de Marruecos en 1952. Bella Nur es la única que nos podría iluminar al respecto. Tu tía no parecía tener más datos. Quien realmente le interesaba era ella.

—Todos están muertos entonces, salvo Bella Nur.

—Marina también tenía motivos para matar a Paul, aunque estuviera embarazada. Y Bella Nur, quizá más que Marina o Irina. Al fin y al cabo Paul se había casado con su madre y esperaban un hijo.

—Si le mataron, lo más seguro es que el asesino esté tan muerto como él, a no ser que fuera la escritora.

—Armand, ella tenía el amuleto que me robaron en el *hammam*. El que, supongo, le dio a Paul con su nombre. Tuvo que decirle a alguien que me siguiera y me lo robara en cuanto tuviera oportunidad. Aparecen mis documentos, ¿por qué? Si quiere que me vaya y no meta más las narices en su historia, sin pasaporte podría complicarse más.

—¿Y por qué querría que te marcharas?

—Sabe que conocí a Paul en Madrid, llevaba el amuleto de él en el cuello cuando nos vimos en Villa Joséphine. El otro día, cuando me invitó a chocolate, me dijo que sería mejor que lo olvidase todo y me fuese a casa.

—Quizá solo quería recuperar su amuleto.

—¿Y por qué no me lo pidió? ¿Por qué no me dijo que era suyo, que ella se lo había dado a Paul? Pues para que no la relacionara con Alisha. Podría tener su lógica si quiere preservar el anonimato; escribe bajo seudónimo, y yo tengo un blog literario. Pero sospecho que no ha querido facilitarme las cosas con Paul. Solo pistas difusas y trucos literarios, y me pregunto por qué.

—¿Y si encontramos algo?

—Llamo al inspector Abdelán, te repito. Y que sea Bella Nur la que le dé las explicaciones de por qué sabía dónde está enterrado. Es un caso que la policía no pudo cerrar porque no encontraron el cuerpo. Nunca se supo si se fugó porque estaba detrás de la muerte del hombre manco o si le asesinaron. Si Bella Nur no tiene nada que ocultar, podrá decirle a la policía de quién es la tumba que visita. Armand, algo dentro de mí me dice que debo llegar hasta el final de esta historia. Han pasado más de sesenta años y la desaparición de Paul sigue siendo un misterio.

—En el supuesto de que encontremos ¿huesos?, si murió en el año 1951, ¿cómo van a saber que pertenecían a Paul Dingle? No debe de quedar nada de él con que identificarle, con que contrastar los restos.

—Que sepamos, Armand, aunque sospecho que hay mucho que aún no conocemos. Quizá la clave está en el hijo. En Iván Dingle. Qué fue de él. Bella Nur también podría arrojar aquí un poco de luz. Es su hermanastro.

—Jamás imaginé hace unos días, cuando me preguntaste por el hotel con tu maleta, tu cabello rojo y tu rostro despistado, que acabaríamos en la azotea elucubrando sobre la desaparición de un hombre o planeando desenterrar sus huesos.

Flora le acaricia una rodilla y sonríe.

—Esto es lo que he pensado. Necesitamos un coche de alquiler para llegar hasta allí. A estas horas todas las agencias están cerradas, salvo la del aeropuerto, que abre hasta las once. Alquilé un coche por internet. No podemos ir en taxi con un pico y una pala, ¿no crees? Recogemos el coche ahora y así salimos de madrugada. Qué te parece sobre las cinco, amanece hacia las cinco y media, tardaremos como una hora en llegar, justo cuando empiece a haber luz.

—Flora, ¿y si alguien nos descubre?

—No hay más que gaviotas y una carretera polvorienta. Con el GPS del teléfono localicé el lugar exacto.

—¿Y si no encontramos nada?

—Me marcharé a Madrid, si es que me devuelven mi pasaporte.

—Te voy a echar de menos. No todos los días se investiga el asesinato de una novela y se planea encontrar un cadáver.

Flora sonríe.

—Vámonos al aeropuerto. Después cenaremos algo. Quizá la música tradicional sirva para mañana de despedida. Ahora tenemos algo que averiguar.

Aquella noche Flora tiene una única pesadilla en la cama que le pertenece entera. Oye soplar el viento, una serpiente de aire que se cuela por la ventanita del patio y le vuela el cabello en mitad de la madrugada para peinárselo a golpe de presagio, de aquí estoy esperándote y tu corazón lo sabe, no te retrases más que lloro porque a mis huesos les dé el sol, porque alguien los saque de la infamia de esta tierra donde me metieron una noche con este mismo viento. Y luego llega él, con un susurro de Édith Piaf, de *La vie en rose*, y las teclas de piano flotando en el aire cargado de la habitación: Paul envuelto en un esmoquin de chaqueta blanca, Paul de pie, contemplando a Flora desde los pies de su lecho, los ojos de cuentas azules, la sonrisa fantasmal; ven, le dice con la voz rota, te estoy esperando desde hace días; y se acerca a ella para, con una mano transparente, con su anillo de plata y piedra gris, acariciarle el rostro, besarla en la boca, sin que Flora sienta más que un soplo frío, una corriente de puerta abierta que de pronto desaparece. Y la noche vuelve a ser noche que Flora contempla con los ojos abiertos, sudando la visión que aún tiene pegada a la piel. Bebe agua, comprueba la hora en el reloj, las cuatro y ocho. Y se acuesta de nuevo para dormir la ansiedad que la atenaza.

A las cinco, unos golpes en la puerta. Es Armand.

—Aún estamos a tiempo de dejar esto y meternos en la cama. De pronto me siento como un profanador de tumbas.

Flora sonríe.

—Entonces es que hay tumba. Si no, qué ibas a profanar. Te propongo que vayamos hasta allí, te muestro el lugar y luego decidimos.

Han aparcado el coche que recogieron en el aeropuerto en la plaza de la Kasbah. Dentro del maletero ya está la pala, la linterna. No hay pico, no pudieron encontrarlo en ninguna tienda abierta a esas horas. Flora activa la ubicación que grabó en su teléfono y emprenden el camino. La ciudad late en su último sueño cuando la dejan atrás y se adentran en la cinta de ceniza que corre pareja al mar. Permanecen callados durante el trayecto, a veces se miran, y se sonríen. Armand conduce. Ella vigila el navegador. Son un equipo. Jamás ha tenido esa sensación con su marido, ni siquiera al principio de su matrimonio. «Querida, me temo que sois de planetas distintos y no siempre funcionan las relaciones interestelares, te lo asegura una friki de *Star Trek*», eso suele decirle Deidé. Deidé querida, ¿cómo voy a contarte esta aventura?, se pregunta. «Bajá a la mazmorra del castillo y no a una tumba. Florita, llegaste demasiado lejos.» ¿Y qué? Flora tiene la impresión de que es la primera vez en su vida que lo hace, siempre se ha quedado muy cerca, no se ha arriesgado a ir más allá. Se ha acostumbrado al tedio que proporciona la seguridad, cómoda en un dolor con el que se aprende a convivir.

—Es aquí —dice Flora.

Reconoce el lugar ahora bajo la luz morada del amanecer. La desolación se ha acentuado, piensa cuando baja del coche que Armand aparca en la cuneta. Las gaviotas, con sus siluetas de sombra, chillan como si quisieran advertirles de lo que van a hacer. Antes de abrir el maletero del coche, Armand busca los ojos de Flora.

—¿Estás segura? ¿No sería mejor ir a la policía?

—Mire, inspector, he seguido a Bella Nur, que resulta ser una hechicera bereber, y la he visto tumbarse sobre un montículo de tierra que creo yo que es un túmulo. ¿Alguna prueba más? Tenemos la historia de una novela y el testimonio de Rachel Cohen de que casi todo fue verdad.

—Contado así...

—Si encontramos los huesos, Armand, tenemos una evidencia.

—¿Eres aficionada a las series tipo *CSI*?

—A las novelas policiacas.

—*Mon Dieu*. —Armand saca la pala y la linterna del maletero del coche—. Cuanto antes veamos lo que hay ahí, mejor.

Flora lleva una bolsa con dos botellas de agua y unos pastelitos que compró ayer en una *pâtisserie*. Uno suele hacer cosas absurdas cuando está nervioso. Desentierras un cadáver y desayunas en la playa.

La arena aún tiene la frialdad de la noche de diciembre. En el cielo comienza la congestión del amanecer.

—Es un lugar hermoso para descansar —dice Armand.

—Si se descansa en paz.

Flora siente al Paul que la ha visitado esa noche en cada ola del mar que llega hasta la arena. Cada soplo de brisa es el beso que se colaba por sus labios. Le tiene más presente que cuando se acostó con su Paul en el hotel de la Gran Vía. Es capaz de recordarle mejor.

Guía a Armand a través del arco de rocas y le muestra la entrada de la pequeña gruta. Está oscuro. Armand enciende la linterna y frente a ellos surge el montículo como una cicatriz de tierra.

—Vaya —dice—. Sin duda tiene aspecto de tumba.

—¿Por dónde empezamos a cavar? —pregunta Flora.

—¿Lo enterrarías con la cabeza mirando al mar o bien hacia lo más profundo de la gruta?

—Depende del odio con el que lo hiciera o el arrepentimiento o la prisa.

Armand se ríe.

—Prefiero encontrar un pie que un cráneo. *Mon Dieu*, no puedo creer que vayamos a hacer esto.

—Bien, por aquí —dice Flora señalando la entrada de la gruta.

Armand coge la pala, no se atreve a romper lo que parece sellado por el secreto, por el silencio. Mira a Flora.

—Yo lo haré —propone ella.

Viste unos pantalones vaqueros, una camisa blanca y un jersey. De una palada, Flora rompe el sello del sepulcro, la costra que los años han construido sobre la herida. La tierra es blanda, permite que entre con facilidad el filo de la pala. Huele a sótano marino. A soledad conforme aparece el primer mordisco en la tierra. Ya no puedo parar, piensa Flora. Suda. Se quita el jersey.

—Sigo yo —dice Armand.

Palada tras palada, la tumba pierde su forma perfecta. Armand echa la tierra a un lado, el montón crece al mismo ritmo que la ansiedad de Flora.

—Voy a quitarme la camisa —sugiere él como pidiéndole permiso.

Por el pecho de Armand se nota que ha pasado el tiempo. Que fue firme y ahora se mantiene en pie a base de nostalgia.

—Te has manchado de tierra.

Ella le limpia los hombros, el estómago con un extremo de su camisa. Se miran, ríen, jamás imaginó Flora que podría intimar con un hombre desenterrando a otro.

—Tomo el relevo —le dice ella.

—Déjalo. Sigo yo —responde Armand.

Llevan más de dos horas. Al menos hay medio metro de profundidad por uno de los extremos. ¿Hasta dónde habremos de buscarte, Paul? ¿Te enterraron en el centro de la tierra? Conforme avanza el agujero, la arena es más blanda, más húmeda, el mar ha sido el compañero que se filtraba hasta su soledad. Cavan en el misterio de otro siglo y a cada jirón de tierra, el temblor en el estómago de encontrar lo que Flora quiere y lo que no, a un tiempo. Los primeros rayos de sol entran por la abertura de la gruta, Armand apaga la linterna. Flora echa una palada de tierra sobre el montículo y, alumbrada por la luz como una reliquia de santo, se asoma con un par de paladas más una tibia grisácea. El olor de la gruta es el de las entrañas del mar, el tufo de una podredumbre delicada. Flora se sienta. Paul, ya te he encontrado. Unas lágrimas le salen de los ojos. Tiene frío. Se pone de nuevo el jersey. Sigue cavando con energía.

—Flora, si ya está ahí, detente, podemos dañarlo con el filo de la pala.

Solo un poco más. Se siente febril. Continúa cavando. Una rótula.

—Es suficiente —le dice Armand, coge la pala de sus manos y la deja sobre la arena.

Flora tiembla y él la abraza.

—Lo enterramos otra vez. Al menos la visión de los huesos.

Un pudor que no puede explicar se apodera de ella. No quiere dejar a Paul a merced de las gaviotas, de los cangrejos que parecen hongos en los rincones más umbríos de la gruta. Echan la tierra encima. Dibujan la cicatriz en la arena. Sentados entre el arco que forman las rocas, beben agua. Armand come un pastel, Flora no puede.

—Y ahora qué —pregunta él.

—Ahora no lo sé. Espera a que me recupere.

Armand la abraza de nuevo. Le acaricia el cabello. El mar bate con fuerza las olas.

Regresan al hotel sobre las doce del mediodía. Entran en la habitación de Flora. Ella se descalza, se echa sobre la cama y le hace un gesto a Armand para que se tumbe a su lado. Busca su regazo, el calor que desprende. Él le acaricia el rostro.

—Necesito dormir un rato —dice Flora—. Me cuesta creer lo que hemos hecho.

—No dejo de darle vueltas a con quién tuviste una aventura en Madrid. Dices que físicamente era igual al Paul Dingle de la novela.

—Coincide el nombre, la descripción física, el anillo que llevaba, y luego está el amuleto. No aparece en la novela, pero Bella Nur dijo que era de Paul Dingle y tiene grabado el nombre de ella, el verdadero: Alisha.

—O es un impostor que ha tomado la identidad del personaje de una novela al que se parece mucho.

—Y ¿cómo tendría el anillo y el amuleto?

—No lo sé. O Iván Dingle tiene un hijo al que llamó Paul y es con él con quien estuviste en Madrid.

Mi Paul, piensa Flora, ya un desconocido. Tiene la sensación de que ha pasado mucho tiempo desde aquella noche en la Gran Vía. Hace días que su Paul es el que desapareció en 1951 y reposa en una tumba junto al mar. Quien la guio hasta la tumba de Ibn Battuta y se le presentó en sueños.

—Sigues temblando —le dice Armand.

—Es como si el frío de la gruta se me hubiera metido en la piel —responde ella.

—¿Quieres que me quede contigo? —Él le acaricia de nuevo el cabello.

—Sí, al menos un rato. Quiero contarte algo.

—¿No quieres dar antes una cabezada?

—Me gustaría decírtelo ahora. No me llamo Flora Linardi.

Armand detiene la caricia.

—Ese es el nombre de mi abuela. Yo me llamo Flora Gascón. Mi pelo rojo y mis ojos los heredé de ella. Voy a enseñártela.

Flora se levanta de la cama y saca del bolso la foto de su abuela.

—Es cierto que te pareces. No entiendo por qué me dijiste su nombre.

—Yo la admiro mucho, aunque solo la vi una vez, cuando tenía ocho años. Dejó a mi abuelo y se marchó con un pintor más joven que acabó abandonándola. Murió de amor por él. Mi madre siempre me decía que se lo tenía merecido.

—¿Un pintor?

Flora asiente y sonríe.

—Hacía tiempo que no me gustaba tanto la vida por todo lo nuevo que de repente te puede ofrecer. —Pasa un brazo por los hombros de ella—. Desentierro muertos junto a una mujer que utiliza el nombre de su abuela pelirroja...

—Y además soy traductora —le interrumpe Flora—. No he escrito nunca un blog literario, aunque la verdad es que creo que ha sido una idea muy buena y me apetece empezar.

—Así que traductora. No es algo que uno tenga que ocultar, pienso yo.

—Siempre quise traducir novelas, libros de ensayo interesantes. Pero lo cierto es que el único trabajo que he logrado es en Electrodomestic Language: traduzco instrucciones de batidoras, aspiradoras, neveras.

—¿No crees que podrías haberme contado todo esto antes de ir a desenterrar un muerto juntos?

—Perdóname, Armand. Ahora creerás como el inspector Abdelán que soy una loca que se hace pasar por su abuela y se viene hasta Tánger a buscar al amante de una sola noche.

—Si no me hubieras contado más sobre tu vida, lo creería. Al menos dime que todo lo demás es verdad.

—Lo es, por desgracia, lo es.

Por la pequeña ventana se filtra una luz dorada. Armand acaricia de nuevo el cabello rojizo que ya pertenece a Flora Gascón hasta que se quedan dormidos.

17

La carta

Flora despierta con el brazo de Armand alrededor de la cintura. Él está de costado. No había tenido la sensación de despertar junto a un hombre desde el hotel de la Gran Vía, con el neón azul intermitente sobre el sexo. Se levanta sigilosa y va al baño. Al mirarse en el espejo, le viene a la cabeza la imagen de la tumba de Paul. La tibia profanada por los rayos del sol que no había visto en años. Grisácea. Triste. El olor antiguo de baúl cerrado. De tierra que se ha comido a un hombre. Cierra los ojos para que desaparezca. Paul, lo siento, dice en silencio. Paul, ¿quién te llevó hasta esa gruta solitaria? Lo que daría por haberte oído cantar con tus dedos sobre el piano.

Abre los ojos. Se ve cavando con el corazón en cada palada, si no hubiera estado Armand junto a ella, jamás habría podido hacerlo.

Flora oye un golpecito en la puerta del baño. Tiene el cabello que le abulta dos veces más que la cabeza. Erizado por el mar, por el recuerdo de esa madrugada donde las gaviotas eran siluetas negras.

—Flora.

—Sí, salgo enseguida.

Se recoge el cabello en una coleta. Aún lleva la ropa de esa mañana.

—¿Has descansado, Armand?

—Más o menos. He tenido una pesadilla.

—Lo comprendo. Ahora siento haberte arrastrado hasta esa gruta. Aunque hayamos ganado la certeza de que es una tumba.

—Me he convertido en otro detective literario. Me intriga el caso, me lo has metido dentro.

Suena el móvil de Flora. Es un número con prefijo de Tánger.

—Me llaman de la comisaría. —Le tiembla la voz.

—Cógelo y dile a ese hombre que vas a ponerte en contacto con la embajada o el consulado de España como no te devuelva la documentación hoy mismo.

—*Allô?* —responde.

—¿Flora Gascón? Soy el inspector Abdelán.

Ella tapa un instante el micrófono del teléfono y le susurra a Armand que es el policía.

—Señora Gascón, la llamo para comunicarle que efectivamente he comprobado que hubo una investigación policial sobre la desaparición de un hombre de nacionalidad francesa llamado Paul Dingle, en 1951. El caso nunca se cerró.

—Es exactamente lo que le conté.

—Debió haberme dicho que su amigo era el nieto de ese hombre, así no habríamos llegado a la conversación del otro día. He dado con él en el hotel donde se aloja desde ayer por la mañana y me ha confirmado con datos que el amuleto lleva varias generaciones en su familia y que en efecto lo perdió en Madrid, donde la conoció a usted. Lo echó en falta la mañana del 12 de diciembre, en el hotel de esa ciudad.

—¿Paul está en Tánger?

—Acabo de decírselo, desde ayer por la mañana. Todo está aclarado.

—Ya le aseguré que yo no había robado nada, no sé por qué le insinuó eso la señora Nur.

—No es asunto suyo. Ya tengo los datos sobre el amuleto que necesitaba. Puede venir a por sus documentos. Y, por favor, la próxima vez sea más..., cómo decirle, más transparente en sus declaraciones.

—Inspector...

—¿Sí?

Titubea.

—Gracias. Pasaré a recoger mi pasaporte.

Flora cuelga el teléfono y le cuenta la conversación a Armand.

—He estado a punto de decirle que el amuleto me lo robó Bella Nur, puedo probarlo. Y también que habíamos encontrado la tumba del hombre desaparecido. Si el nieto está en Tánger, podrían exhumar el cadáver y comprobar que se trata de Paul Dingle comparando el ADN. Pero tendría que haberle explicado muchas cosas más.

—¿Como por ejemplo cómo supiste dónde estaba la tumba?

—Eso es.

—Así que acertamos: el hombre de Madrid es el nieto de Paul Dingle. Iván le puso el nombre de su padre. Las piezas encajarían. El anillo y el amuleto pertenecían a su abuelo y lee la novela escrita por Bella Nur, que es su tía.

—¿Habrá venido a Tánger a verla? Dice el inspector que llegó ayer por la mañana.

—Luego no pudiste verle la otra noche en el Zoco Chico.

—Me equivocaría. —Flora no se atreve a decirle a Armand que cree que era Paul Dingle, desaparecido en 1951, a quien vio y quien la guio hasta la tumba.

—Sí, tanto buscar a Paul Dingle.

—Después de la llamada del inspector, supongo que Paul ya sabe que he venido a Tánger. Y que tenía su amuleto.

—¿Te gustaría verle?

—No sé dónde está alojado.

—¿Es posible que esté con Bella Nur?

—No lo sé, Armand.

—Se me acaba de ocurrir una idea. Mi tía nos dijo que el hotel de Irina Ivannova se llamaba ahora Dar Kasbah. ¿No tendría sentido que se alojara allí? En el hotel que fue de su abuela, la casa de sus bisabuelos, la que su padre vendió.

Armand saca su teléfono móvil del bolsillo de la chaqueta, y teclea en Google: «Hotel Dar Kasbah, Tánger».

—Aquí está —le dice a Flora mostrándole la foto y la dirección—, incluso puedes reservar en Booking.

Flora vislumbra el conjunto de bragas y sujetador violeta de encaje que está en un cajón de la cómoda.

—¿Y si piensa también que soy una loca acosadora?

Armand sonríe.

—Si quieres, voy yo solo y compruebo que está alojado allí. Luego piensas qué hacer.

—No, te acompañaré. Aunque qué voy a contarle:

compré el libro que leías, me obsesioné con la historia de la novela, vine a buscarte, hablé con tu tía y, por cierto, ella sabe dónde está la tumba de tu abuelo.

Flora se pasa la mano por la cabeza.

—Quizá prefieras ir tú sola, para hablar con él.

—No le demos más vueltas. Ni siquiera tenemos la certeza de que esté allí. Además quiero ver el hotel de Marina Ivannova.

—En una hora quedamos en recepción.

—De acuerdo. Gracias, Armand. —Le besa en la mejilla.

Él se marcha de la habitación y Flora se sienta sobre la cama. Hola, Paul, soy Flora la durmiente, ¿me recuerdas? Parece que han pasado meses desde entonces. El tiempo es distinto en Tánger.

Se mete en la ducha y procura no pensar en Paul Dingle, en ninguno de ellos. Se quita el olor de la gruta, el olor secreto. Cuando sale, abre el cajón de la cómoda donde ha guardado su ropa interior y se enfrenta a las bragas violeta. No, se dice. Escoge unas blancas, cómodas, de algodón. Piensa en qué se va a poner. Se rebela contra este pensamiento. Unos vaqueros, un jersey gris, zapatillas de deporte. Se maquilla, pero no en exceso. Vuelve a sentarse sobre la cama, abre su portátil y llama a Deidé. Necesita ver su rostro amigo, contarle los avances en la investigación. En eso ha de centrarse, no en el hotel de la Gran Vía.

—Deidé, mi querida Deidé.

—Te veo excitada, Florita.

—Han sucedido muchas cosas.

—Impaciente me tenés. ¿Has entrado en razón y volvés a casa?

Flora le cuenta todo lo que ha averiguado y cómo.

—A ver, querida, que no te escuché bien. —Deidé abre exageradamente los ojos—. ¿Vos profanaste una tumba? ¿Excavaste con ese hombre que debe de estar tan loco como vos? Me has puesto las hormonas más acaloradas que la menopausia, me está dando un sofoco. —Deidé se abanica con una mano—. Perdiste la cabeza en Marruecos, se te fue, Flora, se te fue. No pensaste en que si te pilla la policía, te meten presa porque piensan que mataste a un hombre; Florita estás jugando con fuego.

—Necesito saber qué le ocurrió a Paul Dingle en 1951. Quién le mató, para que descanse en paz.

—Qué le debés vos a un muerto que lleva fiambre muchos años y que no conociste en tu vida, en tu vida racional, al menos. Recapacita y volvé a tu casa.

—Si Bella Nur sabía dónde estaba la tumba, ¿no te parece que es la primera sospechosa de su muerte? Ella no tuvo un hijo, sino su madre, y estaba enamorada del marido.

—¿Qué es esto que me contás, Florita, una especie de complejo de Electra ahora? Una niña enamorada de la figura paterna.

—No creo que nunca llegara a ver a Paul así. Bella Nur escribió la novela en primera persona, como si fuera Marina, y se atribuyó la maternidad de su hijo.

—Le usurpó la personalidad a la madre, entonces.

—Ella la admiraba: su cabello rubio, sus trajes de Hollywood, no dudo de que la quería. Luego se enamoró del mismo hombre.

—La madre se convirtió así en su rival, como Electra. Amor y odio por la madre, admiración y envidia.

—Y por último, como te conté, atribuye, aunque no de forma directa, el asesinato de Paul a su madre. ¿No crees que pudo usurparla aquí también y ser ella la asesina?

—¿Qué sabés de la niña antes de que fuera adoptada? ¿De sus verdaderos padres?

—La madre, Amina en la novela, era una hechicera bereber.

—Dejémonos de hechiceros, no más magia, datos objetivos, querida, antes de que me dé otro sofoco.

Flora sonríe.

—Está bien. Marina la adoptó a los doce años. Llevaba cerca de un mes sin hablar, desde la muerte de la madre.

—¿Y cómo murió?

—De tuberculosis en la cárcel. Había matado a su marido, el padre de la niña.

—¿Qué me decís? Seguí.

—Por lo visto el hombre la maltrataba. Un día Amina se cansó de que le pegara, se defendió y le mató. La enviaron a la cárcel, allí enfermó y murió.

—Eso puede suponer un trauma para cualquier persona y más si es un niño. Laila, Bella Nur y como se llame más podría haber replicado la conducta de la madre. En algunas ocasiones, los hijos maltratados desarrollan a su vez una respuesta de violencia y se convierten en maltratadores. Si su madre mató al hombre que se portaba mal con ella, Bella Nur podría haber hecho lo mismo con Paul Dingle si finalmente este se casó con la nueva madre y ella se sintió abandonada. ¿Sabés si tuvo de verdad una relación sentimental con él?

—Paul Dingle era mujeriego, por lo visto. Adoraba a Laila, pero no sé si llegaron a ser amantes. En la novela así se cuenta, aunque también se dice que Laila se quedó embarazada y es mentira.

—Hay que averiguar si tuvo una relación con él.

—Bella Nur me dijo que el amuleto bereber era de Paul, y tuvo que dárselo ella. El hecho de que le regalara una joya antigua, que pertenecería lo más seguro a su madre, incluso a su abuela, confirma lo que le importaba Paul. Además le grabó su nombre, como los enamorados, por lo que una relación estrecha había. Ahora, que fuera más allá del afecto que podría tenerle Paul como su hijastra, o la hija adolescente de su mujer, eso ya...

—Sería bueno averiguar hasta dónde llegó su relación.

—Y si le mató, Deidé. Dudo mucho ahora de que lo hiciera Marina.

—Si Bella Nur usurpó totalmente la personalidad de la madre...

—¿Quieres decir que se metió en su caracola?

—Sí, y ella le mató, así que en la novela tiene que asesinarle Marina, puesto que Bella Nur es ella de alguna manera, ¿comprendés? Es una forma también encubierta de contar la verdad.

—No lo había pensado, Deidé, mi querida Watson. Hacemos un equipo muy bueno.

—No empecés otra vez con los detectives, esto es una cosa muy seria. Has desenterrado un muerto.

—Solo una tibia, luego lo dejamos. No pude más. Pensar que era Paul...

—Solo una tibia, pero ¿vos te escuchaste? Una tibia es suficiente locura. Solo el hecho de intentarlo. Además, puede haber una asesina de verdad, Florita, y le estás tocando las narices. Estás removiendo una historia que ocurrió hace mucho tiempo y estaba enterrada.

—Voy a llegar hasta el final para saber lo que sucedió con Paul. De algún modo siento que no fue casual que leyera la novela y viajara hasta Tánger.

—Vas a llegar hasta el final de tu viaje, querida, regresa a Madrid, ya jugaste bastante. Dejá ahora de me hablaron los muertos para vengar su memoria. Esa es una nueva.

—Cada vez estoy más convencida de que Paul Dingle desapareció el 24 de diciembre de 1951 porque Bella Nur, Alisha Levinsgtone, le asesinó. No sé cómo lo hizo, quizá con la propia pistola de Paul que aparece en la novela y que pone en manos de Marina. Y luego le enterró como los antiguos bereberes. La vi tumbarse sobre el túmulo, con el libro y el amuleto de Paul, que por cierto me robó del *hammam*.

—¿Fue ella?

—Sin duda, ¿cómo si no podría tener el amuleto? Encargaría a alguien que lo hiciera.

—Esa mujer es peligrosa, Florita, ha sido capaz de muchas cosas.

—Desde luego que es peligrosa y mentirosa. Ahora, no pudo llevar el cuerpo de Paul Dingle hasta allí ella sola. O le mató en ese lugar y le enterró, o alguien tuvo que ayudarla. Pero ¿cómo hacerla confesar?, ¿cómo atrapar al asesino?, ¿cómo sacarla de su escondite y ponerla al límite, remover lo que ocurrió hasta que llegue a contar la verdad? Si todo sucedió como sospecho, Marina murió sin saber qué le había ocurrido a su marido, Paul Dingle, el padre de su hijo. Sin saber si Paul huyó esa noche porque había matado a un hombre de un disparo, un manco que le hacía chantaje.

—Otro asesinato más, un manco ahora. El asesinado, asesino también. —Deidé hace aspavientos con las manos.

—He leído periódicos de la época en la hemeroteca y la noticia es verídica. Marina no supo nunca si Paul, que la dejó con un hijo en el vientre, escapó, o si le mataron.

—Pero ¿quién? ¿Crees que sospecharía de su propia hija? ¿Que sabría lo que Bella Nur sentía por él?

—No lo sé. Sospecho que no. En la novela no lo sabe hasta que Laila se lo confiesa. Pero como decíamos, no tenemos la certeza de que Paul llegara tan lejos.

—Quizá porque no te gusta pensar que tu Paul sedujo a una adolescente, que era además hija de su novia. No le pone en muy buen lugar. Una cosa es ser mujeriego y otra llegar hasta ahí.

—Marina también podía sospechar de Samir, otro novio anterior. Él tenía motivos pasionales y de negocios por contrabando de armas.

—Querida, esto te supera; ahora un contrabandista. Hablá con la policía, o no, mejor olvídate. Si todos murieron y la asesina está cerca, qué más te da. No creí que la literatura pudiera llegar a ser tan peligrosa.

—Tengo que dejarte, Deidé, he quedado con Armand.

—¿Armand? El otro «desentierratibias». Dios los cría y ellos se juntan.

—Es un hombre maravilloso, Deidé.

—¿Qué oí? Y este no está en un libro.

—No, investiga uno conmigo.

—¿Y dejaste de ver embarazadas asesinas? Bueno, claro, las cambiaste por personajes de novela.

Flora se ríe.

—Aquí no veo tantas. Quizá porque llevan el vientre bajo el caftán.

—Quizá porque vos sustituiste una locura por otra, y solo ves a Paul Dingle. Cada vez que hablo con vos me arde la menopausia.

—Ahora tengo que ir a un sitio con Armand. Luego te lo cuento, he de arreglarme. Creo que te va a gustar.

—Lo único que ya me va a gustar, Florita, es que salgás de ese nido de personajes asesinos, con traumas y contrabandistas.

—Un beso, Deidé, me has dado una idea.

—¿Una idea? ¿Qué idea, Florita? ¿A ver si en vez de apaciguar, inflamé el fuego de tu locura? De todas formas no dejés de llamarme en cuanto tengás buena wifi. Yo le daré ahora una vuelta en casa.

—Corto y cierro. —Flora le tira un beso.

El hotel Dar Kasbah está en una callejuela junto a la plaza donde ahora se alzan algunos restaurantes con sus azoteas para ver la puesta de sol. Una puerta de madera oscura con tachones de oro les da la bienvenida. Flora imagina a Samir niño, con la pierna apoyada en la pared, esperando a Marina. De eso hace casi cien años, piensa. Armand llama a un telefonillo y les abren sin contestar. Flora se adentra en el mundo de Marina, mamá Ada, papá Arón, Laila, Paul... Traspasa el umbral. La piel en otro tiempo, entre las páginas de un libro, indómita por la expectación. Es una casa hacia dentro, como había explicado Marina. Las ventanas de la fachada son pequeñas; sin embargo, el patio que los recibe parece alumbrado por un alud de sol. Está cubierto por una claraboya. En un extremo del patio, Flora ve el mostrador de recepción.

—Yo preguntaré por él, si lo prefieres —dice Armand.

—Gracias. Voy a subir al primer piso para ver el salón donde Marina daba las fiestas. Te esperaré allí.

Flora camina tensa por el patio hasta que encuentra la escalera. Una puerta de doble hoja con un arco árabe da paso a uno de los salones. Es el comedor del hotel. Mesas redondas con manteles de hilo blanco. ¿Serán las mismas que tenía Marina en su salón de fiestas? Es amplio. Decorado con muebles de estilo árabe. En una de sus esquinas hay un piano. Flora se acerca hasta él y acaricia la tapa cerrada. Ve la tibia de Paul. Nunca podrá olvidarla. Ahora tiene la oportunidad de recordarle de otra manera. Le imagina sentado frente al piano cantando *La vie en rose*. Observa las paredes del salón, en una de ellas hay una ventana de forma ojival. Por ahí te espiaba Laila, piensa, por ahí quizá se enamoró de ti. Sigue paseando y se fija en los cuadros de las paredes. Son los carteles de Marina. Sus carteles de Hollywood. Se estremece al ver su rostro, que hasta entonces solo conocía de la foto de casa de Armand. Marina, glamur en blanco y negro. Marina con su turbante: la mujer de Oriente y Occidente, extraña, lívida en su belleza como una atracción de circo. ¿Es una intrusa en su mundo?, se pregunta. Como si por segunda vez en un día pretendiera profanar una tumba, penetrar en el pudor del recuerdo ajeno. Marina, ¿quieres que siga adelante? O Irina. ¿Con quién está hablando? ¿Con la mujer del cartel, con el personaje de la novela? Se sienta en una silla. Mira a su alrededor. Las luces apagadas. La soledad a merced del sol. He de seguir adelante. Los carteles de Marina se hallan en un estado latente, a la espera de algo que aún ha de suceder.

La voz de Armand, llamándola, la sobresalta. Se levanta y va hacia él. Tiene una sonrisa cómplice.

—Paul Dingle se aloja, efectivamente, en este hotel. Habitación 16.

Flora siente el viento en su estómago. Piensa en la habitación de Madrid. Le falta un 1; ¿cuántas casualidades hay en la vida que jamás se permitirían en la literatura?, se pregunta.

—Ahora mismo no está en el hotel. Pero tiene una cena con los dueños, así que regresará a lo largo de la tarde, digo yo. —Armand sonríe—. Era una señorita muy simpática y me ha dado toda la información que ha podido. Si lo deseamos, le podemos dejar un recado que ella le entregará personalmente.

—Te la has camelado bien con tus ojos amarillos de gato.

—Todo lo que he podido. Aún me queda algo de encanto en este viejo cuerpo. —Sonríe.

—Mira los carteles de Marina, Irina, quiero decir, cuando era actriz en Hollywood.

Armand se detiene un rato observándolos.

—Era muy guapa.

—Lo era. E intuyo que ese es el piano donde tocaba Paul. Parece muy antiguo.

—La novela ha cobrado vida.

—Hace ya tiempo, Armand.

—Estamos dentro de ella.

—Entre el sueño y la vigilia, no sé por qué me viene ahora a la cabeza una poesía de Bécquer que aprendí de niña: «misteriosos espacios que separan la vigilia del sueño». La literatura de la realidad.

—Algo parecido. Pero hay alguien enterrado en una tumba, oculta por alguna razón que podemos imaginar.

—Hoy he hablado con mi psicoanalista por Skype, Deidé Spinelli.

—Nombre curioso.

—Es argentina de ascendencia italiana. Cuando nos despedíamos, una idea ha empezado a rondarme por la cabeza. Y ahora, después de saber que Paul está aquí...

Está aquí, piensa Flora, es él. Paul, de Camelot, de la noche de neón, Paul, mi héroe de la segunda guerra mundial, París es libre, veo la cuerda del zepelín, quiero escapar...

—¿Qué te ocurre, Flora?, continúa.

—Vamos a tomar un té y te la cuento.

Se sientan en la azotea del café Blue que da a la plaza. A los lejos se ve España en un horizonte de niebla. El cielo de Tánger, sin embargo, está azul y el sol calienta. Sobre ellos el vuelo cruzado de las gaviotas.

—Bella Nur me habló del libro de Oscar Wilde, *La decadencia de la mentira* —dice Flora—. Más aún, me hizo llegar al hotel un ejemplar. —Lo saca de su bolso—. Te leeré algunos fragmentos para que entiendas mejor lo que quiero proponerte. «Ningún gran artista ve jamás las cosas como son. Si lo hiciera, dejaría de ser artista.» «Lo soporífero es lo que sucede.» Wilde defiende en este ensayo que la vida imita al arte y no el arte a la vida. Por ejemplo, Goethe creó el personaje de Werther en una novela, que muchos hombres después imitaron suicidándose como él por un amor no correspondido.

—Poderosa la literatura.

—Y mucho. Bella Nur usurpó la voz de Marina para escribir la novela. Ahora seré yo quien la usurpe para atrapar a una asesina. Es la usurpación contra la usurpación, veamos quién gana.

—No entiendo nada de lo que me quieres decir.

Flora enciende un cigarrillo.

—Escribiré a Bella Nur una carta como si fuera Marina. Una carta que cuando menos la conmueva; al fin y al cabo, aunque adoptiva, era su madre.

—Sabrá que es falsa.

—Y qué. La vida debe imitar al arte, hagamos arte entonces para que cobre vida, como Werther. Imitaré el estilo de Bella Nur en *Niebla en Tánger* para que parezca una continuación de la novela. Muchos escritores comenzaron a escribir así, imitando a otros autores que admiraban. Robert Louis Stevenson, por ejemplo, lo cuenta en un ensayo que leí hace poco. Yo imitaré a Bella Nur, que me gusta mucho.

—¿Quieres decir que vas a empezar a escribir imitando el estilo de una escritora que crees asesina para intentar atraparla?

—Algo así. Ella me dijo: «yo no mentí en la novela, creé vida». Eso haré yo.

—Me das miedo de repente.

—Bella Nur es nuestra doctora Jekyll, aunque después de su llamada al inspector Abdelán ya ha empezado a mostrar su mister Hyde, Alisha Levingstone. Hay que forzarla a que confiese que mató a Paul Dingle y le enterró en la gruta.

—No sé.

—Déjame intentarlo. Escucha a Wilde, dice: «La crónica de sus vidas carece por completo de interés. ¿Qué más nos da lo que les suceda? En la literatura pedimos distinción, encanto, belleza y fuerza imaginativa». En nuestro caso sí que es importante lo que le sucedió a Paul Dingle: es un hombre al que asesinaron y enterraron en una gruta solitaria. Dame solo mañana, Armand, y o bien dejamos el asunto y me marcho a casa o voy a la policía y que Bella Nur asuma las consecuencias.

—Pero mañana tenías billete para Madrid.

—Voy a anular el vuelo. Y necesitamos ampliar otro día el alquiler del coche, y dejarle un mensaje en el hotel a Paul, también debe entrar en el juego.

Flora apaga el cigarrillo.

—Voy a contarte cómo se me ha ocurrido que podríamos hacerlo.

El cielo parece de harina en esa mañana cálida de diciembre. Ni un rayo de sol consigue filtrarse a través de su sombra.

Flora ha dormido muy poco esa noche. Tiene los ojos

hinchados. De nuevo las gaviotas los escoltan por la carretera de la playa. Graznidos, ¿será que los alertan para que abandonen su plan? Armand conduce absorto en sus pensamientos.

La tarde pasada, Flora habló con su marido. Le dijo que cambiaba el vuelo de día porque le había salido un pequeño trabajo de traducción de unos cuentos del Rif gracias a un ponente del congreso y que necesitaba hacerlo allí. En esa ocasión, la voz de su marido abandonó el tono pausado.

—¿No estarás en casa para Navidad, Flora? ¿Qué dirá tu madre? Se disgustará muchísimo.

—Llegaré a tiempo. No puedo perder esta oportunidad. Quiero dejar de traducir instrucciones de lavadoras.

Flora solo pensaba en la carta que tenía que escribir. Había comprado papel azul, satinado, elegante, como el de Bella Nur, en una papelería del bulevar Pasteur. En él también escribiría a Paul, y Armand se encargaría de hacer las entregas a las siete en punto de la tarde. Tenía que cortar la conversación con su marido.

—Te echo de menos —dijo él.

Ella se preocupó por si todo aquello era una pantomima para ocultar la sorpresa que su marido quiere darle: viajar hasta Tánger y pasar allí juntos la Navidad.

—Mi madre dice que tienes una sorpresa para mí.

—Tu madre siempre tiene que contártelo todo.

—¿Qué es? Bueno, ya me lo dirás en casa. Yo tengo el vuelo para pasado mañana. Y esta vez no lo puedo cambiar a otro día, perdería el dinero.

—Por eso tienes que subir a ese avión. Por eso y porque tengo muchas ganas de verte.

Flora se despidió con un beso y un hasta pronto. Pasó el resto de la tarde encerrada en su habitación. Solo tengo unas cuantas horas para escribir la carta, se decía. He de imitar con rapidez. Leía y releía la novela, intentaba impregnarse de la música que a veces arrastraba la prosa. Imaginaba a Bella Nur escribiendo en la casa afrancesada, en la habitación donde le sirvió el chocolate, con la cristalera desde la que se veían los rosales, los narcisos. Así no avanzaré, pensó. Mi mente debe concentrarse en Marina, en los carteles que he visto en el hotel Dar Kasbah. En la madre que fue y que quizá yo nunca llegue a ser. Sus ojos azules son por los que quiero ver, para después retornar a la escritura de Bella Nur. Poner en sus palabras el rostro de Marina, imaginar su voz, hablar en español con un leve acento ruso.

Mi querida hija, mi querida Laila, Alisha: Te has hecho una mujer, te has convertido en una escritora de éxito, Bella Nur, qué orgullosa estoy de ti. Aquella niña flaca que encontré en casa de Ankara, aquella niña refugiada en el silencio por la pérdida de su madre, aquella niña que me alegró la vida cuando lo necesitaba. Tu presencia repentina me libró de la soledad más absoluta. Yo, que me había pasado tantos años intentando salvar a otros, resulta que al final era quien necesitaba que la salvaran. Recuerdo nuestras noches juntas, tus huidas a los fogones, mi desesperación por llegar hasta ti. Gracias por haberme dejado entrar en tu mundo, por haberme dado tu compañía.

Nunca sospeché que cuando el viento me trajo a Paul Dingle, en aquel navío que jamás debió llegar a nuestro puerto, también me traería tu pérdida. Sabía que le querías, pero no logré ver en cómo le mirabas mientras desnudabais a Proust, entre otras glorias literarias, que sentías por él algo más que admiración y cariño. Debí haber cuidado más de ti, solo tenías diecisiete años cuando todo sucedió. Mi mayor felicidad —casarme con Paul y la noticia de nuestro hijo, tan deseada— fue tu mayor desdicha. Me culpo de que no confiaras en mí para hablarme de tu dolor, a esa edad donde el corazón se abre por primera vez. Que vieras en mí a una rival y no a tu madre me hace sufrir hasta en la tumba. Me admirabas, lo sé, mi pequeña, por eso tenías que destruirme. El día que te dije que estaba embarazada de Paul y que íbamos a casarnos me miraste con desprecio.

—¿Cómo es posible con lo vieja que eres?

Ese bebé debía ser tuyo. Juraste que no alumbrarías un hijo que no fuera de Paul. Y lo has cumplido. Él admiraba tu inteligencia, tu personalidad, tus ganas de aprender, tu fortaleza. Le besaste por primera vez el día que comenzasteis la lectura de Proust, «Por el camino de Swann».

—No puede volver a ocurrir —te dijo Paul.

Tú no le tomaste en serio, te había respondido al beso, te deseaba, lo sentías en su cuerpo. En esos días floreciste aún más. Tus ojos delataban lo que escondías, porque ellos nunca pudieron mentir. Aun así yo no supe verlo. La felicidad ciega, Alisha. Aprovechabas cualquier oportunidad para estar a solas con Paul, para besarle y abrazarle a mis espaldas.

—Basta, Alisha —te repetía él.

Un día, en la sala de lectura, te quitaste del cuello lo más preciado que tenías: el colgante bereber que te legó tu madre y que había pertenecido a las mujeres de tu familia durante generaciones. Y se lo entregaste a Paul. Habías grabado tu nombre en la parte de atrás.

—Todo lo que soy, para siempre —le dijiste.

Él se marchó, pero a las pocas horas llevaba en su cuello tu colgante. Aquel gesto te dio esperanza.

Fue mi embarazo lo que hizo que se precipitara el plan que habías trazado para fugaros a París. Tú estudiando en la Sorbona, Literatura, bajo su dirección, mientras él recuperaba la editorial de su padre que aquel hombre, el nuevo marido de su madre, le había quitado. Juntos la llevaríais. Sabías que ese era el deseo que Paul albergaba en su interior y no veía cómo hacer realidad. Tú eras fuerte por los dos, se lo repetías sin descanso. Nunca te importó lo que pensaran los demás de ti. Si murmuraban que un hombre de treinta y nueve años, recién casado y a punto de tener un hijo, se había fugado con la hija adoptiva de su mujer, de solo diecisiete, a vosotros qué os importaba. Tú ya habías sufrido la injusticia y la frustración por la muerte de tu madre, ya te habían llamado *pobre desgraciada, analfabeta*, y habías seguido adelante demostrando que los ignorantes eran los que te insultaban.

—¡Cobarde! —le gritaste cuando Paul se negó a abandonarme.

—Voy a contárselo a tu madre —dijo él.

—No te atreverás, no tienes valor para ello.

Te apartó de su lado y rompiste a llorar.

Qué sabías tú lo que esas palabras significaban para Paul. Él no podía regresar a Francia. Nada te dijo de ello. No te mostró nunca su tormento, no te contó nunca por qué llevaba años embarcado, huyendo. Odiabas la debilidad, Alisha, no te la permitías a ti misma ni se la permitías a nadie. Eras demasiado joven para comprender ciertas cosas.

Nunca supiste rendirte. Nunca, mi querida Alisha, o admitir lo que era contrario a tus deseos. Te sentiste de nuevo impotente y vulnerable con la llegada de tu hermano, como te sentiste cuando se llevaron a tu madre y la perdiste. Odiaste a aquel bebé desde que estuvo en mi vientre, ese niño te lo arrebataba todo; había hecho cambiar de opinión a Paul, eso pensabas, y me odiaste a mí por haberlo engendrado. Ahora era tu madre adoptiva la que te hacía sentir así, antes lo fue tu padre. Tenías que rebelarte. No ibas a quedarte de brazos cruzados una segunda vez.

Sé que cogiste la pistola de Paul de la caja fuerte donde yo la había escondido. Aquel día sentía tu presencia tras mis pasos, aunque no pudiera verte. No te había tenido en mi seno, pero tu madre me mostró tu calor desde mucho antes de que fueras concebida, con mi mano en su vientre. Te llevaba dentro, Alisha, estábamos predestinadas la una a la otra. Predestinadas a consolarnos la soledad mutuamente. Veo ahora tus ojos aquella tarde del 24 de diciembre, espiándome. Sabías la combinación de la caja fuerte, sabías que estaba el arma de Paul, todo lo que le pertenecía te fascinaba. La abriste cuando me marché al puerto y te apoderaste de ella. Fuiste tras mis pasos. Entre la bruma me pareció ver una sombra cuando regresaba a casa para esperar a Paul, que ya no llegaría nunca.

Desesperada, te dirigiste al café Fuentes y allí Matías Sotelo, sin saberlo, firmó la sentencia de muerte de Paul. Le preguntaste dónde podías encontrarle, temblabas, tu voz era apremiante, fuera de sí, y él te dijo que estaba con Samir en la casa de las afueras, trabajando, que le esperases en el hotel. Te marchaste enseguida, con el viento de nuevo, hacia el destino que habías planeado para todos, hacia el destino que marcaría el resto de tu vida, de la mía. Perdida en la bruma, sola, con el frío del arma en el regazo, apretándolo para tomar valor en tu decisión, volaste en el levante furioso. Fue entonces cuando le pediste ayuda a ella, cuando le suplicaste a la Axia Kandisha que viniera a por él y se lo llevara para evitar cometer el hecho que tus entrañas rechazaban por muchas razones. Le rogaste a esa mujer de rostro terrible y hermoso que en esa noche, cuando ella vive para atender las súplicas de las mujeres, fuera más veloz que tu voluntad, que tus pasos blandos en la niebla, fugaces; apenas pisabas las calles de la Medina, volabas hacia tu crimen. Pero tú llegaste antes que ella.

La casa afrancesada era un murmullo en la sombra; las buganvillas, espectros que trepaban por las fachadas. Él ya estaba allí con su jersey de rayas y sus pantalones oscuros, aquel atuendo eterno, el último. Golpeaste la cancela de hierro, muchas veces, hasta que te sangraron los nudillos, llamabas a gritos a Paul y a Samir; se te quebró la garganta y empezaste a llorar. Samir te abrió la puerta, no era noche para el escándalo, cuando ocultaban un cargamento de oro en el sótano, junto a las reliquias de las muertas.

—¿Y Paul? —le preguntaste.

No había más luz que una pequeña bombilla en el jardín. Él no pudo ver tu rostro, que ya no te pertenecía, sino a la mujer en la que te habían convertido los celos, el cariño mal entendido, la rivalidad con una madre que te adoraba.

—¿Qué estás haciendo aquí? —te preguntó Samir.

Las palabras no salían de tu boca más que para repetir el nombre de Paul. Subisteis por la escalera de piedra y en el último peldaño le viste. El cabello revuelto le tapaba el rostro, pensabas que ella ya venía a llevárselo y esperaste, solo un segundo, antes de sacar la pistola y disparar una única bala que le alcanzó en el pecho, en el corazón que tú anhelabas. Cayó de rodillas, sin comprender el porqué de su muerte hasta el momento en que corriste hacia él, llamándole como si con tu voz pudieras salvarle. Sé que te arrepentiste en ese instante, que la cordura regresó de golpe, helada, cruel, irreversible. Por la boca de Paul descendía un hilo de sangre. Te arrodillaste junto a él. Le abrazabas, le apretabas contra tu pecho hablándole en el dialecto bereber de tu madre, profiriendo los hechizos que ella te había enseñado. Pero esa lengua no resucita a los muertos, tan solo habla con ellos. Viste colgado de su cuello el amuleto que le habías regalado, con tu nombre, en señal de amor. Y ahora unas manchas oscuras lo mancillaban. Paul te acarició el rostro, no volverías a sentirle vivo. Sus ojos azules, más azules que en su nacimiento por los mares que había surcado, buscaron los tuyos, y así se fue. Un fuerte soplo de viento arrolló la escultura en que os habíais convertido, una Piedad en la niebla. Creíste que era ella, la Axia Kandisha, que llegaba tarde, y la maldijiste. Ya habías hecho su trabajo.

Samir, que había asistido a la escena desde el espanto de la escalera, te ayudó con el cuerpo. Terminó de guardar el oro en el sótano mientras tú llorabas sobre lo que quedaba de Paul, y en el mismo coche en el que había transportado el cargamento depositó el cadáver, aún tibio. Qué podía hacer él salvo ayudarte. Te quería, le habías enseñado a leer y a escribir, parte de su nueva vida te la debía a ti. Eras tan joven y tenías un futuro tan prometedor... Decir la verdad lo habría arruinado todo.

La noche de bruma y viento, la lejanía de la casa os sirvieron de cómplices. Samir llevó el coche hasta la puerta y cargó a Paul. Condujisteis sin rumbo.

—Es una noche infernal para enterrarlo —te dijo—, mañana me ocuparé.

Tú te negaste. Querías acompañar a Paul hasta su tumba, hasta que la tierra le engullera, así sería solo tuyo.

Samir te dejó en el hotel. Ya esa noche mientras yo esperaba a Paul despierta, insomne, tú me acariciaste, hiciste que me tumbara en la cama, aún con el perfume de Paul entre las sábanas, y como yo hice contigo en tu infancia me arrullaste con las suras del Corán de Ankara, me contaste cuentos de las mujeres de tu tierra para soportar la espera que habría de durar el resto de mi existencia. Nos dormimos abrazadas, otra vez tú y yo solas en el mundo, mientras Paul dormía su muerte en el maletero de un coche.

Un poco antes del alba, me abandonaste en mi lecho, con su frío ya perpetuo. La niebla había levantado, llevándose consigo el viento. Samir te recogió en la plaza de la Kasbah. En silencio, condujo hacia el mar. Tú querías la tumba cerca de él para que a Paul le acompañaran las olas. Conocías la gruta porque te había llevado tu madre siendo niña. Era un lugar donde se concentraban las energías necesarias para practicar vuestra magia antigua. Un lugar íntimo, ligado a tus primeros recuerdos.

Y allí le disteis sepultura. Samir cavó en la arena que se abría para recibir a Paul, ávida de recoger entre sus manos lo que tú depositabas en ellas. La noche había dejado en su rostro el primer paso hacia la rigidez. Y tú volviste a llorar. Le quitaste del cuello el amuleto para guardarlo contigo. Muchos años más tarde lo utilizarías de reclamo para atraer hacia ti al nieto de Paul. Tan igual a él, tan exacto, el rostro que habías visto lívido, los ojos que enterraste habían salido de tu túmulo mágico para que pudieras redimir el rencor que no te había permitido acercarte a su hijo, tu hermano. Junto al amuleto, le enviaste la historia de la desaparición de su abuelo, mi historia, pero estaba incompleta. Faltaban estas líneas, hija mía, que yo escribo para ti, para que con ellas, en tu último momento, encuentres junto a mí la paz.

18

El arte y la vida

La gruta está más oscura que el día anterior cuando Armand y Flora llegaron al amanecer. Han acordado que él se esconda entre las rocas que forman el arco. Hay un entrante donde puede permanecer cerca y escuchar sin que le vean. Es mejor para que el plan funcione que solo esté Flora: si Bella Nur se encuentra a un hombre que no conoce, puede alarmarse demasiado y activar todas sus defensas, cuando se trata de lo contrario.

Se miran a los ojos y se abrazan.

—Gracias por acompañarme en esta locura.

—También es ya mi locura. Gracias por hacerme salir de mi letargo.

Lleva un pequeño cuaderno de dibujo en el bolsillo y la punta de un lápiz que sobresale. Armand vuelve a pintar la vida. Mientras esperan, quiere dibujar el paisaje de la carretera desierta, del mar que ese día está indómito por las olas que le provoca el levante.

—Estamos en Tánger —responde Flora—. Para mí también han cambiado las cosas o están empezando a hacerlo.

Las diez y veinticinco. Cada uno en su puesto. Armand escondido y Flora en la gruta, a la espera de la llegada de la escritora. Por mucho que el día anterior intentaran dejarlo como estaba, se nota que han removido la tierra del túmulo. Durante muchos años nadie la ha tocado más que el viento que se cuela por la abertura y la erosiona y el cuerpo de Bella Nur cuando lo abriga con sus artes de hechicera.

Flora tiene las manos heladas, también los pies, aunque lleva unas botas y calcetines de lana. Sabe que no entrará en calor, que es el frío del miedo lo que la atenaza y la paraliza. Se ha colocado frente a la abertura, al fondo de la gruta, en un ángulo de sombra. Mira el reloj. Las diez y media. Le pican los ojos, tiene la cabeza embotada. Aún se siente Marina. Se sorprende dentro del personaje, viendo por sus ojos, por su piel.

Bella Nur se retrasa y Flora teme que no acuda a la escenificación del arte que le ha preparado con la esperanza de que la vida que cobró entre las páginas ocurra en la gruta. Junto a la carta, en el papel azul satinado, iba otra nota con estas palabras:

Mañana te espero a las 10.30 en la tumba de Paul. Hemos de resolver esto entre nosotras para que nadie más se entere de lo que hiciste.

Habían dudado mucho sobre su redacción. Sobre si escribir algo así como: «Si no acudes, se lo contaré a la policía». Finalmente, se habían decidido por una amenaza más velada, acorde con el tono de la carta de Marina. Mencionar la palabra *policía* podría haberla animado a llamar al inspector contándole cualquier otra mentira, y ya no podrían atraparla.

A las once menos veinte, en el silencio de las olas que baten contra las rocas, se oye el motor de un coche. Flora imagina que es el Mercedes marrón. Unos minutos después, sonido de neumáticos y el coche que se aleja. De nuevo, solo las olas. Luego el bastón que camina por las pequeñas dunas de la playa. Flora se adentra aún más en el ángulo de sombra. Está preparando una aparición que deje desnuda la conciencia de Bella Nur tras la carta. A lo mejor espera demasiado. El alma humana a veces es impredecible. Debería haber hablado con Deidé para pedirle consejo sobre cómo se usurpa algo a una usurpadora. No la llamó porque al acabar la carta ya era de madrugada y también por si intentaba disuadirla. Quizá he sido demasiado soberbia y ahora voy a pagar las consecuencias. Una sombra penetra en la cueva. Un turbante negro. Una túnica, un collar de cuentas de color indefinido. El bastón, un filo negro en la luz de harina. La bolsa de *patchwork* colgada de un brazo. Puede oír su respiración fatigada. Los incómodos jadeos que no le dejan tomar aire. En una mano, una linterna. La enciende. Resopla. Flora sale de su ángulo de sombra y Bella Nur la mira con sus ojos de hechicera.

—Eres tú. Lo sabía. Desde el primer momento me di cuenta de que no eras más que una entrometida. Olisqueando, persiguiendo a un hombre al que apenas conocías y que con su silencio te había dejado claro que no le interesaba volver a verte. Has dejado atrás un umbral que no debiste cruzar. Te abrí las puertas de mi casa y respondí a tus preguntas. Incluso te envié un libro para que comprendieras. Pero tú no eres capaz de llegar a la grandeza de Wilde. A lo que él expresa en esas bellas páginas.

—No cuando miente para encubrir un asesinato, no cuando hay un crimen real, un hombre en una tumba escondida.

—Debería insistir a la policía para que te detuviera por acosadora.

—Le dijo al inspector que yo le había robado el amuleto y que estaba enamorada del personaje de su novela, pero fue usted quien me lo robó. Me lo podría haber pedido, haberme dicho que era una joya familiar, y se lo habría dado.

Flora duda de sus últimas palabras; no sabe si lo habría hecho, al menos recién llegada a Tánger. Tiene que tranquilizarse, está perdiendo el control nada más empezar y saliéndose del guion que tenía preparado. Ella es Marina.

—Tú sí que has robado —habla la anciana—. Eres una ladrona de historias, de sentimientos, seguramente porque tú no tienes nada de ello. Un parásito que ha venido a Tánger a alimentarse de los secretos de los demás. A hacerse pasar por alguien como mi madre, con la que no te puedes ni comparar.

—Al menos yo no soy una asesina, Alisha.

—No vuelvas a llamarme por ese nombre. —Bella Nur mira la arena removida del túmulo—. ¡Te has atrevido a profanarlo! ¡Has puesto tus manos fisgonas sobre lo más sagrado! —grita.

Se arrodilla con más facilidad de la que cabría esperar en ella y acaricia la arena.

—La tumba de Paul Dingle —responde Flora—. Aquí le enterraste aquella noche del 24 de diciembre.

—Qué sabrás tú de nada. —Se pone en pie apoyándose en el bastón.

—Sé lo que debió saber su madre. Sé que murió sin conocer qué había sido de su marido.

—Ni se te ocurra volver a escribirme en su nombre. Ni mencionarla a ella.

—Conté la parte que faltaba en su novela. El dolor de una madre por su hija adolescente que sufría sin que ella se diera cuenta.

Los ojos de Bella Nur se convierten en espejos.

—Mi madre siempre estaba pendiente de Paul. Le quería solo para ella, pero Paul también me quería a mí. Ella lo tuvo vivo, yo le he tenido mucho más tiempo para mí, aunque sea muerto.

—Nunca llegó a ser su amante. La quería de otra manera.

El rostro de Bella Nur está acalorado. Respira buscando hasta la última brizna de aire en los pulmones. Abre la bolsa de *patchwork*, saca una pistola y apunta a Flora. El corazón se le desboca.

—Yo sé bien cómo me miraba, las palabras que me dedicaba. Si no llega a ser por el hijo que esperaba, se habría fugado conmigo. Tu palabrería en esa carta me hace reír.

—He sido fiel a la verdad. La vida ha sido mi materia bruta y a ella me he ceñido.

—Has hecho ficción, querida, y mala, muerta, sin vida. Eso no es arte.

Flora oye pasos en las rocas, es Armand, piensa. Se equivoca: Paul Dingle, puntual, entra en la gruta. Armand le había hecho llegar una nota:

Si quiere saber la verdad sobre la desaparición de su abuelo, acuda mañana a las 11.00 al lugar señalado en el plano adjunto. Allí encontrará su tumba.

Con su habilidad, le había pintado un dibujo de las rocas, además de indicarle el número de la carretera, el kilómetro exacto donde debía dejarle el taxi, y la descripción de la gruta en la que hallaría el túmulo.

Es la primera vez que los ojos de Bella Nur se quedan sin vida y envejecen de golpe. Con la pistola en la mano, mira con espanto a Paul. Es tan exacto al hombre que amó que retrocede en su memoria, hasta la noche del 24 de diciembre de 1951, la de aquel cumpleaños maldito. Le tiembla la mano. ¿Y si va a matarlo por segunda vez?, teme Flora. La anciana ha dejado de apuntarla con el arma, se ha girado hacia Paul, o hacia lo que, por un momento, en la penumbra de la gruta, Bella Nur cree su fantasma.

Es Paul, de Camelot, piensa Flora. De la noche en el hotel del neón. Paul. Habitación 116. Se oculta en el ángulo de sombra.

—Tía, ¿qué estás haciendo? —retrocede—. Baja esa pistola.

La conoce, piensa Flora. Vino a Tánger a verla como imaginé.

Bella Nur apunta al suelo, se sujeta en el bastón para no caerse.

—Pregúntale a ella. —La señala y Flora sale de su escondite—. Tengo miedo de que nos haga daño.

—¡Flora! —Paul la mira con incredulidad—. Un inspector de policía me dijo que estabas en Tánger...

—¿Piensas que ha venido por casualidad? —le interrumpe Bella Nur—. Te siguió. Es un ser que se alimenta de los otros, que los persigue y los acosa.

—Usted no sabe nada de mi vida. —Flora levanta la voz.

—Porque no hay nada que saber. Está obsesionada contigo, Paul. Temo por ti, por nosotros. Hiciste bien en no presentarte en ese café, en dejarla tirada sin una sola llamada más.

Flora mira a Paul.

—Tuve que marcharme de Madrid con urgencia, no sé qué decir Flora... Lo lamento...

—No hace falta que me des explicaciones —le interrumpe ella—, no te he hecho venir aquí para eso. Ahora ya no necesito saber por qué ni siquiera me escribiste para decirme que no te ibas a presentar. Compré el libro que estabas leyendo y vine a conocer a su escritora y a ver si te encontraba, pero encontré a tu abuelo. Tu tía sabe la verdad de lo que le ocurrió.

Paul sigue los ojos de Flora, que se fijan en el túmulo.

—Tía —la mira con extrañeza—, ¿es cierto que está aquí enterrado?

Bella Nur calla. No quiere perder lo último que le importa ya en esta vida, imagina Flora: un Paul idéntico al que amó, que van a arrebatarle una vez más.

—Eso dice ella, que es una loca, como ves, que te ha seguido desde Madrid. Tenía nuestro amuleto, solo se interesaba por ti. Si eras real, dónde podía encontrarte. Al principio me hacía gracia, un animalillo con el que jugar, tenía tantas ganas de creer que le había sucedido algo excepcional, que se había acostado con el personaje de una novela, que mi Paul había salido de las páginas y la había elegido a ella. Ilusa.

—¿Te refieres a mi abuelo?

—Sí, también era mío, no solo de tu abuela. —Enrojece de cólera—. Si tu padre no hubiera nacido, las cosas habrían sido distintas.

—¿Esa es el arma con la que le disparó? —le pregunta Flora.

—Esta es, sí. —Bella Nur ha vuelto a cruzar el umbral de su memoria—. El arma de la caja fuerte. Reconstruiste bien la escena. Acertaste en casi todo: mi llegada a la casa de las afueras, esta pistola, que llevaba oculta en el bolsillo del abrigo, mis ruegos a la Axia Kandisha para que se lo llevara por mí, pero te equivocaste con Samir. Yo disparé a Paul, que no estaba en lo alto de la escalera, no le di tiempo a llegar; había oído mi voz y vino hacia mí, hacia el cañón de esta arma.

Apunta de nuevo a Flora con ella.

—Mi sobrino no debería estar aquí. Tú has arruinado los últimos momentos de mi vida. Lo poco que me quedaba para disfrutar con Paul.

—Ahora es usted quien le confunde con su abuelo.

Bella Nur quita el seguro del arma.

—Vas a morir con la misma pistola que él, eso te gustará.

Paul agarra el brazo de su tía, lo retuerce hasta que ella gime de dolor y la pistola cae al suelo. Ella ríe con una carcajada que se mezcla con las lágrimas.

—Ni siquiera es esta la pistola que le mató. Le disparé en el zaguán de casa, pero tenía mala puntería. Le acerté en una pierna. Habría vivido, no era una herida mortal.

—Los ojos de Bella Nur brillan en la gruta—. Samir sacó una pistola del bolsillo de su chaqueta y le remató. Ese fue el tiro en el corazón al que te referías. Nunca hubiera tomado la iniciativa de asesinar a Paul, pero una vez que yo se la serví en bandeja, la aprovechó. «Es esto lo que tú querías», me dijo. Yo no dejaba de llorar. «Pues ya está, lo he hecho por ti.» Me mintió, él aún quería a mi madre.

Flora se estremece.

—Permitiste que mi abuela viviera con la incertidumbre de no saber qué le había pasado a su marido —le dice Paul—. Mi padre me contó que no dejaba de bordar, pero lo que más la atormentaba era creer que él la había abandonado con un hijo en el vientre. Y luego insinúas en tu novela que es una asesina.

—Ella era yo. Yo quise ser ella. Tener lo que tenía.

—Y escribiste que el hijo era tuyo.

—«Si no acertamos a hacer algo para refrenar, o modificar al menos, nuestra monstruosa adoración de los hechos, el arte quedará estéril y la belleza desaparecerá del mundo.» Oscar Wilde. La literatura siempre se anticipa a la vida, ojalá hubiera sido así.

Paul mira de nuevo el túmulo.

—Perdóname. —Bella Nur suspira.

—Quisiste hacerle pagar que la prefiriera a ella.

—Al principio, sí. Luego, conforme fue pasando el tiempo, simplemente me faltó el valor de contarle la verdad. Paul era mío. —Bella Nur se tambalea.

Su bastón ya no es suficiente para sostenerse, y antes de que caiga al suelo, Paul la agarra por la cintura y ella le abraza con fuerza. Llora.

—Te pido perdón de nuevo ante la tumba de tu abuelo. —Se separa de Paul, él aún la sostiene—. A tu abuelo se lo he pedido tantas veces. Vengo cada semana a visitarle, le pongo su vara de arrayán y le hablo en la lengua de mis antepasados. A él le gusta estar aquí, cerca del mar, sin sufrir más sus vaivenes. Déjame redimir lo que hice, déjame que cuide de ti, ya que el rencor no me dejó acercarme a tu padre.

—Él también murió sin saber la verdad.

—Tú eres el único que queda, el único que puede poner paz en esta historia que lleva viva demasiado tiempo. El único que puede cerrar la herida. Ella lo sabe. —Bella Nur mira a Flora y se abraza de nuevo a Paul.

Flora ve cómo el Mercedes marrón se aleja por la carretera hasta convertirse en una mancha que se traga el horizonte. Dentro viajan Bella Nur y Paul. Está temblando cuando Armand sale de su escondite y se acerca a ella.

—Mira —él le muestra su teléfono—, el número de la policía. Iba a llamar cuando esa mujer tiró la pistola.

—Hubo un momento en que pensé que iba a dispararme.

—No lo vi, a veces no tenía buen ángulo. Me resbalaba en las rocas con la suela de los zapatos.

—Creo que ya está —dice ella.

—Eso parece.

Caminan juntos hacia el coche de alquiler. El cielo sigue blanco y sobre ellos planean las gaviotas.

Cuando Flora llega al hotel y consigue wifi, tiene un mensaje de Paul Dingle. Es un número diferente.

Flora, cena esta noche conmigo, por favor. Tenemos tantas cosas de que hablar... Aún estoy conmocionado por lo ocurrido y necesito verte.

Ella se sienta en la cama, se quita las botas. Tiene en la ropa, en la piel, el olor de la gruta.

—Cenar con Paul —dice en voz alta.

Estaré encantada. En el café Central, de Tánger esta vez, a las 20.30. Una segunda oportunidad...

¿Qué está haciendo? Tiene una cita con Paul Dingle, el único que queda vivo. La respuesta en esta ocasión llega muy rápida.

Allí estaré.

Flora se ve tentada a preguntarle ¿y si hay viento? No lo hace. Las ráfagas que azotaban la playa esa mañana se han apaciguado. Responde un escueto: *Ok.*

Se desnuda para ponerse ropa cómoda y abre el ordenador. Tiene cinco llamadas de Deidé por Skype, pero ahora necesita dormir. La llamará cuando despierte para contarle lo sucedido. Apaga el ordenador y se acuesta. El sueño la vence rápidamente.

Flora ha dormido hasta las siete y media. Ni siquiera ha almorzado. Ha soñado con Paul, no con el que tiene una cita en apenas una hora, sino con Paul Dingle, personaje de una novela. Tiene otra llamada de Deidé, esta vez en el teléfono. Está preocupada.

—Deidé, querida, encontré al hombre con el que me

acosté en el hotel de la Gran Vía. El nieto de Paul Dingle.

—¡No! Contá, contá, ¿y es de carne y hueso?

—Totalmente.

—¿Y qué pasó?

—La asesina, Bella Nur, ha confesado: lo hizo con Samir, el antiguo novio de la madre.

—El ser humano siempre se repite, Florita. Mata por despecho, para quitarse de en medio lo que le estorba en sus deseos.

—Ahora Paul quiere verme.

—¿Qué Paul, querida? Ya no sé ni lo que digo. Me enloqueciste.

—El de carne y hueso. El de Madrid.

—¿Tuvo Paul Dingle una relación con la hija?

—Yo creo que sí.

—Lo decís con dolor porque él es tu Paul, al que vos acabaste buscando.

Flora se queda pensativa.

—Mañana regreso a casa.

—Es lo más sensato que he oído. ¿Y te bajarás al castillo?

—Abajo del todo. Ahora te dejo, tengo que arreglarme para la cita de esta noche.

Le tira un beso y corta la comunicación. Está nerviosa. No sabe qué ponerse. Sin duda el conjunto de ropa interior violeta. ¿Y por fuera? ¿Ropa un tanto sexi? Flora se decide por unos vaqueros y una blusa de gasa un poco transparente; encima, una chaqueta gruesa.

Cuando sale a la calle, la ciudad le parece distinta. Reconoce con facilidad las callejas para llegar hasta el Zoco Chico donde está el café Central. No teme a los gatos, se aparta de ellos, no tiene la sensación de que la asedian y pueden atacarla en cualquier momento. Cada vez camina más despacio. Por un lado quiere hacerle pasar a Paul el mal trago de que se disculpe por haberla dejado tirada sin un solo mensaje, pero ¿de verdad le importa? ¿Tiene algo más que hablar con él? Si acaso, agradecerle que la noche que pasaron juntos y el descubrimiento de *Niebla en Tánger* hayan sido el detonante que la ha sacado del letargo en que vivía, que la han hecho descubrir quién es o quién puede llegar a ser.

Flora se detiene. Ha llegado al zoco. Frente a ella está el café Central. El hombre con el que va a reunirse ya no es más que un desconocido. Es Paul Dingle, el personaje de *Niebla en Tánger*, quien le importa. Paul Dingle hombre, desaparecido misteriosamente en 1951, cuyo cuerpo reposa en un túmulo, a quien de verdad conoce. Y ya ha terminado todo lo que podía hacer por él.

Escribe un wasap:

Paul, no puedo ir a cenar. Mañana regreso a España y aún tengo asuntos que arreglar. Siento cancelar tan tarde. Te deseo que todo te vaya muy bien. Flora la durmiente ha despertado.

Respuesta a los pocos minutos:

Lo lamento, te esperaba ya. Tenía ganas de verte y de que me contaras con detalle todo lo que ocurrió con mi tía. Voy a quedarme en Tánger al menos unos meses, así que si regresas, ya sabes dónde puedes encontrarme. Y la verdad, me gustaría que lo hicieras. De todas formas estamos en contacto.

Flora contesta un simple *ok*, con icono de sonrisa. Al menos yo le he avisado, se dice mientras llama por teléfono a Armand.

—Creí que estabas en tu cita —responde él.

—Ya hemos encontrado a mi Paul Dingle. ¿Cena y música tradicional? Yo creo que después de lo que ha pasado hoy, nos lo merecemos.

La mesa de siempre en el *riad*, junto a la ventana. Una botella de vino blanco, dos copas. Armand las llena, cuando la ve llegar con las mejillas sonrosadas. Ha ido corriendo hasta el hotel. Flora se sienta frente a él, le sonríe.

—Por nuestro encuentro en Tánger. Nada aburrido —propone Armand.

Brindan.

—¿Has encontrado vuelo para mañana? —le pregunta él.

—Sale a las doce. No tendré que madrugar. Al menos llegaré a casa para Navidad. ¿El tuyo?

—Dos horas antes.

Después de la cena suben a la azotea para fumar un cigarrillo. Las nubes se han disipado y la noche es clara.

Flora está silenciosa, ha llegado el momento de enfrentarse con la vuelta a casa. Dentro de poco, cuando esté en el supermercado perseguida por ejércitos de embarazadas, Tánger le parecerá una historia que imaginó, un sueño que recuerda al despertar. O no. ¿Se siente capaz de regresar a esa vida? Ya no es Flora Linardi, aunque tenga el pelo rojo y los ojos grises, sino Flora Gascón, que ha empezado a descender por la escalera del corazón hacia la mazmorra de su castillo.

—Esto es para ti.

Armand le entrega una hoja con su retrato.

—Con tanto trajín apenas posaste y casi tuve que hacerlo de memoria.

—Me gusta mucho, Armand. Me has dibujado más guapa de lo que soy. Te llevarás la caja de lápices a Marsella y seguirás pintando, ¿verdad?

—Ya no puedo dejarlo. —Sonríe.

—Hay cosas que cuando se ponen en marcha no tienen vuelta atrás. Me asusta volver a casa. —Da una calada al cigarrillo—. Tengo miedo de que nada cambie.

—Supongo que si tú quieres que cambie, lo hará. No culpes a tu marido por algo que no te ves aún capaz de hacer. Perdona que sea tan sincero.

—¿A qué te refieres?

—A dejarle. Quizá simplemente él no da el paso porque quiere estar contigo, pero tú no. Él es así, como le describes. Quizá tú no eres la persona para hacerle feliz, ni él a ti.

—No entiendo cómo puede decir que me quiere y comportarse de ese modo. Incluso temía que se presentara en Tánger de repente porque me contó que me iba a dar una sorpresa y se me ocurrió que iba a tener un gesto así de loco y romántico.

—Cada uno quiere a su manera, Flora. Yo también sé lo que debería hacer. La verdad es que tengo miedo a la reacción de mis hijos, y eso que ya son mayores. Estoy paralizado o lo estaba hasta que empecé a pintar y a desenterrar muertos. No voy a vender la casa, todavía, no me siento con fuerzas de sacar los muebles de la familia a subasta y deshacerme de ella. Voy a hablarlo con mi hermano y con mi mujer antes de tomar la decisión final. De momento, todo queda paralizado.

Flora sonríe y Armand la abraza.

—Me alegro mucho de la decisión que has tomado —dice ella.

—Todo necesita su tiempo.

—Yo deseaba que mi matrimonio funcionara. Tener hijos, hacer feliz a mi madre, que ella me quisiera aunque tenga el pelo rojo de mi abuela maldita. —Las lágrimas se deslizan desde sus ojos.

—Estoy seguro de que es así.

—Quizá tengo miedo porque mi situación económica no es buena, porque veo en mi marido la última oportunidad para tener un hijo, porque me siento en la obligación de darle un nieto a mi madre. Soy la única hija que tiene. Estos son los límites, me dice Deidé, estoy dentro de ellos, en una mortecina y segura comodidad, pero acorde con lo que los demás esperan de mí, y dejar a mi marido sería traspasarlos.

—Y hacer lo que tú esperas de ti.

—No sé aún lo que espero.

—Has demostrado que puedes ser una escritora excelente. Ya has empezado a imitar a los que admiras. Es un primer paso.

Armand la abraza con más fuerza, se separa un instante y la besa con suavidad en los labios. Bájate más al castillo, Florita, piensa ella, aún te quedan unos cuantos peldaños.

Ha salido la luna sobre las azoteas.

24 de diciembre de 2015

Mi querido Paul: Hoy es el aniversario de tu desaparición, de tu muerte. He venido al puerto, al muelle adonde Marina acudía para conmemorar tu recuerdo en esta fecha. El mar del Estrecho se extiende ante mí. Hay viento, Paul, un viento de levante como despedida de mi estancia en Tánger. Me enamoré de ti, Paul Dingle, de *Niebla en Tánger*, de Marina, de vuestra historia, y ahora te digo adiós, aunque siempre te llevaré conmigo.

El viento sopla más fuerte, puede que el avión no despegue. Quizá es que la estoy llamando a ella, a la Axia Kandisha. Llévate a mi marido, le digo, a pesar de que todavía no ha caído la noche y él no ha venido a Tánger. Pensaba recurrir a ella si se presentaba en la ciudad. Ha comprado un aparato de *Blu-ray*, esa era su sorpresa, y me está esperando para una sesión de películas con palomitas. No me revuelvas el cabello con tus manos de huracán. Seré yo quien haga tu trabajo cuando regrese a casa.

19

La colcha

14 de noviembre de 2016

Flora vive ahora en un pequeño estudio por la zona de Tetuán. Sola. Ha adoptado una gatita de ojos azules y pelaje blanco a la que llama Marina. La salvó de que la sacrificaran en una veterinaria. Está un poco sorda porque le pegaron al nacer, y el riñón no le funciona del todo bien. El veterinario le ha dicho que con cuidados vivirá. A veces cuando su sombra se dibuja sinuosa en el salón de casa, a Flora se le despierta el temor a los gatos, pero Marina se restriega por sus piernas y ella le acaricia el lomo. Le gusta escribir el blog literario que empezó a su regreso de Tánger con la gatita sobre sus piernas, mientras degusta un té a la menta en el sofá.

Mantiene el contacto con Armand. Se escriben e-mails y wasaps y a veces hablan por teléfono. Él continúa con su mujer y sigue pintando.

Aunque aún trabaja con Electrodomestic Language, Flora ha logrado entrar como colaboradora en la editorial de la librería Des Colonnes, se atrevió a contactar con el gerente que le presentó Armand, y ha traducido del francés un libro de cuentos del Rif. Con el dinero que ha ganado y lo que ha ido ahorrando se ha comprado un billete para Buenos Aires. Va a encontrarse con Deidé. «Meté el bikini en la valija, Florita, acá ya empieza a hacer calor y vamos a poner en remojo las hormonas menopáusicas.»

Cuando Flora se dispone a salir de casa camino del aeropuerto, llaman a la puerta. Piensa en no contestar, tiene el tiempo justo para coger el taxi hacia la terminal 4, y a esa hora suele haber atasco. Se asoma por la mirilla y ve al cartero. Abre.

—¿Flora Gascón?

—Soy yo.

El hombre tiene en las manos un paquete rectangular de tamaño medio.

—¿Quién lo manda?

—Lo envían desde Tánger.

Flora se estremece.

Firma donde le dice el cartero y cierra la puerta. Duda si abrir el paquete en ese momento o a su regreso de Buenos Aires. Se queda quieta mirándolo durante unos segundos. No voy a soportar la intriga tanto tiempo, se dice. Lo lleva a la cocina, corta con una tijera las cintas de plástico que lo protegen y abre la caja. Hay algo envuelto en un fino papel de seda y un sobre de color azul. Flora lo reconoce al instante. Es igual que el que le entregó el recepcionista de su hotel en Tánger. Bella Nur. Debió de averiguar su dirección a través del gerente de Des Colonnes.

Hace unas semanas que Paul Dingle le escribió un

wasap para decirle que su tía había fallecido. El único contacto entre ellos desde los mensajes que se enviaron hace ya casi un año, cuando iban a encontrarse en el café Central de Tánger. Flora se sienta en una silla con el sobre en las manos. Lo rasga con delicadeza. Hay una tarjeta del mismo color.

Querida Flora:

Si has recibido este paquete significa que he muerto.

Creo que nadie mejor que tú podrá conservar lo que te envío. De alguna manera te pertenece. Espero que la disfrutes, aún queda algún espacio para que la continúes mientras esperas a tu Ulises.

Post scriptum: *Me enteré de que Gascón era tu verdadero apellido, en vez de Linardi; no soy la única que necesitó usurpar la identidad de otro en un momento de su vida.*

Flora sonríe. Abre con cuidado el papel de seda. La colcha de Marina con las selvas del mundo está doblada frente a ella.

NOTA DE LA AUTORA

—

Tánger. ¿Por qué Tánger? Ya casi me había olvidado de esta ciudad cuando regresé a ella veintitantos años después de aquel autobús de Mundo Joven de finales de los ochenta. Recorrí Marruecos junto a mi amiga del alma, Eva Magaz. Primer viaje al extranjero, sin padres, primer contacto con una cultura cuya estética de *Las mil y una noches* me fascinaba. Primer paseo por una medina, diciembre, frío, del brazo de mi amiga, me embruja la voz del muecín en las callejas, un laberinto de hombres.

Veintitantos años después, agosto, 2016. Una casa antigua alquilada en la medina de Asilah, a unos cuarenta y seis kilómetros de Tánger, veraneo con la familia. Por entonces Flora Gascón ya existe. Vive a las afueras de Madrid, en territorio comanche de urbanizaciones. Es Marina Ivannova quien todavía no ha nacido; sí la idea de escribir una novela dentro de otra novela, de una ficción dentro de otra, plano sobre plano que finalmente se funden. *Continuidad en los parques* de Julio Cortázar. No dejo de pensar en este cuento. El hombre con la cabeza en el respaldo de terciopelo verde leyendo una novela, el personaje que se aproxima a él, el lector que a su vez lee el cuento. Tres planos. ¿Qué es verdad, qué es ficción? ¿Dónde está la frontera entre lo real y lo fantástico? ¿Entre lo real y lo creado? Necesito un lugar en el que transcurra esta historia. Cortázar tiene el parque de robles, ¿y yo? Necesito un lugar que tenga un significado, que me emocione, como ocurrió con los de las otras novelas que escribí. Nada aún. Paseos familiares. Me apasionan los gatos de la Medina. Gaviotas. El Levante que algunos días nos vuela, como a Flora, ropas y cabellos, dejándonos un calor de desierto.

Entonces sucede. Nos invitan unos amigos de Sevilla a pasar el día en Tánger. Están alojados en un pequeño hotel cercano al puerto. Una casa afrancesada. Escaleras de piedra que ascienden hasta un jardín antiguo, impresiona su belleza, un vergel en la calle bulliciosa, una alberca que se empasta con el paisaje, vistas del Estrecho. Mimi Calpe es su nombre. Aún no puedo imaginar que será la casa de Marina, de Bella Nur. En ella nos esperan Mayte, Alberto, Juan Carlos y Enrique. Almorzamos en el jardín. Han ido al mercado para obsequiarnos con marisco, que cocina Yamila, siempre sonriente, amabilidad pura. Es una comida encantadora. Mágica. Y allí comienza todo. Enrique, mi querido Enrique Parrilla, charla sobre la historia de Tánger, que yo he olvidado. Es él quien me inocula poco a poco la pasión por la ciudad, por todo lo sucedido en ella. Durante la tarde, Enrique me lleva a la librería Des Colonnes, en el edificio Acordeón, mítica en la ciudad, me habla de una mujer extraordinaria: Rachel Muyal, gerente de la librería durante veinticinco años; de su actual gerente: Simon Pierre Hamelin. Contagia el fervor de Enrique por la cultura, por los libros; su empresa de gestión cultural tiene un nombre evocador, 9 millas, la distancia mínima entre África y Europa. Juntos ascendemos por las callejas hasta la fortaleza, la Kashba. En la azotea de un hotel vemos el atardecer, selva de azoteas, antenas de TV, el Estrecho con la última luz. Ya he elegido la localización de mi nueva novela, pero aún no lo sé. Cena en el Club Morocco. Despedidas. Es a la mañana siguiente en Asilah cuando tomo conciencia de ello, la historia sucederá en Tánger.

Cuatro meses después regreso. Diciembre otra vez. Mundo cíclico. Me alojo con mi marido en Mimi Calpe. A él no le gusta la ciudad. Mimi Calpe sí, es un remanso de paz. Enrique me ha puesto en contacto con Rachel Muyal. Nos emociona conocerla. Hemos quedado en encontrarnos en Des Colonnes. Rachel es una mujer enérgica, simpática, una narradora infatigable a la que uno no se cansa de escuchar. Recorremos con ella la ciudad, las callejuelas del Zoco Chico, la sinagoga de Nahón, que abre para nosotros. Me impresionan los rollos de la Torá. Rachel es judía sefardí. Quedan muy pocos judíos sefardíes en la ciudad tras la diáspora. Rachel, con sus gafas de sol y su turbante, bella, nos relata historias de su familia en la terraza del Café Central. Su contrato matrimonial en duros de Castilla, que utilicé en la novela. Rachel de ojos vivos, divertida, cicerone perfecta, accede a guiar a una turista irlandesa que nos pregunta por la tumba de Ibn Battuta. Me parece admirable la historia de esta chica que recorre el mundo siguiendo las rutas de los antiguos viajeros. Las personas afrontan retos extraordinarios. Así conozco la tumba donde Flora verá a Paul Dingle. Después Rachel nos lleva a Villa Josephine a tomar chocolate y las magdalenas de Proust, que no tienen esa tarde, y a cambio probamos un bizcocho de limón. Rachel, anfitriona extraordinaria, muchas gracias. *Niebla en Tánger* no sería lo que es sin tu generosidad, tu compañía y tus historias. Tampoco existiría sin ti, mi querido Enrique. No se cómo agradecerte todo lo que me has ayudado, tu entusiasmo. Me recomendaste leer *La vida perra de Juanita Narboni,* de Ángel Vázquez, en cuanto te conté que mi siguiente novela transcurriría en Tánger. Hacía años que la lectura de un libro no me impactaba tanto por su estilo, su estructura, que no sentía tan real a un personaje. A veces escuchaba a Juanita hablándome en jaquetía, el español de los judíos sefardíes de Tánger, «la descansada» de la escritora peleándose con los planos de sus ficciones. Además, gracias a esta novela conocí a la Axia Kandisha. Cómo me fascinó este personaje del folclore judío. Tenía que utilizarlo. En Tánger, somos lo que el viento quiere, dice Juanita. La referencia a ella en la conversación que mantienen Flora y Armand es un homenaje a mi admiración por el genio de Ángel Vázquez. Antoñito lo llama Rachel Muyal cuando le pregunto por él, claro que conocí a Antoñito, fue mi vecino; nos guía hasta la casa donde ellos vivían de niños. Un edificio europeo, un tanto abandonado, decadente, fascinante. Rachel nos cuenta la historia de la madre de Antoñito, la sombrerera malagueña, Mariquita Molina, la sombrerera de la madre de Marina en su disfraz fatal. Mariquita Molina recibía a las clientas en su sombrerería, y para que Antoñito no se pinchara con los alfileres, su madre lo metía en una jaula, como a un canario, y lo colgaba del techo. Esta historia me la relata Sonia García Soubriet, en el café del

Espejo, paseo de Recoletos, Madrid. Tengo la suerte de conocerla también por Enrique. Sonia me habla de su Tánger —cada uno tiene el suyo—, de Ángel Vázquez. Me recomienda lugares para visitar, libros que pueden servirme para la novela. Gracias, siempre, Sonia, por tu amabilidad. Me recomienda *Los muertos de Ronni* de Leo Aflalo. Por él nacen mamá Ada y papá Arón, el ajuar de Marina que crece y decrece, cual manto de Penélope, para huir de un destino matrimonial no deseado, la pastelería Pilo, la boda por las calles de la Medina.

Le hablo a Sonia de Mimi Calpe. No lo conoce. Unos meses después recibo un wasap suyo: estuve en Mimi Calpe, es la casa de la vecina rica de Juanita Narboni, habla de ella en la novela. Se me pone la piel de punta, de gallo, de gallina, ¿las cosas suceden porque sí? Gracias Sonia, otra vez.

Regreso a Tánger en el mes de mayo. Manolo, mi marido, tiene un trabajo en la ciudad y lo acompaño. Nos alojamos de nuevo en Mimi Calpe. Sentados en el edén de su jardín, un día ventoso como si fuera a aparecer la Axia Kandisha, papeles y lápices en mano, me ayuda a desenredar la madeja que tejí en *Niebla en Tánger*, a dar el golpe final sobre qué le ocurrió a Paul Dingle. Él siempre más realista, más psicólogo, yo más fantasiosa. Té a la menta, pasan horas. La idea aparece. Gracias de nuevo, querido, por estar a mi lado y acompañarme en el viaje.

Gracias también a otra mujer extraordinaria, gran amiga de Enrique: Marie Christine del Castillo. Siempre es un placer conversar con ella. La dama de la editorial Renacimiento, Sevilla, me da ánimos con la novela. Hablamos de Mimi Calpe, de su historia, amores de distintas religiones, los padres de Marina Ivannova.

Gracias a Simon Pierre Hamelin, lo conocí en Madrid, lo volví a ver en Des Colonnes con su anillo de plata, me regaló un libro de la historia de la librería.

Gracias a Iciar madre, Iciar hija, Tomi, Belén y David, que estuvieron conmigo en aquella comida de verano, en ese paseo por callejas y azoteas.

A mi hermana Pitu, con quien apareció por primera vez Paul Dingle en una conversación escurialense, sin saber aún que era él.

A Palmira Márquez por su apoyo, por acompañarme en el viaje de esta novela y vivirla conmigo.

A Clara Obligado, mi maestra, y a Victoria Siedlecky, que me ayudaron con la voz argentina de Deidé.

A mi querida Moira...

A mi niña, Lucía, que siempre me da ánimos y fuerzas.

No sé cuándo regresaré a Tánger, mi Tánger, ahora yo también tengo uno.